ВИКТОРИЯ

ПЛАТОВА

ВИКТОРИЯ
ПЛАТОВА

ОНА УЖЕ МЕРТВА

АСТ
Москва

УДК 821.161.1-312.4
ББК 84(2Рос=Рус)6-44
П37

Оформление:
Александр Шпаков

Платова, Виктория

П37 Она уже мертва : [роман] / Виктория Платова. – Москва : АСТ, 2014. – 511, [1] с.

ISBN 978-5-17-086928-2

Прошлое умеет ждать. И наносить удар в тот самый момент, когда кажется: все худшее уже позади и жизнь обрела ясность и смысл. Прошлое – небезопасно. А в большой семье, чья история окутана мраком и тайной, – небезопасно вдвойне. Тень когда-то совершенного и оставшегося так и не раскрытым преступления ложится на каждого члена этой семьи.

...В День Убийства они были детьми и теперь, двадцать лет спустя, снова собрались вместе, чтобы попытаться понять: что же произошло на самом деле? Но случайно открыв ящик с воспоминаниями, взрослые дети уже не в состоянии бороться со злом, которое сидит в каждом из них.

Удастся ли что-то противопоставить ему? Удастся ли спастись?..

УДК 821.161.1-312.4
ББК 84 (2 Рос=Рус)6-44

Часть первая

ДЕТИ

Август. Белка

...Ждали Сережу.

Он должен был прилететь еще вчера, но вместо Симферополя оказался в Люцерне. О чем и сообщил Лёке — единственному счастливому обладателю номера его мобильного. Прежде чем ответить на звонок, Лёка долго шевелил губами, считывая имя с дисплея, затем покраснел, вспыхнул и приложил палец к губам.

— Это Сережа! — торжественно произнес он.

Если бы он сказал: «Минуточку, нам звонит Бог», никто бы не удивился. Сережа и есть бог их многочисленного, бестолкового, разросшегося вкривь и вкось семейства. А с самым настоящим Богом его роднит частота упоминаний в прессе. И еще то, что его никто и никогда не видел живьем последние двадцать лет. Двадцать два, если быть совсем точным. Ровно столько времени прошло с тех пор, как они собрались здесь в последний раз — в то страшное лето, ознаменовавшееся одним исчезновением и одной таинственной смертью.

Никто не любит вспоминать о том лете.

Нет, не так. Все просто вычеркнули его из памяти, вовремя остановились у черты, за которой снова появляется этот запах — затхлого песка, мертвых дафний и полуразложившихся водорослей. В них когда-то нашли...

Не произносить имени.

«Да» и «нет» не говорить, черное и белое не носить — как в главной игре того лета. В нее играли младшие дети, но изредка присоединялись и старшие, и тогда все становилось намного интереснее. Для Белки, во всяком случае. Белка не была самой младшей, но и старшие, с их первыми тайнами и влюбленностями, обходили ее стороной. В то лето ей исполнилось одиннадцать, самый никудышный возраст. Самый уязвимый: вечно надутые губы, одиночество среди стрекоз, взрослая книжка, небрежно брошенная на веранде, *кто тут у нас читает «Идиота»?*

Этот вопрос задал Сережа.

В три часа тридцать минут пополудни, о чем засвидетельствовал бой часов в гостиной. Вопрос как раз и совпал с боем часов, оттого и получилось грозное: «Кто тут у нас читает «Идиота», бо-ом бо-ом?» И Белка сразу поняла, что перед ней — бог. На десять лет раньше всех остальных.

Бог держал в руках кроссовки, за плечами у него болтался рюкзак, а в волосах застрял кузнечик. Белка сосредоточилась на кузнечике и хмуро произнесла:

— Я.

— Ясно. Давай знакомиться. Я — Сережа.

— А я... — тут Белка назвала свое настоящее имя.

— Да? — бог почесал переносицу. — Вообще не очень-то похоже.

— Это еще почему?

— Потому.

В три тридцать пополудни Белка еще не знала, что безапелляционное «потому» — любимое Сережино слово. Исключающее долгие и нудные пояснения.

— Буду звать тебя Белкой, — кузнечик оттолкнулся от жестких, как проволока, волос Сережи и шлепнулся на лямку рюкзака. — Возражения не принимаются.

Белка и не думала возражать. Ей понравилось новое имя, а еще больше понравился Сережа и то, что он сделал потом. Осторожно снял кузнечика с лямки и положил на раскрытую ладонь. Тот, подобно Белке, тоже не возражал, сидел на ладони смирнехонько, расставив длинные ноги. Сережа тихонько дунул на него, и кузнечик... исчез! Растворился в стеклянном жарком воздухе, как будто его и не было. Белка смотрела на пустую Сережину ладонь, словно зачарованная. А потом спросила:

— Это такой фокус, да?

— Ни разу не фокус, — засмеялся Сережа.

— Ты повелитель кузнечиков?

— Не только.

— Всего-всего?

— Можно сказать и так, —

совершенно непонятно, шутит ли бог или говорит правду. Наверное, говорит правду, потому что боги не лгут. А если и лгут — то кому-то более значимому, чем маленькая девочка, застрявшая на тридцать пятой странице романа «Идиот». Например — бабушке.

Белка боится бабушку. Бабушка — строгая, молчаливая, скупая на ласку. Рук у нее явно больше, чем две, но сколько именно — разглядеть не удается. Всем этим рукам находится применение в хозяйстве, но Белка ни разу не видела, чтобы они гладили кого-то по голове. Стегали тонким жестким прутом — *лозиной* — это да. Не далее чем два дня назад Белке тоже досталось, воспоминания о лозине и сейчас вызывают в ней приступ бессильной ярости. Вот если бы бабушка исчезла от дуновения — как кузнечик! Нет, Белка вовсе не кровожадная и не хочет, чтобы бабушка испарилась навсегда. Но двух-трех дней было бы вполне достаточно. За это время тонкие фиолетовые полосы на икрах побледнеют и ярость пройдет. И — оп-ля! — бабушка снова может возвращаться к своей многорукой хозяйственной деятельности.

— Если я тебя попрошу... Раз уж ты повелитель всего-всего... Можешь сделать так, чтобы исчез один человек?

— Смотря что за человек, — теперь Сережа выглядит серьезным и даже озабоченным просьбой Белки.

— Э-э...

— Только не говори, что это — Парвати.

— Кто такая Парвати?

Следить за передвижениями бога — невозможно. Только что он был в трех метрах от Белки, а теперь оказался совсем рядом. Навис как скала. Это — не простая скала, а скала с маленьким водопадом; она увита уютным диким плющом, и если напрячь зрение, то можно разглядеть в зелени крошечных ящериц, крошечных птичек и таких же крошечных лемуров. В толстой книжке «Идиот» о лемурах не сказано ни слова, просто эти зверьки ужасно нравятся Белке.

Именно так — ужасно.

Применительно к Сереже это звучало бы — уу-жжжжа-аа-сссс-но!

Больше всего Белке хочется остаться в тени скалы — вот где ее ждет спасение от палящего южного солнца, такого же многорукого, как и бабушка.

— Ты не знаешь, кто такая Парвати? — шепчут ей на ухо прохладные струи водопада.

— Не-а.

— Наша бабушка.

Как есть — бог! Ну кто бы еще догадался о нехороших мыслях, что роятся в голове Белки? Застигнутая врасплох, она краснеет, из глаз вот-вот брызнут слезы, летний день померк в одночасье. И только в Сережиных силах вернуть свет. Но он не торопится, лишь внимательно обшаривает глазами Белкино лицо. В жизни своей она не видела таких удивительных глаз, их цвет меняется ежесекундно: сначала они показались Белке светло-карими, а теперь они — зеленые, как исчезнувший кузнечик. Уж не там ли он сейчас обитает, кузнечик?..

— Есть проблемы? — Сережа подмигивает Белке.

— Не-а.

— Врешь, — это сказано без всякого укора, напротив — с пониманием и даже одобрением.

— Я никогда не вру.

— Так не бывает, чтобы никогда.

— А вот и бывает.

— Ловлю тебя на слове.

— Зачем? — искренне удивляется и без того пойманная в силки Сережиного обаяния Белка.

— Затем, что рано или поздно наступит такой момент, когда нужно будет сказать правду. Какой бы горькой или страшной она ни была. Врунишки попытаются отвертеться, тогда и наступит твой звездный час. Звездный час правдивого человека.

Правдивому человеку по имени Белка трудно понять, что имеет в виду бог по имени Сережа. О какой горькой и тем более страшной правде идет речь?..

— Ладно, проехали.

— Проехали, — трясет головой Белка.

— Без остановок.

Отличная идея — ехать куда-то без остановок, тем более — с Сережей! Несколько секунд Белка выбирает между воображаемым поездом и воображаемым трамваем, склоняясь в пользу последнего. Она не любит поезда: поезда — неуклюжие и длинные, как змеи. Они дурно пахнут, кашляют и, утробно урча, переваривают людей в своих железных желудках. Не далее как две недели назад, Белка увидела это воочию. Перрон Витебского вокзала был полон стариков, детей и взрослых, и все они — за небольшим исключением — казались ей красивыми. Особенно — собаки (Белка любит собак!), в их с Машей-Мишей вагон загрузились сразу три: такса, щенок добермана и веселая трехцветная дворняга. Маша-Миша — Белкины *кузены,* так называет их мама. Белка же сократила кузенов до МашМиш, лучше было этого не делать! От МашМиш рукой подать до кишмиша, который она терпеть не может. И вечно выковыривает его из покупных ванильных булочек. МашМиш так просто не выковыряешь, у них — хватка. Что подразумевает под словом «хватка» мама — Белке неведомо. МашМиш никого особенно не хватают, держатся почтительно, как и положено провинциалам. Они живут в городе Саранске, в Ленинград приехали впервые — всего лишь на несколько дней; Ленинград — не конечная точка их путешествия, а начальная. Здесь они прихватят Белку и все втроем отправятся на юг, к бабушке. Так решили после бесконечных телефонных переговоров по межгороду отец Белки и мама МашМиша. За Белку в такой солидной компании можно не волноваться, МашМишу не так давно стукнуло шестнадцать, они — взрослые.

И они — двойняшки.

Почти близнецы.

Почти, потому что МашМиш не могут, как это принято у близнецов, смотреться друг в друга, как в зеркало. Во-первых, Маш — девушка, а Миш — парень. Во-вторых, у Маш — черные как смоль волосы, а Миш — блондин. Маш — резкая и порывистая, а Миш — самый настоящий увалень, к тому же он на голову выше сестры. Но это ровным счетом ничего не значит, Маш вертит братом, как хочет. Белка подозревает, что не только братом.

Маш — красивая, но эта красота совсем иного свойства, чем простодушная привлекательность таксы, щенка добермана и трехцветной дворняги. В красоте Маш скрыт какой-то подвох, хотя объяснить, в чем именно он состоит, Белка не может. Ей остается лишь наблюдать, как Маш орудует своей красотой, наносит удары окружающему миру и все они попадают точно в цель. Места им достались не самые удачные: плацкарт, последнее купе рядом с туалетом, плюс верхняя боковая полка по соседству. Но и десяти минут не прошло, как *кузены* оказались в центре вагона, с двумя нижними полками в активе. Что сделала Маш?

Всего лишь улыбнулась — сначала проводнику, а потом вислоусому кавказцу и дядьке с огромным животом и такой же огромной лысиной. Лезвие этой улыбки сразило всех троих наповал, и огромный живот и кавказские усы отправились куковать у туалета. К ним присоединился студентик, выкинутый проводником с места, которое теперь занимает Белка. Больше она их не видела, а если и видела, то не узнала. Всему виной неустанный пищеварительный процесс в недрах поезда-змеи: змея всасывает чистых и опрятных людей, а уже через несколько часов от чистоты и опрятности и следа не остается. Все выглядят унылыми, помятыми, как будто вывернутыми наизнанку. Все липнут друг к другу, как монпансье в жестяной коробке, запах пота смешивается с запахом жареной курицы; такса поскуливает, ей вторит дворняга, и лишь щенок добермана кажется довольным жизнью.

Он, да еще Маш.

В отличие от взмокшего, хватающего спертый воздух ртом Миша, Маш чувствует себя прекрасно. От нее веет прохладой, но Белке почему-то приходит на ум, что это — никакая не прохлада.

Сквозняк.

А мама строго-настрого запретила Белке торчать на сквозняках, может быть, поэтому ее отношения с Маш не задались с самого начала. Что странно, ведь она ждала приезда МашМиша, как только может ждать одиннадцатилетняя девочка. МашМиш даже трижды приснились ей — прекрасные, как морские звезды. Во сне они протягивали Белке руки-лучи, беззвучно смеялись, приоткрыв створки ртов: там были спрятаны жемчужины взрослых тайн, которыми МашМиш просто обязаны с ней поделиться. Ведь именно для этого существуют старшие братья и сестры, пусть даже двоюродные. Но в жизни все вышло гораздо прозаичнее, хотя рот Маш и впрямь напомнил Белке кладбище отборного жемчуга. Зубы Миша — вовсе не такие ровные и блестящие, он явно не дотягивает до сестры.

Никто не дотягивает до Маш, всех сдувает безжалостным сквозняком.

— Значит так, — заявила Маш, едва они обустроились на своих новых местах. — Слушаться меня беспрекословно. И не вздумай капризничать и качать права.

— Иначе? — протянула Белка.

— Иначе — расстрел, — Миш свесил с верхней полки лохматую голову и подмигнул девочке.

— Шутка, да?

— Нет, — ответила Маш вместо брата.

И Белка сразу поверила в невероятное: Маш может пристрелить ее за малейшую оплошность. Вряд ли она сделает это сама, у нее и пистолета-то нет. Но пистолет найдется у кого-нибудь еще, и этот кто-то обязательно пустит его в ход, загипнотизированный улыбкой Маш. И ни одна живая душа не вспомнит о маленькой Белке, не пожалеет ее. Никому она не нужна, кроме мамы и папы. Но они остались в Ленинграде, на перроне Витебского вокзала: на их плечи улеглось предвечернее солнце, — не потому, что устало и ему пора отправляться на покой, а потому... что оно тоже ищет защиты от Маш и ее острой, как нож, улыбки.

Вспомнив о родителях, Белка шмыгнула носом. В горле у нее запершило, а из глаз выкатились две аккуратные слезинки. Маш взглянула на них с презрением и даже какой-то гадливостью, как будто это были вовсе не слезы, а парочка угрюмых и неприятных на вид пауков-землекопов. *Атипичные тарантулы* — так называет их папа, о, у Белки непростой папа! Он — ученый, специалист по паукообразным. Раннее детство Белка провела в Туркмении, в пустыне Каракумы, затем была пустыня Кызылкум с самыми что ни на есть типичными тарантулами. А потом они вернулись в Ленинград, где Белку ждал первый класс средней школы. А теперь, спустя четыре года, еще и расстрел на месте — в железном пищеводе поезда-змеи.

— За дурацкие слезы тоже полагается пуля в лоб, — заявила Маш, и *атипичные тарантулы* тотчас испарились, не достигнув подбородка.

— Усекла? — поддержал сестру Миш.

Белка кивнула головой и забилась в самый дальний угол, прижав к животу тощую вагонную подушку. Кажется, так она и просидела все два дня (ровно столько заняла дорога), исподтишка наблюдая за Маш и вынашивая планы мести жестокосердной кузине. Главным орудием будущей мести были, конечно же, горячо любимые папины пауки: птицееды, каракурты, бокоходы и кругопряды. А также примкнувшие к ним *не совсем пауки* — фаланги и скорпионы. Не все из них ядовиты, но устрашающе выглядит любой. Мама, к примеру, так и не смогла привыкнуть к папиным подопечным и вздрагивает, стоит лишь самому безобидному пауку появиться в поле ее зрения. А ведь мамина специальность гораздо более серьезна, чем даже папина, она — серпентолог.

Специалист по змеям, кандидат наук.

Конечно, змеи в борьбе с Маш были бы куда как предпочтительнее, но... С ними одна морока! Они слишком большие, чтобы воспользоваться ими незаметно, слишком непредсказуемые. А по ядовитости ни один паук с ними не сравнится, разве что каракурт и его грозная самка — «черная вдова». «Черная вдова» — папина любимица, он не устает восхищаться ей и утверждает, что ее яд в пятнадцать раз опаснее, чем яд гремучей змеи.

Наличие «черной вдовы» не помешало бы. Белка так и видит эту чудесную, единственную в своем роде, картину: парализованная ужасом Маш корчится в муках, и никто, никто не приходит ей на помощь. Даже Миш, от которого в принципе нет никакого проку. Он лишь оруженосец. Или, лучше сказать, ножны; именно в них Маш сует свою улыбку, когда устает от нее. Лохматый увалень Миш — бледная тень сестры, а тень не способна принимать самостоятельные решения. Это понимает даже одиннадцатилетняя Белка. Она не даст кузине умереть. Все, что ей нужно, — увидеть, как Маш перестала быть божеством.

Низвержение божества происходит лишь в сознании Белки. А в остальном ничего не меняется, Маш — по-прежнему предмет поклонения всей мужской части вагона. Даже щенок добермана благоволит ей, что совсем уж не лезет ни в какие ворота. Собаки чуют плохих людей — так всегда утверждал папа. Наверное, где-то он ошибся. Что-то недоучил на своем биофаке, увлекшись паукообразными.

Маш — богиня-разрушительница.

Но теперь у нее появился противовес — добрый бог Сережа. И он главнее Маш, это несомненно. Сереже ничего не стоит оседлать трамвай и вместе с Белкой отправиться на нем без остановок. Куда? Белке все равно. Их волосы полощутся на ветру (в трамвае открыты все окна), сплетаются друг с другом, и лемуры, маленькие птички и крошечные ящерицы свободно скачут по ним, как по лианам в тропическом лесу. И улыбка Сережи совсем не такая, как у Маш, — она не похожа на нож или на опасную бритву, а... На что она похожа?

На все то, что Белка любит больше всего: эскимо «Ленинградское», овсяное печенье, подоконник в гостиной, низкий и широкий, на нем замечательно сидеть, расплющив нос по стеклу, и наблюдать за Кировским проспектом... Фу-у, какая же она дура! Как можно сравнивать Сережу с овсяным печеньем? А тем более — с эскимо и подоконником, пусть даже он и похож на палубу корабля и тело его испещрено загадочными, едва заметными сквозь множество красочных слоев надписями:

ЮЛИЯ ЛОВУАРЪ и К°
Невѣста безъ мѣста
Гдѣ ты, кромѣшное счастiе моё?

Впрочем, кое-какое сходство все же имеется. Правую Сережину руку украшают непонятные значки, столбцом тянущиеся от плеча к локтю. Они заинтересовали бы и маму и папу, потому что похожи и на пауков, и на змею одновременно:

午
後
の
曳
航

Иероглифы, вот как это называется! А еще это называется татуировка, у Белкиного папы тоже есть татуировка, она окопалась на спине, и папа немного ее стесняется. «Ошибки бурной юности» — именно по этому разряду проходит квинтет разухабистых скелетов, вооруженных музыкальными инструментами: контрабас, саксофон, тромбон с трубой и ударная установка.

«Ленинградский диксиленд» — так именует папино наспинное безобразие мама, *о чем ты только думал, когда заводил этот вертеп? Уж точно не о жене и о ребенке.*

— Мне было восемнадцать, и я был дураком.

— Не таким уж дураком, — парирует мама. — Иначе выбил бы скелетов у себя на лбу. Или на груди. Чтобы здороваться с ними, выходя из душа. Надолго бы тебя хватило?

— Ненадолго, — вздыхает папа.

— Но ты предпочел, чтобы их видел кто угодно, кроме тебя. О чем это говорит?

— О чем?

— Ты — эгоцентрик. Любитель распустить хвост по поводу и без повода.

Белка знает наперед все то, что скажет папа: если бы он был любителем распустить хвост, то занялся бы львиными прайдами, а не какими-то невнятными пауками. И украсил бы спину не скелетами, а группой «Битлз». Или, на худой конец, Лениным, слушающим «Аппассионату». И вообще, эта чертова татуировка принесла ему кучу проблем, *но ты ведь не оставишь меня из-за такого пустяка?*

Белка знает наперед все то, что скажет мама: даже тривиальный поход на пляж оборачивается сущей морокой, потому что к ней подходят самые разные люди с одним и тем же вопросом — «не разыскивает ли вашего спутника милиция?». И можно только представить, какой ажиотаж вызывает татуировка среди посетителей общественных бань!.. Тут папа замечает, что контингент посетителей общественных бань — вещь довольно специфическая, и видели они еще не такое. Тогда мама переключается на Белку, *ребенку лицезреть весь этот анатомический театр вовсе необязательно, я тебя не оставлю и из-за более серьезных вещей, не надейся!..*

Что подразумевается под более серьезными вещами?

Болезнь, потеря работы, отсутствие денег — все то, чего так боятся взрослые. Но в своих маме и папе Белка уверена на все сто. Они всегда будут вместе, что бы ни произошло.

— ...Татуировка, да? — Белка внимательно рассматривает иероглифы.

— Точно.

— И что она означает?

— Секрет.

— И ты мне никогда его не откроешь?

— Ну... — Зеленые Сережины глаза снова становятся карими. — До сих пор в мои планы это не входило.

— А теперь?

— И теперь не входит. Разве что... Могу сменять его на равноценный.

— Это как?

— Ну, если у тебя есть какой-нибудь очень важный, очень секретный секрет... Мы можем обменяться. Есть у тебя такой секрет? Подумай хорошенько.

Белка закусывает губу, пытаясь угадать, что может произвести впечатление на Сережу. Юлия Ловуаръ и К° отваливаются сразу, «Ленинградский диксиленд» — чуть погодя. В конце концов, скелеты принадлежат папе, а Белке — лишь постольку-поскольку. МашМиш покуривают втихаря: Белка застукала их совершенно случайно в конце кипарисовой аллеи, за лавровыми кустами. Не то чтобы МашМиш испугались, — они даже растерянными не выглядели. И до переговоров с Белкой не снизошли, — Миш всего лишь приложил палец к губам, а Маш сжала кулак и выставила вперед указательный палец, имитируя пистолет.

Бэнг, — сказала она, — *бэнг-бэнг*! Кажется, это американский вариант «пиф-паф», МашМиш спят и видят, как бы им убраться в Америку побыстрее. Их ровесник Лёка, постоянно живущий в доме бабушки, даже не помышляет о том, чтобы куда-нибудь уехать. МашМиш дразнят его деревенским дурачком и дауном; иногда используется сокращенный вариант — даунито: *вон даунито пошел! Пойди спроси у даунито!*

Лёка, конечно, никакой не даунито, ему бы подошло определение «блаженный». Лицо его кажется неподвижным — самое настоящее горное плато, почти всегда скрытое туманом. Изредка туман рассеивается, и тогда можно увидеть Лёкины глаза, круглые, как у птицы. Но, в отличие от птичьих, они опушены ресницами — прямыми и такими длинными, что и глаза перестают быть глазами: так, два колодца, заросшие по краям камышом. Или две норы в тени двухметровых сорняков. Колодцы роют люди, норы — животные; первые — чрезвычайно рациональны, как утверждает папа, и этой рациональностью измеряется глубина колодца. Вторые подчиняются инстинктам, а инстинкты — вещь непредсказуемая, как и глубина норы; и оглянуться не успеешь — окажешься где-то у земного ядра. В любом случае, Белке не хотелось бы свалиться ни в колодец, ни в нору. О камыш можно порезаться, о сорняки — уколоться, кроме того, они выделяют обжигающий ладони млечный сок. Вывод напрашивается сам собой — от Лёки нужно держаться подальше.

Но он и сам ни к кому особенно не приближается.

Целыми днями он копается в огороде или в сарайчике или что-то строгает в мастерской. Еще он ездит в поселок за продуктами, конопатит старенькую лодку и ухаживает за мерином по кличке Саладин. К Саладину прилагается телега, именно на ней Лёка встречал их в Ялте. МашМиш отнеслись к телеге скептически, а Белке она понравилась. Телега набита сеном и — для мягкости — устлана старыми коврами. Всю дорогу Белка (вместо того чтобы изучать красоты Южного берега Крыма) пялилась на эти ковры. Всему виной рисунки — диковинные птицы, животные и растения, сплетенные друг с другом в самых невероятных комбинациях. Птицы и животные, безобидные сами по себе, поселили в сердце девочки смутную тревогу, а растения вовсе не спешили рассеять ее. Иногда Белке казалось, что тревога вот-вот улетучится или, наоборот, станет настолько явной, что с ней можно будет справиться одним усилием воли. Волевое усилие — единственное, что необходимо человеку для жизни. После любви, разумеется, об этом иногда говорят между собой мама и папа. Смысл подобных многомудрых суждений Белке неясен. И вообще — в разговоры взрослых лучше не влезать. Хотя мама и папа никогда не были противниками доверительных бесед с дочерью.

Воля требуется для того, чтобы не раздавить паука, когда очень хочется это сделать.

Воля требуется для того, чтобы заглянуть в глаза змеи, когда очень не хочется делать этого. Не из чистого суеверия (так поясняет мама), а для того, чтобы понять: ядовита змея или нет. У безобидных дневных ужей и полозов — круглые зрачки, как у самого человека, или рыбы, или собаки. У ядовитых змей, вроде гюрзы, кобры или щитомордника (они ведут преимущественно ночной образ жизни), — вертикальные.

Как в эту плюющуюся ядом шеренгу затесалась Аста — неясно.

Аста — еще одна двоюродная сестра Белки, она приехала сюда из Таллина. Аста, МашМиш, Лёка — старшие дети. Есть еще младшие, *пузатая мелочь*, от трех до восьми: Генка, предпочитающий откликаться на имя Шило, Ро́стик, Аля, Тата и Гулька (на самом деле Гульку зовут Никита). Итого — девять, за вычетом Белки и Лазаря. Лазарь — такой же *не-пришей-кобыле-хвост*, как и сама Белка, и дело тут не только в том, что ему двенадцать (детство кончилось, а отрочество еще не наступило). А в том, что он — чужак. Не связанный родственными узами ни с кем из детей, за исключением маленькой Таты. Тут имеет смысл углубиться в генеалогию Белкиной семьи. Большой Семьи, а не той, что осталась в Ленинграде. У бабушки было восемь детей: четыре дочери и четыре сына. О двоих (Самом старшем и Самой младшей) вспоминать не принято, их прячут от посторонних глаз в толстом бархатном фотоальбоме, в среднем ящике комода. Ящик всегда заперт на ключ, а ключ висит на шее у бабушки, рядом со старомодным медальоном «Обратная сторона Луны». Это название, равно как и имя Парвати, придумал Сережа, — кто же еще!.. Когда Белке было одиннадцать, ей просто нравилось сочетание слов — обратная•сторона•Луны, а об их тайном и пугающем смысле она задумалась много позже. А может, и не было никакого пугающего смысла, всему виной то лето; одно исчезновение и одна смерть делают страшным абсолютно все, заставляют повсюду искать Знаки трагедии.

После того, что случилось, Большая Семья перестала существовать. Ее саму впору было упаковать в бархат и запереть в среднем ящике комода.

Ключ от него напоминал Белке якорь.

Выброшенный на берег якорь, на него время от времени накатывались мутные волны бабушкиных янтарных бус. В такие моменты Белка думала о судне, оставшемся без якоря: бесприютное, оно подставляет стихии свои бархатные борта, и единственным его пассажирам — Самому старшему и Самой младшей — нет покоя, нет отдохновения.

Бедные они, бедные!..

У остальных членов Большой Семьи судьба сложилась намного удачнее: старшая дочь уехала по распределению в Таллин, вышла замуж за эстонца с труднопроизносимой фамилией Раудсепп и произвела на свет Асту. Средняя — мать МашМиша — осела в Саранске. Аля и Гулька прикатили сюда из Петрозаводска, где их мама — средняя-средняя сестра — работает секретарем в горсовете. Остаются еще три брата: специалист по паукам (Белкин папа), специалист по холодильным установкам (отец Ростика и Шила) и специалист по электрогидравлике. Пятилетняя Тата — его родная дочь, а Лазарь — сын нынешней жены от первого брака.

Лазарь держится особняком и почти все дни проводит в одиночестве — так же, как и Белка. И для этого одиночества у чужака гораздо больше оснований, чем у нее. Белку (при всей ее страсти к уединению) инородным телом в семейном пейзаже не назовешь, она неуловимо похожа не только на Ростика с Шилом, Лёку, Гульку или бабушку, но и на кипарисы, на лавровые кусты. На все то, что с детства впитывала Большая Семья, чтобы потом отдать семьям поменьше, веточкам потоньше. Даже в белокурой, белокожей Асте нет-нет да и проглянет южанка. Особенно когда она схлестывается с Маш. Между Астой и Маш идет необъявленная война, большей частью — позиционная: так бывает всегда, когда силы противников примерно равны.

Аста не менее красива, чем Маш, но это другой тип красоты. Возможно, увидев ее, не всякий остолбенеет, но любой — обернется и будет долго смотреть вслед. В сухопутной красоте Маш много ветра и царапающего лицо песка, он оседает на коже и еще долго скрипит на зубах. Красота же Асты отсылает к воде, к озерам среди скал, холодным и бездонным. Озера эти только с виду кажутся сонными, но нырнуть в них — все равно что подписать себе смертный приговор. Того и гляди затянет в омут, или водоросли обовьют шею так, что не вырвешься, или судорога сведет ноги. И флегматичные воды сомкнутся над тобой, как будто тебя и не было.

Поначалу взаимная нелюбовь Асты и Маш была не столь очевидной, лишь проницательная Парвати, взглянув на обеих своих старших внучек, сказала:

— Беда!..

Беда пришла откуда не ждали: не отлипающий от сестры Миш неожиданно прилип к Асте и позвал таллинскую красотку на маленький галечный пляж составить компанию ему и сестре. Что уж там произошло на пляже доподлинно неизвестно, но вечером Маш шипела на брата, а тот больше всего напоминал побитую собаку.

На следующий день никаких приглашений от Миша не последовало, зато Белка перехватила шестилетнего Ростика. Он мчался к беседке — там, в гамаке, покрытом ковром, коротала время за чтением неприступная Аста. Книга, с которой она не расставалась, была во всех отношениях достойной: «Анжелика» Анн и Сержа Голон, а не какой-нибудь «Идиот».

— Куда несемся? — спросила Белка у Ростика.

— У меня дело! — важно заявил тот.

Дело, а скорее — дельце, оказалось ничтожным — так, на пару конфет. С веранды Белке хорошо было видно, как Ростик отдал Асте сложенный вчетверо листок бумаги и моментально исчез. Развернув листок, Аста пробежала по нему глазами и улыбнулась.

Гром грянул за обедом.

Хорошо еще, что на нем присутствовали не все — Парвати укладывала самых младших (*ничто так не способствует здоровью растущего организма, как послеполуденный сон,* — утверждала она). За столом, таким образом, остались Белка, Лазарь с вечными карманными шахматами, МашМиш, Аста, Лёка и Шило. Девятилетний Шило никак не мог справиться с котлетой и попытался тайком скормить ее Лёкиной собаке Дружку, за чем и был пойман Парвати. В довесок к подзатыльнику он получил еще одну котлету и строгое предписание сожрать ее во что бы то ни стало.

Итак, Шило ковырялся в тарелке, Лазарь — в шахматах; Лёка гладил Дружка по косматой голове, следя за тем, чтобы очередная котлета не попала к нему в пасть. Белка, как обычно, занялась сравнительными характеристиками Маш и Асты. На Белкин субъективный взгляд выходило, что Аста — вне конкуренции и что она непременно должна победить в войне. Нет-нет, надменная прибалтийская русалка не так уж нравилась ей, но Маш — после путешествия на поезде и *бэнг-бэнг-бэнг!* — нравилась еще меньше.

Давно пора проучить Маш!..

Аста как будто услышала Белку. Она улыбнулась — так же как тогда, в беседке; вынула из кармана злополучный листок и исполненным скрытого торжества голосом произнесла:

— Сегодня утром я получила послание. Никому не интересно, что в нем?

— Никому, — Маш скривила губы в презрительной гримасе. — Можешь засунуть его себе в задницу.

В этот момент Белка смотрела не на Маш, совсем на другого человека. Этот человек согнул — и откуда в нем взялась такая сила? — и разогнул чайную ложку. А потом бросил ее на пол.

— И напрасно, — продолжила Аста с видом победительницы. — На твоем месте, Мáри, я бы обязательно заинтересовалась его содержанием.

«Мари» — и есть Маш, только с эстонским акцентом. А Миша Аста величает «Миккелем». Белке ужасно нравятся эти переиначенные имена, как к ним относятся МашМиш — неизвестно. Но публичных возражений с их стороны пока не поступало.

— Почему это?

— Потому что оно — о тебе. Любопытно знать, что думает о тебе один человек?

— Нисколько, — произнесенное слово вступило в явное противоречие с лицом саранской кузины. Маш сгорала от любопытства, Белка явственно это видела.

— Значит, мне порвать его? — теперь Аста самым недвусмысленным образом издевалась над Маш.

— Как знаешь.

— Я-то знаю. А вот ты никогда не узнаешь. Умрешь и не узнаешь, — в ту же секунду зрачки у Асты съежились и стали вертикальными, почти как у змеи.

— Ну, если тебе так хочется... Я могу прочесть.

— Э-э, нет! Прочту его я. Вслух, если ты не возражаешь.

— Я возражаю!..

Это сказал Миш. Это он сгибал и разгибал ложку. Это он уронил ее и полез под стол, чтобы поднять. И даже оставался там пару лишних секунд. Неизвестно, что произошло с ним за эти пару секунд. Видимо, ничего хорошего, поскольку лицо его пылало, в жизни своей Белке не доводилось видеть таких лиц! Хотя... Она вдруг вспомнила о Байрамгельды — туркмене, который работал с папой в Каракумах. Байрамгельды умер от сердечного приступа за рулем экспедиционного грузовика. И за секунду до смерти его лицо стало таким же, каким было сейчас лицо Миша: пунцово-фиолетовым.

Вдруг и Миш умрет?

Несмотря на то что он был хвостовой частью самолета-истребителя «МашМиш», неоднократно атаковавшего Белку, она вовсе не хочет его смерти! Она хочет, чтобы лицо его снова стало самым обыкновенным! И странно, что никто не замечает, что с Мишем происходит неладное: Маш и Аста пожирают друг друга глазами, а все остальные пожирают глазами их.

Даже Дружок не исключение.

— С чего бы это тебе возражать? — Маш даже головы в сторону брата не повернула.

— Наверняка, это какая-нибудь фигня, — голос Миша был таким тихим, что напоминал шелест кипарисов в сумрачной аллее. — Яйца выеденного не стоит...

— Стоит, — уверила присутствующих Аста. — И вообще... Предупрежден — значит вооружен. Что скажешь, Мари?

Маш и без того вооружена до зубов. Пистолетом *бэнг-бэнг-бэнг*, кинжальной улыбкой, готовой исполосовать всех, кто не успел зажмуриться. Маш — бессменный командир самолета-истребителя с кучей нарисованных звезд на фюзеляже, разве ей нужен дополнительный боезапас?

По всему выходит, что нужен.

— Валяй, читай.

Аста, казалось, только этого и ждала. Очень медленно она развернула записку, еще раз пробежала ее глазами и набрала в легкие воздуха, как будто собиралась прыгнуть в море со скалы:

— Уверена?..

— Не тяни.

Всему виной ее легкий, едва уловимый эстонский акцент: иногда он почти незаметен, иногда — кажется нарочитым, особенно когда Аста заявляет: «У нас почтьи Эуропа! У нас всьё ньемного мьягче!»

Вряд ли это относится к людям.

И уж точно не к Асте. Особенно теперь. Теперь она напоминает Белке лучницу, а акцент — всего лишь яркое оперение, призванное не только увеличить скорость и придать необходимую точность полету стрелы, но и отвлечь потенциальные жертвы. Они пребывают в неведении ровно до того мгновения, пока стрела не вонзится прямо в сердце.

— **«Жду тебя сегодня в девять вечера, в конце кипарисовой аллеи. Не обращай внимания на Машку, Машка — страшная сука и гадина, но я плевать на нее хотел. Знаю о ней такое, что она и рыпнуться не посмеет. Приходи, очень тебя жду»,** —

Аста закончила чтение в абсолютной тишине. Такой оглушающей, что было слышно, как в аллее о чем-то шепчутся кипарисы. И что-то подсказывало Белке, что в девять вечера ни один посторонний не сможет вклиниться в их беседу.

— Пять орфографических ошибок, — тоном учительницы младших классов произнесла вероломная эстонская полукровка. — Сколько там у твоего братца по-русскому?..

Нужно отдать должное Маш. Получив пробоину, ее самолет клюнул носом, но тут же выпрямился и нестерпимо засверкал плоскостями на солнце:

— Тебе лучше спросить у него самого. Только вряд ли он тебе об этом скажет.

Взглянув на Миша, Белка подумала, что Маш даже смягчила ситуацию. Еще недавно полыхавшее лицо брата было теперь мертвенно-бледным, словно занесенное снегом. Снег поглотил все — губы, подбородок, светлый пушок под носом и сам нос; остались только незамерзающие полыньи глаз. О, Белка хорошо знает, что такое снег! В ее северном городе он может лежать долгими месяцами, спрессовываясь в пласты, и нужно запастись мужеством и терпением, чтобы пережить его. Вдруг у Миша не хватит терпения? А о мужестве и говорить не приходится, достаточно заглянуть в жалкие полыньи.

Впрочем, не такие уж они жалкие.

Где-то — в самой их глубине — вспыхивают диковатые огоньки. Белка слишком мала, чтобы хоть как-то классифицировать эмоцию, которую они несут, но одно знает точно: ничего хорошего от этих огоньков ждать не приходится.

Снег над городом по имени Миш идет и идет; а Белка убеждает себя, что и в снеге заключена масса приятных вещей. Новый год — раз. Каникулы — два. Санки, лыжи и коньки — три. В белых сумерках приветливо светятся окна домов. В зависимости от того, что за ними происходит, они могут быть желтыми, оранжевыми, как апельсины, нежно-голубыми — там смотрят телевизор. Но в городе по имени Миш никто не смотрит телевизор. Никто не катается на коньках и не съезжает с горы на санках. В нем некому встречать Новый год, а каникулы похожи на все остальные дни — пустые и никчемные.

В городе по имени Миш не светится ни одно окно.

Нет, не так.

Два окна все же имеются — те самые, за которыми горят недобрые сполохи. Даже оказавшись в самом эпицентре метели, поздно ночью, преследуемая стаей голодных волков, Белка ни за что бы не постучала в эти окна. Там, внутри, еще хуже, чем снаружи. Там нет спасения.

Ни для кого.

— ...Ферзь бьет слона, — неожиданно сказал Лазарь. — Шах и мат.

Это не относилось к сцене за обеденным столом (Лазарь просто передвинул крошечную фигурку на крошечной шахматной доске), но прозвучало издевательски. Последнее слово осталось не за Астой, не за Маш, не за заиндевевшим Мишем — за чужаком.

— Заткни пасть, — посоветовала Лазарю Маш, нисколько не похожая на слона.

— Шах и мат, — упрямо повторил тот.

— Не стоит принимать все, что говорят, на свой счет, — неожиданно вступилась за Лазаря Аста. — Ты не центр вселенной. Как только поймешь это — жизнь заметно облегчится.

Еще одна стрела, пущенная точно в цель. Кажется, она влетела прямо в рот Маш, иначе чем объяснить, что губы ее стали кроваво-красными? Белка даже испугалась, что кровь вот-вот хлынет — целый поток, бурный и неостановимый. Он сметет на своем пути не только Асту и Миша, но и Шило, и Лёку, и Лазаря, и собаку Дружка.

И крошечные, совершенно беспомощные шахматы.

Почему Белка испытала острую жалость именно к шахматам, а не — к примеру — собаке никакому логическому объяснению не поддавалось. Шахматы —

предмет неодушевленный, и в этом они немного похожи на своего хозяина, Лазаря. Все делают вид, что он — пустое место. Ему частенько забывают поставить тарелку, ему достаются самые маленькие сырники, самые жилистые куски мяса и компот без ягод. Но незаметно, чтобы Лазарь особенно страдал. Он безропотно проглатывает и сырники, и мясо, и компот. В отличие от бутуза Гульки он никогда не просит добавки; в отличие от своей сестры Таты он никогда не отказывается от манной каши. Где он проводит дни — никому не известно, но у него есть удивительная способность внезапно вырастать перед глазами: Белка пару раз испытала эту внезапную материализацию на себе — ощущение не из приятных. И если в первый раз она просто испугалась и вскрикнула, то во второй раз задумалась о природе Лазаревой материализации.

Лазарь похож на паутину, которую обычно плетут кругопряды.

Паутина вырастает перед ничего не подозревающим насекомым совершенно неожиданно. И в тот самый момент, когда уже ничего нельзя изменить, — остается только дергаться в тенетах в ожидании самого худшего. Хорошо еще, что Лазарь — не кругопряд, а Белка — не насекомое.

— Фуу-х! — вскрикивает она при встрече. — Ты меня напугал!..

— Извини, пожалуйста, — обычно отвечает Лазарь. — Я не хотел.

Лазарь — очень вежливый мальчик. Он не похож на одноклассников Белки и на тех ребят, что живут в ее дворе. Отпетые хулиганы, вот кто они такие! А Лазарь — вежливый и тихий. Поначалу Белка думала, что подружится с ним, выгоды от этой дружбы очевидны: она получает готового рыцаря на шахматном коне, а он — избавляется от одиночества, да и ягоды в компоте ему обеспечены. Белка даже робко поинтересовалась шахматами — по ее мнению, это очень интересная, загадочная игра, жаль, что в их семье шахматы не в чести.

Папа и мама предпочитают нарды, иногда они бросают кубики и передвигают шашки целыми вечерами; нарды — лишнее напоминание о Каракумах и Кызылкуме. Для Белки расставание с большими пустынями прошло безболезненно, зато не было дня, чтобы папа и мама не вспоминали о них.

Папа и мама скучают.

— Скучаешь по дому? — спросила как-то Белка у Лазаря.

— Нет.

— Значит, тебе здесь нравится?

— Нет.

— А есть место, которое тебе нравится? Больше всего?

— Нет.

— Ты на все вопросы отвечаешь «нет»?

— Нет.

Белка прыснула, а Лазарь невозмутимо приподнял малютку-фигуру над доской и водрузил ее на соседнюю клетку.

— Научишь меня играть в шахматы?

— Нет.

— Почему?

— Потому что научить играть в шахматы нельзя. Каждый учится сам. Как перс Вазургмихр.

— И ты научился сам... как этот перс?

— Да.

— Ну и дурак!..

Лазарь никак не отреагировал на оскорбление, лишь дал себе труд снисходительно улыбнуться. Но отныне о дружбе с ним можно было даже не мечтать. А Белкина невысказанная симпатия к чужаку не только улетучилась, но и сменилась на прямо противоположное чувство: неприязнь. Неприязнь была такой же едва уловимой, как и симпатия, она сидела где-то глубоко внутри и старалась лишний раз не высовываться, не слать злорадные ухмылки в окружающее пространство. Лазаря шуганули старшие? — хорошо!.. У Лазаря пропала ладья с доски — очень хорошо!!! Ладья нашлась? — жа-аль!.. Кто-то сунул Лазарю дохлую сколопендру под подушку? — Белка знает, что это сделал Шило, но никогда его не выдаст!..

Впрочем, атаки на Лазаря не назовешь террором, они были единичными и носили спонтанный характер. Не в последнюю очередь потому, что паутинка окончательно слилась с пейзажем. Если в самом начале своего пребывания в доме Парвати Лазарь выглядел инородным телом и легко вычленялся глазами, то теперь... он стал почти прозрачным!

Как паук во время линьки.

Заметить его можно было, лишь сильно напрягая зрение. Иногда Белка специально пялилась на старый колодец в саду, или на расщелину в скале (скалы обрамляли маленькую естественную бухту с галечным пляжем), или на ровные ряды виноградника — рано или поздно, вследствие особого преломления солнечных лучей, на их фоне проявлялся Лазарь с неизменными шахматами.

Интересно, прибегают ли к подобным экспериментам остальные?

К каким-то экспериментам — да, но Лазарь их объектом не является. Маш и Аста слишком заняты ненавистью друг к другу, малоприятная обеденная сцена завершилась и вовсе зловеще:

— Тебе не жить, чухонская дрянь!..

Бэнг-бэнг-бэнг.

Ноябрь. Полина

... — Так когда же все-таки приедет Сережа? — спросила Полина.

Лёка поморщился и виновато развел руками — главного-то он и не узнал. Главное так и осталось запертым в утлом корпусе мобильного телефона. Или было потеряно на ходу, выпало из дырявой Лёкиной головы. Сколько ему сейчас? Чуть за сорок, но он по-прежнему Лёка, тихий деревенский дурачок, *даунито*. Впрочем, сорок ему не дашь, а... сколько? Ни одного седого волоса не сыщется в Лёкиной шевелюре, морщин тоже немного — разве что у губ залегла горькая складка: все те, кого он любил, к кому был привязан, — мертвы. Это естественный ход событий, сначала не стало Дружка и Саладина (лошадь и собака умерли от старости).

А теперь и Парвати отошла в мир иной.

Она скончалась две недели назад, в самом конце октября, в возрасте восьмидесяти семи лет. Мало кто присутствовал на похоронах, но Сережа выкроил полдня в своем плотном рабочем графике и прилетел проститься с бабушкой. И вот теперь должен прилететь снова — на оглашение завещания. Остальные прибыли сюда по той же причине: завещание будет прочитано в присутствии внуков — такова была последняя воля покойной.

Они не виделись больше двадцати лет. Если быть совсем точной — двадцать два года и два с половиной месяца — с того самого августа. Але — самой младшей, сейчас двадцать пять. Тате — двадцать семь, МашМишу — к сорока, остальные (включая Полину) болтаются в возрастном промежутке между тридцатью и тридцатью пятью.

Полина не узнала Гульку, приняла Тату за Алю; подивилась тому, как мало изменился Лёка и как сильно сдали МашМиш — теперь никто бы не доверил им управление такой быстрой и умной машиной, как военный истребитель.

Шило работает опером в одном из архангельских отделений полиции, его брат Ростик — корабельный механик; Гулька из толстячка превратился в стройного красавца, отдаленно напоминающего всех героев боевиков вместе взятых — они нон-стопом спасают мир от угроз разной этимологии, спят стоя, едят на ходу и в каждом порту имеют по невесте. Или это относится к корабельному механику Ростику? Полина еще не решила.

Ни у кого из ее двоюродных братьев нет на пальце обручальных колец.

Никто из ее двоюродных сестер не вышел замуж. Полина тоже одинока, несмотря на то, что ей недавно исполнилось тридцать три и романов в ее жизни было предостаточно. Было даже одно брачное недоразумение, но ничего даже отдаленно напоминающего чувство, о котором можно сказать впоследствии: то была Любовь.

Полина давно сбросила *беличью* шкурку, но по-прежнему живет в Питере, в старой квартире на Кировском проспекте, которому вернули его прежнее имя — Каменноостровский. Только мамы и папы больше нет.

Они погибли в канун миллениума, в автокатастрофе, в пригороде Стамбула. Об этом по междугородному телефону ей сообщил чей-то чужой голос. За частоколом произнесенных на плохом английском фраз едва просматривались контуры трагедии, и она в любой момент могла превратиться в драму с открытым финалом. «*Не все потеряно,* — шептала себе Полина в самолете, — они разбились, но живы. Разбиться — еще не значит умереть, миллионы людей восстанавливаются после самых страшных аварий, только бы они были живы, только бы!..»

Папа умер сразу, а мама прожила еще десять часов; ее сердце перестало биться в тот самый момент, когда шасси авиалайнера, на котором летела Полина, коснулись посадочной полосы. Она узнала об этом позже, уже в больнице. Мы сделали все, что могли, сообщил ей врач, но...

Injuries incompatible with life.

Это был и ее собственный диагноз: *жизнь кончена, девочка*. В незнакомой ей стране, в незнакомом городе она оказалась погребенной заживо. Сплошная чернота с короткими сполохами света, отрывочные воспоминания: вот она звонит Парвати с печальной вестью о гибели сына. Вот в холле гостиницы, где она поселилась, ее перехватывают двое мужчин. «Мы от Сергея, — говорят они. — Не волнуйтесь, мы все возьмем на себя».

Кто такой Сергей?

Что нужно взять на себя?

Мужчины мягко поясняют ей, что предстоит транспортировка тел на родину, а также процедуры, связанные с погребением, — вот этими формальностями они и займутся, о расходах она может не беспокоиться. *Да-да, конечно, спасибо*, кто такой Сергей?

Сережа, ну конечно!

— А сам он не смог приехать?

— К сожалению, он очень занят, ведет переговоры в Токио. Но просил передать вам свои соболезнования.

Вместе с соболезнованиями в руки Полины перекочевывают несколько визиток: они принадлежат людям, с которыми можно связаться, если возникнут проблемы.

— Проблемы? — Полина плохо понимает, о чем говорят ей эти приятно пахнущие люди в дорогих элегантных костюмах.

— Проблемы любого свойства. Для нас нет ничего неразрешимого.

— Верните мне родителей, — жалобным голосом просит она.

— Боюсь, что тут никто не в состоянии вам помочь... — говорит тот, что постарше, со сломанным носом и подбородком боксера-тяжеловеса.

— А Сергей?

— Увы...

Наверняка они подумали, что Полина не в себе: она сломлена горем и оттого несет всякую чушь. Наверняка они тяготятся возложенной на них миссией, особенно сейчас, когда взрослая девушка, отнюдь не ребенок, повторяет как заведенная:

— Верните мне маму и папу. Верните мне маму и папу. Верните мне маму и папу. Пусть Сережа вернет их.

— Успокой ее, — не выдерживает молодой спутник боксера-тяжеловеса.

— Принеси воды.

Вода не поможет. Пощечина тоже — Боксеру очень хочется привести Полину в чувство именно таким нехитрым способом, но он боится не рассчитать силы. Если бы здесь был Сережа, он нашел бы самые правильные слова, а не эти дурацкие «соболезнуем» и «увы». Или, отказавшись от слов, просто обнял ее, — и ей сразу бы стало легче.

Ей не стало бы легче.

Глупо обманывать себя. Даже Повелитель кузнечиков не в состоянии заменить ей маму и папу, но он мог хотя бы оказаться рядом в тот самый момент, когда особенно нужен ей. Он — а не его деньги, не эти люди.

Последние несколько часов Полина ощущала физическую боль от соприкосновения с реальностью: болит каждый сантиметр ее тела, любое движение дается с трудом. Как будто ее всю — от макушки до пяток — вымочили в солевом растворе, и соль, осев толстой коркой, стянула кожу. До того как спуститься в холл, она сорок минут простояла под душем, но это не помогло. Неуклюжий скафандр из соли не пропускает большинство обычных звуков, но Полина еще в состоянии слышать обращенную к ней речь.

Лучше бы все было наоборот.

Тогда бы она не узнала о травмах, несовместимых с жизнью. И о том, что слова соболезнования Сережа решил начертать на купюрах. Или на чековой книжке, или на кредитке, или... Какие еще формы может принять поддержка близкого родственника?

— Мне нужен Сережа. Позвоните ему.

Боксер принимается заученно бубнить о Токио. И о том, что у него нет полномочий звонить Биг Боссу. Биг Босс — ну надо же!..

— Дайте мне его телефон. Я сама позвоню.

Но и это совершенно исключено, субординацию никто не отменял, за наплевательское к ней отношение одним перебитым носом не отделаешься. Кузнечики, увеличенные до размеров человеческих существ, — вот кто эти двое; дорогие костюмы лишь маскируют их жесткие зеленые надкрылья, зазубрины на лапках и похожие на маленький напильник *органы стрекотания*. Сереже ничего не стоит превратить их в пыль, растворить в восходящих потоках воздуха, — вот они и опасаются.

Просить номер телефона у кузнечиков — самый настоящий идиотизм.

Но они настойчивы. Хотя и ничем не обязаны ей. Кузнечики — существа подневольные. Исполняют то, что приказал им Сережа (или люди, которым приказывает Сережа). Она должна быть им благодарна. А благодарность в ее случае может выражаться лишь в одном: позволить им делать что предписано. Принять помощь, тем более что она действительно в ней нуждается.

Так она и поступила тогда.

А потом еще долго ждала, что Сережа все-таки объявится — сам, не прибегая к посредникам. Если уж он в течение нескольких часов нашел Полину в Стамбуле, то обнаружить в Питере не составит труда. Но ожидание оказалось напрасным — никаких вестей от Сережи больше не было.

Да и остальные родственники никогда не появлялись на горизонте. Маленькая Белка не очень-то задумывалась о взаимоотношениях братьев и сестер в Большой Семье, понятно было лишь одно: они развиваются совсем не так, как должно. Никто особенно не стремится навестить их в Питере, да и к себе не зовут — ни в Петрозаводск, ни в Архангельск, ни в Саранск, ни в Таллин.

— Ты не очень-то дружил со своими братьями и сестрами? — спросила как-то у отца подросшая Полина.

— С чего ты взяла? — после небольшой паузы смущенно ответил тот.

— Ты редко им звонишь. Почти не интересуешься их жизнью...

— Не обязательно надоедать родственникам звонками, чтобы знать, что именно с ними происходит.

— А ты знаешь?

— Ну, конечно. Мама... Твоя бабушка регулярно пишет мне. Я в курсе всех дел.

— Разве писем достаточно?

— Достаточно знать, что все они живы и здоровы. Это уже неплохо по нынешним временам.

«Нынешние времена» относились к девяностым. Сделавшим абсолютно ненужными полевые исследования членистоногих и пресмыкающихся. Лабораторий, в которых работали мама и отец, больше не существовало, их сотрудники разбрелись кто куда и каждый выживал поодиночке. Родители Полины пополнили армию челночников и мотались за товаром то в Турцию, то в Польшу, то в Китай. Одно время папа мечтал открыть сеть ларьков на Троицком рынке, а мама — семейное кафе на Петроградке, фаланги и гремучие змеи не слишком бы ими гордились.

— Расскажи про Самого старшего и Самую младшую.

С этой просьбой Полина подкатывала к отцу не единожды, но всякий раз он оказывался не готов к разговору: *ты еще маленькая, вот повзрослеешь — и тогда...*

или: *это долгая история, как-нибудь в другой раз...* или: *я не хотел бы обсуждать это сейчас...*

— Ты любил их?

— Мы все любили друг друга.

Голос отца звучит не слишком уверенно, он боится воспоминаний о Самом старшем и Самой младшей, точно так же, как Полина боится воспоминаний о том лете. Об одной смерти и одном исчезновении, — и ситуация кажется зеркальной. И в этом кривом зеркале отражается не большой сильный папа, каким его всегда знала любящая дочь, а кто-то совсем другой.

Маленький мальчик, живущий в большом доме на берегу моря.

А иногда и мальчика не видать, его заменяет крохотная зарубка на дверном косяке, от какой тайны пытался уберечь Полину отец? Как бы то ни было, его больше нет, а тайна по-прежнему существует. И соляная корка, стянувшая кожу в стамбульской больнице, тоже никуда не делась, — она просто стала тоньше и позволяет дышать. Но вдохнуть полной грудью все равно не получается. Интересно, испытывают ли что-то подобное Полинины братья и сестры? Ведь время относительного благополучия миновало безвозвратно: членов Большой Семьи становится все меньше, их настигают смертельные болезни (так случилось с отцом Ростика и Шила), сумасшествие (так случилось с матерью МашМиша, которая доживает свои дни в психушке) и стихийные бедствия (родители Таты погибли в Таиланде во время страшного цунами, а сама она чудом спаслась).

Теперь не стало и Парвати.

По старухе никто особенно не скорбит, за исключением Лёки. Но и радости от встречи после стольких лет разлуки незаметно. Все ныне присутствующие в доме успели обменяться лишь скупой информацией о себе: бывший толстячок Гулька и его сестра Аля связаны с кинематографом. Он — помощник звукооператора, она — начинающая актриса. Вершина ее карьеры на сегодняшний день — роль второго плана в долгоиграющем телесериале с названием, которое невозможно произнести вслух без улыбки, — то ли «Судьбинушка...», то ли «Кровинушка...», то ли «Рябинушка, на тебя уповаю».

Русское счастье энтетеймент — так дразнит Гулька свою сестру.

МашМиш — классические сбитые летчики. В середине девяностых они перебрались в Москву, где Маш предложили контракт в модельном агентстве. Она ушла оттуда через полгода, пробовала себя в качестве теле-, а затем и радиоведущей, но дело так и не пошло. Миш несколько лет прожил в Германии, работал официантом, разносчиком пиццы и кассиром на автозаправке. Затем был Египет, где он подвизался на должности аниматора в отеле, — и снова Москва. За плечами у МашМиша несколько неудачных браков — настолько неудачных, что вот уже несколько лет они живут вместе, в небольшой квартирке в Бибиреве. И ничего менять в своей жизни не собираются. Так во всяком случае утверждает Миш. Маш не очень-то с ним согласна — во всяком случае в том, что касается их нынешнего местожительства. Ей хотелось бы перебраться в центр, поближе к благословенным арбатским переулкам. Задача не такая уж невыполнимая, учитывая место работы Маш — крупное риелторское агентство. Чем занимается Миш, доподлинно неизвестно. Вчера вечером он позиционировал себя как владельца автосалона, сегодня (после косяка с анашой) назвался хедхантером, поставляющим кадры для крупных компаний.

И то и другое вряд ли соответствует действительности. Лишь в одном Полина уверена на сто процентов: Миш нисколько не изменился за два прошедших десятилетия, он — лишь тень своей сестры. Тень тени, потому что от прежней Маш мало что осталось. Кинжальная улыбка затупилась и проржавела окончательно, волосы и глаза потеряли прежний блеск.

И Маш выпивает.

Изменения, связанные с употреблением алкоголя, не слишком заметны, более того — выпившая Маш намного симпатичнее, чем трезвая. Она отпускает соленые шуточки, умело провоцирует своих двоюродных братьев и сестер на откровенность, а потом наблюдает, как они мучаются из-за того, что допустили слабину. Маш — неплохой психолог, *это — часть профессии*, заявляет она. В своей жизни Полина не раз сталкивалась с довольно распространенным человеческим типом, в просторечии именуемым «халда» или «хабалка». Но что-то мешает безоговорочно отнести к нему Маш. Какой-то нюанс, маленький штрих в поведении. Взгляд, который можно поймать лишь случайно, когда бдительность Маш оказывается притупленной изрядной долей виски. Это — взгляд умного и холодного человека, просчитывающего какую-то, только ему известную комбинацию. Настигнутая этим взглядом, Полина снова чувствует себя маленькой девочкой со смешным именем Белка. Она и осталась Белкой, несмотря на свои тридцать три года и довольно успешную журналистскую карьеру. Со страниц глянцевых изданий она еженедельно поучает стада доверчивых овец, как им жить, во что одеваться, как выдать дачный загар за загар, привезенный с Мальдивских островов. И, конечно же, как поймать в сети олигарха или, на худой конец, замначальника отдела по работе с корпоративными клиентами.

— Ба! — сказала Маш, как только Полина переступила порог старого крымского дома. — К нам пожаловала сама госпожа Кирсанова! Гуру всех офисных сиделиц нашей многострадальной родины.

— Ты забыла кассирш в супермаркетах, — поддакнул сестре Миш. — И бухгалтерш оборонных заводов.

— Они еще существуют? Оборонные заводы? — Маш искренне удивилась, не забыв послать Полине кривую улыбку. — Ты, конечно, прямиком с Бали, детка?

— Я тебя умоляю, Маш, — поморщилась та. — Бали давно не в тренде.

— Ах да. Тренды — наше все! Как насчет Монте-Карло?

— Монте-Карло актуален всегда...

— ...Но не для таких лишенцев, как твои сермяжные родственнички.

— Я этого не говорила. Вообще-то, я даже поздороваться со всеми не успела. Умерь себя, Маш.

— Надо же! Девочка-то, оказывается, выросла. И теперь диктует нам, как себя вести. Забавно.

Ничего забавного в мизансцене не было. Стоило Полине оказаться в пространстве старой гостиной, как повторилась история двадцатилетней давности: Миш стоит у нее за спиной, Маш облокотилась на лестничные перила. И, если бы не Шило и Ростик, с любопытством взиравшие на вновь прибывшую из глубины комнаты, Полина бы точно расплакалась. Собственно, о том, что это именно Шило и Ростик, она узнала лишь спустя минуту, а пока на нее пялились два рослых парня, чем-то неуловимо похожие друг на друга. Да-да, сходства в них было гораздо больше, чем в двойняшках МашМише.

— Э-э... Ты — Белка! — сказал один из них. Тот, что поприземистее и пошире в плечах. — А я? Не узнала?

— Эмм-м... — Полина смущенно почесала переносицу.

— Шило! Твой брательник из Архангельска. А это — еще один брательник. Ростик, иди сюда!..

Какие же они милые, симпатичные ребята! И надежные, судя по всему. У них открытые лица и такие же открытые, немного простодушные улыбки. Подобные улыбки свойственны провинциалам, неожиданно оказавшимся в кругу намного более продвинутых столичных родственников. Подумав об этом, Полина тут же мысленно одернула себя: нужно раз и навсегда покончить со снобистскими штучками, эти два парня — ее двоюродные братья, уже давно определившиеся в жизни и крепко стоящие на земле. Они занимаются самым настоящим мужским делом. И пользы от них наверняка больше, чем от самой Полины и вороха ее бессмысленных статей. И они по-настоящему рады ей, не то что МашМиш.

— Надо чаще встречаться! — заявил Шило, а Ростик согласно закивал головой.

— Да. Упустили уйму времени, —

Полине вдруг стало безмерно жаль этих упущенных лет. Часть их была заполнена одиночеством, часть — такими сложными и запутанными отношениями, что после них даже одиночество казалось благом. Простота — вот чего ей всегда не хватало, если понимать под простотой ясность жизненных устремлений. А у архангельских парней с ясностью все обстоит в полном порядке.

— Наверстаем! Вся жизнь впереди, —

Стоило только Шилу произнести эту восхитительную в своей банальности фразу, как Маш хмыкнула:

— На твоем месте я бы не обольщалась, Шило.

— Это еще почему?

— Местечко не слишком подходящее для разговоров о будущем.

Полина поежилась. Она еще толком не успела рассмотреть дом, но и одного беглого взгляда достаточно, чтобы понять: лучшие его времена прошли. Возможно, они прошли еще раньше и закат начался несколько десятилетий назад, просто она была слишком мала, чтобы осознать это. Или Маш имеет в виду нечто совсем другое, связанное с тем трагическим летом? Хорошо ее архангельскому брату Шилу — он не мучается рефлексиями. Оттого и стрелы, пущенные Маш, не достигают цели.

— Местечко самое подходящее. Море, воздух, природа опять же. Не знаю, как вы, а я здесь отдыхаю душой. И рад встрече с тобой, Белка.

— Взаимно.

— Моя девушка — твоя большая поклонница. Ни одной статьи не пропускает. Хочет во всем быть похожей на тебя.

— ...и за это он готов ее убить, уж поверь, — снова вклинилась Маш.

— Это еще почему? — Шило даже рот приоткрыл от удивления.

— Потому что эти... статейки... верный путь к разжижению мозгов. С другой стороны, может, нашему доблестному милиционеру как раз такая дама сердца и нужна. Глупая корова со студнем под черепной коробкой.

Пока Шило, хлопая глазами, переваривал сказанное, Маш снова переключилась на Полину:

— Тебе самой нравится то, что ты делаешь?

Ее тошнит от собственной колонки в журнале, содержание которого ничуть не лучше, чем сюжет сериала «Рябинушка, на тебя уповаю». И от трех других колонок в трех других журналах сходной *студенистой* направленности. Но Маш знать об этом вовсе не обязательно.

— То, что я делаю, нравится читателям. А это весомый аргумент, ты не находишь?

— Я нахожу, что ты та еще прохиндейка. А твои работодатели — негодяи.

— Вот как? Ты с ними знакома?

— Кое с кем очень похожим. Из того же медийного отстойника.

— Не ссорьтесь, девочки! — Миш молитвенно сложил руки на груди. — Мы не виделись тысячу лет, так стоит ли начинать встречу со склоки?

— Где я могу расположиться? — холодно сказала Полина.

— Э-э... Там же, где жила в свой последний приезд.

— Мы так решили с самого начала, — добавил Шило. — Каждый будет жить в той комнате, которую занимал в детстве. Если ты не против, конечно. Но если башня тебе не подходит... Есть еще комната... Асты. Она не занята.

— Башня вполне меня устроит. Кто-то еще не успел добраться или я — последняя в списке?

— Ждем Сережу. А так — все в сборе.

Все — это МашМиш, Ростик и Шило. А еще — Аля, Тата и Гулька. И, конечно же, Лёка — местный житель. Если память не изменяет Полине, малыши занимали одну комнату. Но теперь они выросли, и комната наверняка стала тесноватой для троих. Логично предположить, что кандидатом на выбывание оказался Гулька. Или Тата, ведь брат с сестрой могут расположиться в одном пространстве без особых неудобств. Как и две молодые девушки.

— А наши бывшие малыши? — поинтересовалась Полина у Шила. — Так и живут табором в детской?

— Не совсем. Первую ночь Татка провела в Астиной комнате. Но что-то ей там не понравилось.

— Что именно?

— Она не говорит.

— Она идиотка!

Маш, застывшая в кухонном проеме, произнесла это так громко и с таким презрением в голосе, что все вздрогнули и обернулись к ней. Бутылка коньяка в правой руке, низкий бокал в левой, по вискам струится пот, тушь с ресниц осыпалась на щеки. Еще минуту назад с Маш все было в порядке, но теперь... Она пьянеет на глазах.

— Не слушайте ее, — Миш попытался заслонить сестру.

— А ты не затыкай мне рот!

— Наверное, вам лучше подняться к себе, — посоветовал Шило.

— Поганые менты мне не указчики. Я сама знаю, что делать. Я привыкла называть вещи своими именами, и стоять у меня на пути не советую.

— Иначе?

Маш легко отстранила брата, нетвердой походкой подошла к Шилу, сидевшему на нижних ступеньках лестницы, и прислонила к его лбу указательный палец:

— Иначе — *бэнг-бэнг-бэнг!* — хихикнула она.

Шило дернулся и попытался отвести палец Маш, — это вышло неуклюже, как если бы перст судьбы ткнул не в молодого мужчину атлетического телосложения, а в маленького мальчика. На секунду Полине даже показалось, что на ступеньках и сидит восьмилетний Шило, в майке-«рябчике», со сбитыми локтями и коленями и царапиной на щеке. Выходит, *бэнг-бэнг-бэнг* пугал не только Белку, есть и другие жертвы! И не только среди людей — гостиная тоже пришла в движение. Поблекшие обои вновь обрели яркость, из вещей ушли дряхлость и тлен, а литографии на стенах чудесным образом очистились — как будто кто-то невидимый стер пыль со стекла. Как будто Маш своим *бэнг-бэнг-бэнг* разбудила дух этого дома и вызвала к жизни прошлое.

Вот только какое именно? Чье?

Наваждение длилось недолго, очнувшись на несколько мгновений, дом снова погрузился в спячку, но теперь Полина была абсолютно уверена: спячка продлится недолго, летаргический сон подходит к концу.

— Ты напилась, — Шило, вновь ставший взрослым, брезгливо поморщился.

— Что поделать. Смотреть на этот склеп трезвыми глазами не получается.

— Тогда уезжай.

— И не подумаю. Разве ты забыл, зачем мы здесь? Слетелись, как воронье, делить наследство. Каждый, поди, думает, что ему обломится кусок пожирнее. Понятное дело, старая грымза никого из нас не жаловала, кроме пары любимчиков, но вдруг...

— Не стоит так говорить, Маш...

— Неужели? Кто это печется о памяти покойной? Видимо, тот самый внучок, который навещал ее каждый год. Посылал ей денежные переводы, ежедневно справлялся о здоровье, — Маш крупными глотками влила в себя содержимое бокала и снова наполнила его.

— Она ни в чем не нуждалась. Ты же знаешь. И... за ней было кому присмотреть.

— Простого человеческого участия это не отменяет.

Пьяная или трезвая — Маш права. Обращаясь к Шилу, она обращается и ко всем остальным тоже, ведь он был не одинок в своем нежелании видеть Парвати и ее дом. Ничто не мешало Полине приехать сюда и пять лет назад, и десять, — особенно когда она осталась совсем одна: ее вторая бабушка, мамина мама, умерла за год до того, как в катастрофе погибли родители. И это можно считать благом: она ушла в мир иной в полной уверенности, что тяжелые времена миновали и впереди ее близких ждет только счастье.

— Почему ты не приезжал сюда все эти годы, Шило? — Маш не собиралась отступать, она все мучила и мучала своего кузена неудобными вопросами.

— Ну...

— Море, воздух, опять же — природа. Это же твои слова? Природа здесь будет побогаче, чем у вас в тмутаракани. И море теплее. Крым — это не архангельская губерния, не так ли?

— Как-то не складывался этот чертов Крым. Ты сама знаешь, какие были времена.

— Времена всегда одни и те же.

— Я много работаю, — вздохнул Шило.

— Зашиваешься, судя по разгулу преступности в стране.

— Не без этого.

— Но в Турцию наверняка шастал? В Египет?..

Любительница коньяка явно провоцировала Шило. И он поддался на провокацию и моментально распустил хвост:

— Пфф-ф... Турция и Египет — пройденный этап. Бери выше.

— Неужели наш мальчишечка дорос до Французской Ривьеры?

— Если честно, я предпочитаю Таиланд.

— Вот видишь! — Маш торжествовала. — Бешеной собаке сто верст не крюк. Я только пытаюсь понять, чем Крым хуже Таиланда. Тем, что он *чертов*?

— Что ты имеешь в виду? — Шило настороженно посмотрел на Маш.

— Ты знаешь, *что я имею в виду*. И твой молчальник-брат знает. И гламурная писака, которой тоже не было видно, пока карга не отклячилась.

«Гламурная писака», вот как. Давно пора осадить потрепанную жизнью алкоголичку и неудачницу, тем более что Полина всегда умела держать удар. И играючи справлялась со своими недоброжелателями. Но сейчас она не может вымолвить ни слова, лишь зачарованно наблюдает за Маш, за бокалом в ее руке. Странное все же это место — гостиная Парвати, игра света и теней здесь совершенно непредсказуема. Возможно, всему виной ноябрьский дождь: он встретил Полину в аэропорту Симферополя, сопровождал до Ялты и потом — до крошечного поселка, то затихая, то вновь усиливаясь. Таксист, который вез ее сюда, — веселый пожилой татарин — сказал, что таких затяжных дождей он что-то не припомнит. В последние двадцать лет уж точно.

Нужно отступить еще на два шага.

Прибавить два года и два месяца к упомянутым двадцати — и тогда упрешься в еще один ливень. Августовский. За его пеленой скрылись одна смерть и одно исчезновение, и он был таким же нескончаемым, как и тот, что лупит сейчас по кровле, по ступенькам веранды, по кипарисам и яблоням в саду. Или это один и тот же дождь?

В любом случае он не к добру.

Не к добру Маш затеяла этот разговор, жидкость в ее бокале прямо на глазах меняет цвет — от темно-медового до карминно-красного, неужели она выпила весь коньяк и перешла на вино?

Нет.

В руках у Маш все та же коньячная бутылка.

— ...Вы не казали сюда носа, потому что боялись.

— Чего? — Шило вопросительно поднял бровь.

— Воспоминаний о том, что здесь произошло когда-то. Смерть — страшно неудобная штука, нет? — Маш подмигнула всем присутствующим сразу двумя глазами. — Как гвоздь в ботинке. Только и думаешь, как бы поскорее от него избавиться.

— От гвоздя?

— От ботинка. Потому что привыкнуть к такому неудобству невозможно.

— Надо вынуть гвоздь. Или забить его, чтобы не мешал. Всего делов-то.

Это произнес Ростик, еще больший простак, чем его брат Шило. Русоволосый гигант, чья улыбка невольно напомнила Полине улыбку Лёки — рассеянную и невнятную, никому конкретно не предназначенную.

— Мы окружены идиотами, которые не понимают даже элементарных метафор, — вздохнула Маш.

— Мы — это кто?

Вопрос задала Полина, но Маш даже не повернула головы в ее сторону. Она вообще ни на кого не смотрела, взгляд ее был сфокусирован на бокале с рубиновой жидкостью.

— Те, кто не прячет голову в песок, а предпочитает называть вещи своими именами.

— Мне всегда казалось, что в доме повешенного не принято говорить о веревке.

— Вряд ли это была веревка, —

голос, раздавшийся откуда-то с веранды, заставил Полину вздрогнуть и обернуться.

У входной двери стояла миниатюрная, коротко стриженная брюнетка в дождевике. Вода стекала по ее волосам, по лицу, но, судя по всему, брюнетка не испытывала никаких особых неудобств. *Она слишком молода, чтобы испытывать неудобства,* подумала Полина. Молода, хороша собой, о да! — чертовски хороша. По-киношному хороша. Наверное, это и есть Аля. И странно, что, обладая такой внешностью, она до сих пор прозябает на вторых ролях.

— Аля?

— Тата, — улыбнувшись, поправила Полину брюнетка. — Я — Тата.

— Прости. Я тебя не узнала. Какая же ты стала... хорошенькая.

Сказав это, Полина тотчас поняла, что сморозила глупость. «Хорошенькая» звучит явным оскорблением для двух миндалевидных, чуть приподнятых к вискам глаз. Для высоких скул, для нежного подбородка, для смуглых, чуть припухших губ. Но главное — глаза, опушенные таким количеством ресниц, что кажутся черными. Но они не черные — зеленые, и это очень странный зеленый, травяной. Примерно так выглядят свежесорванные листья мяты, а мята несет с собой терпкость и прохладу. Не оттого ли по спине Полины пробегает холодок, а кончики пальцев покалывает, как будто она опустила руку в ледяной горный ручей. Или всему виной произнесенные Татой слова?

— С этого места поподробнее, — Маш хмуро уставилась на Тату. — Что значит «вряд ли это была веревка»?

— Не будет никаких подробностей.

— А играть в экстрасенса не надоело?

— Скажем так, меня это не мучит.

— А меня мучит... Прямо-таки из себя выводит твоя дурацкая манера изъясняться. Если ты знаешь больше, чем все остальные...

— Разве я сказала, что знаю больше?

— Веревка! — снова напомнила Маш. — Зачем ты приплела сюда веревку?

— Это метафора, — Тата явно издевалась над подвыпившей кузиной. — Ты же любишь метафоры, не так ли? Нужно сто раз подумать, прежде чем браться за один конец веревки, — еще неизвестно, что окажется на другом.

— Не делай из меня дуру! Ты говорила не о наличии веревки, а об ее отсутствии...

— Мне нужно переодеться, — Тата тряхнула головой, и сотни брызг разлетелись в разные стороны. — Так что я откланиваюсь.

Можно было остаться здесь, с Шилом, Ростиком и МашМишем, но Тата показалась Полине интересней и загадочней, чем все остальные родственники вместе взятые. Так почему бы не подняться вверх, к истоку ледяного ручья?

— Я, пожалуй, тоже пойду распакую вещи.

— Могу помочь отнести чемодан, — вызвался было Шило, но Полина вовсе не нуждалась в провожатых:

— Он не тяжелый, я справлюсь сама. Увидимся позже.

Подхватив поклажу, Полина в считаные секунды взлетела на второй этаж, попутно удивляясь тому, как сморщилась, скукожилась лестница. Ничего общего с подъемами и спусками двадцатилетней давности — тогда это казалось самым настоящим приключением. Путешествием в мир горных плато — именно так виделись маленькой Белке половицы. Достаточно было внимательно осмотреть каждую из ступенек, перемещая взгляд с востока на запад, с севера на юг. И обязательно на что-нибудь наткнешься: высохший каштан, обрывок табачного листа, пуговица... Вещи, исполненные очарования и вовсе не такие бесполезные, как может показаться скучному взрослому человеку. Каштан — прародитель всех без исключения лесов на свете: лиственных, хвойных, смешанных, тропических и тех, где все еще водится грустная птица додо. Табачный лист легко трансформируется в судовой журнал фрегата «Не тронь меня!», а пуговица... Пуговица — вот главная ценность, без нее не случится ни одно завоевание, ни одно объявление войны, ни один мирный договор; она — печать, которой скрепляются все самые важные документы, стоит утопить ее в теплом сургуче, как тотчас проступит оттиск якоря.

В следующий раз Полина исследует лестницу повнимательнее — хотя бы для того, чтобы доказать самой себе: она не скучная.

Хотя и взрослая.

— ...Белка!

Тата сидела у стены напротив лестницы, сложив ноги по-турецки, и курила. Она так и не сняла дождевик, хотя объявила всем, что собирается переодеться.

— Мы не успели поздороваться там, внизу. Привет, Белка! Ничего, что я так тебя называю?

— Нет.

— Говорят, ты теперь стала знаменитостью.

— Не верь тому, кто говорит.

— Если слух о тебе дошел даже до Архангельска — это слава, поверь, — Тата выпустила изо рта дымное колечко. — Но все равно я рада тебя видеть.

— Взаимно.

— Покуришь со мной?

— Я не курю.

— Ну да. Знаменитости проповедуют здоровый образ жизни, я должна была сообразить... А сидеть на полу им не возбраняется?

— Нет.

— Тогда присаживайся.

Через секунду Полина уже сидела рядом с маленькой брюнеткой, удивляясь сама себе. Она собиралась подняться в башню и немного отдохнуть с дороги, а вместо этого выслушивает подколки дерзкой девчонки. И совсем не обижается на них. И сигаретный дым ее нисколько не раздражает, а ведь она терпеть не может курильщиков и заранее помещает их в седьмой круг ада — туда, где томятся самоубийцы.

— Значит, ты экстрасенс?

— Нет, я иллюстрирую книжки для детей. А еще немного занимаюсь дизайном.

— Здорово!

— Мне тоже нравится.

— А... можно где-нибудь посмотреть твои работы?

— Легко. Набираешь в поисковике «Татьяна Кирсанова — книжный график» и... Черт, ты ведь тоже Кирсанова!

— Да.

Они носят одну и ту же фамилию, ничего удивительного: их отцы были родными братьями и в какой-то мере повторили судьбу друг друга, — их больше нет в живых. И матери последовали за отцами не оглядываясь. Но помнит ли она в подробностях, что случилось здесь? Пять лет — не самый безнадежный для памяти возраст.

— Ты мне ужасно нравилась, Белка, — сказала Тата. — Двадцать лет назад.

— Ты тоже мне нравилась. Ты была необычная девочка.

— Мне хотелось дружить с тобой. Но тогда это было невозможно. Пропасть в шесть лет, особенно когда тебе всего лишь пять, не перепрыгнуть.

— Но теперь никакой пропасти не существует, так?

— Наверное. Как ты живешь, Белка?

— По-разному.

— Почему ты не объявлялась?

— А ты?

— Боюсь, наши ответы будут похожими друг на друга.

— Тогда лучше вообще не отвечать.

Мятные глаза Таты улыбаются, и Полина вдруг ощущает покой — тот самый, который она тщетно искала все годы после смерти родителей. И так и не нашла — ни в одних отношениях ни с одним мужчиной, ни в возникающих помимо ее воли мыслях о Сереже. Этот покой нужно немедленно узаконить, присвоить себе, сделать все, чтобы он никуда не исчез!

— Ты по-прежнему...

— Да. По-прежнему в Новгороде, — Тата понимает ее с полуслова. — Хотя училась в Москве...

— Это неправильно.

— Что именно?

— Новгород. Почему бы тебе не перебраться в Питер? С точки зрения возможностей для художника — это лучший вариант, поверь.

— Лучший вариант для художника — Лондон. Или Нью-Йорк. Но приходится признать, что пока мне даже твой Питер не по зубам.

Не по зубам, а ведь зубы у Таты отменные: ровные, ослепительно белые, один к одному. Такие крепкие на вид, что Тата могла — если бы захотела — удерживать ими якорные цепи кораблей. А уж удержать подле себя мужчину — любого мужчину! — не составило бы особого труда, *как ты живешь, Тата?* И найдется ли в твоей жизни местечко для Белки, двоюродной сестры?

— Мы еще поговорим об этом... У нас масса времени впереди.

— Не думаю.

Полина удивлена. Вовсе не такого ответа она ожидала. И непонятно, к чему приложить это многозначительное и туманное «не думаю».

— Ты ведь не собираешься уезжать прямо сейчас, Тата?

— Нет.

— Тогда все в порядке.

Все далеко не в порядке. По телу Таты пробегает дрожь, и поначалу Полина думает, что всему виной недавняя прогулка под ноябрьским дождем. Заляпанные грязью и песком джинсы, насквозь вымокшие мокасины, вода в складках дождевика — так и простудиться недолго!

— Тебе все же нужно переодеться.

— Да, да, — рассеянно отвечает Тата.

— Устроилась в своей старой комнате?

— Пришлось.

Стоит ли начинать дружбу с уловок? Полина в курсе перемещений Таты по дому. Не далее как полчаса назад, Маш сообщила, что Тата выбрала детскую только потому, что ей что-то не понравилось в комнате Асты.

— Почему пришлось?

— Другие варианты мне не подошли.

— Я слышала... что поначалу ты выбрала комнату, где жила Аста.

— Уже донесли?

Тата морщится, как будто ее поймали за чем-то постыдным, и установившаяся между двумя молодыми женщинами связь рушится прямо на глазах. Не стоило Полине затевать разговор о комнате! Но, начав его, она уже не может остановиться.

— Это Маш.

— Маш — стерва, — Тата сосредоточенно сдирает прилипшие к штанинам ракушки. — И всегда была стервой.

— Да. Ничего не изменилось за прошедшие двадцать лет. Мне кажется, что она и приехала для того, чтобы портить всем жизнь.

— Она приехала совсем не по этой причине. Хотя... Почему бы не совместить приятное с полезным?

— И что ты считаешь полезным? В случае Маш, разумеется...

— В случае любого из нас, Белка. Нам всем полезно было бы знать, что произошло здесь двадцать лет назад.

— Мы и так знаем.

— Нет.

Обломок последней, снятой с джинсов ракушки хрустит в пальцах Таты, жестких и сильных. До сих пор Полина не обращала внимание на ее руки, теперь же они кажутся ей непропорционально большими, явно знакомыми с физическим трудом — столяра или каменотеса. Костяшки кое-где сбиты, у основания большого пальца левой руки притаилась глубокая свежая царапина, а еще... Тата не носит ни колец, ни браслетов. О чем это говорит?

Ни о чем.

— У тебя есть какая-то своя версия?

— Нет, — Тата ненадолго задумалась, прежде чем произнести это «нет». — А у тебя?

— Ни одной подходящей. А те, что есть, — малоутешительны.

— А тогда, двадцать лет назад? Они тоже были малоутешительны?

— Тогда я была ребенком.

Тата смеется. Зубы в смуглой щели ее рта вспыхивают один за другим — как театральные софиты, это — самый удивительный смех, который когда-либо слышала Полина. Он совсем беззвучный, так могла бы смеяться кошка. Или актеры немого кино Гарольд Ллойд и Бастер Китон. Впрочем, нет: Бастер Китон был знаменит тем, что никогда не улыбался. Кочевал из фильма в фильм с одним и тем же унылым выражением лица. Голова Полины забита массой ненужных знаний — о физиономии Китона в частности. Кладбище — вот что такое ее голова! Ненужные знания множатся, количество могил, заполненных ими, растет. Время от времени, когда ненужное знание вдруг по каким-то причинам оказывается востребованным, Полина проводит его эксгумацию. И боится лишь одного — раскопать не ту могилу, извлечь не то, на что рассчитывает. А все потому, что в ее кладбище-голове имеются двойные и тройные захоронения, и под вполне безобидными Бастером Китоном/Гарольдом Ллойдом/кошкой могут обнаружиться такие же ненужные воспоминания.

Опасные.

Это не воспоминания о родителях. Не воспоминания о любовниках, с которыми она была особенно счастлива или несчастна. Это воспоминания об одной смерти и одном исчезновении.

Непонятно только, когда они стали *опасными*.

Ведь смерть не была насильственной, а следы исчезновения не были кровавыми. Да и не было никаких следов! Подобные истории случаются с массой людей, в них нет ничего необычного. Необычна лишь реакция на происшедшее — не только Полины, а всех собравшихся здесь:

Страх. Въевшийся в кожу страх и нежелание разговаривать о прошлом. Но не думать о прошлом невозможно.

— Тогда я была ребенком...

— Нет.

— Нет? — растерянно переспросила Полина.

— Ты казалась мне взрослой. Такой взрослой, что до тебя было не дотянуться.

— А-а... Вот ты о чем! Восприятие пятилетней девочки, да?

— Да. Когда тебе пять, мало кто обращает на тебя внимание. Разговаривать с пятилетними детьми не о чем, ломать перед ними комедию и подстраиваться под них не имеет смысла.

— Когда тебе одиннадцать, все происходит по схожему сценарию, поверь. Своих взрослых мы выбираем сами.

Тата пристально взглянула в лицо кузине и даже приоткрыла рот, собираясь что-то сказать. Но особых откровений не последовало:

— Пойду переоденусь.

— В котором часу здесь ужинают?

— Как придется. Старуха умерла, а она была единственной, кто поддерживал порядок.

— Хочешь сказать, никто из вас не готовит?

— Готовит обычно Лёка. Правда, кухня у него такая же, как он сам.

— В смысле?

— Странноватая, но безобидная. Для желудка, я имею в виду. Ладно, еще увидимся.

Тата поднялась и направилась к детской. Но на полдороге остановилась, постояла несколько секунд, будто раздумывая — уйти или остаться. А потом резко развернулась и почти побежала обратно. Так же резко остановившись, маленькая брюнетка распахнула полы дождевика, и на колени к Полине соскользнула маленькая книжица. Поначалу она приняла книжицу за блокнот для кулинарных рецептов: нежно-кремовый фон и яркие цветы на обложке.

— Я нашла это у себя под подушкой. — Дыхание у Таты было тяжелым и порывистым, как после долгого бега по пересеченной местности. — Вчера вечером.

— Блокнот?

— Не совсем. Загляни вовнутрь.

Фотоальбом на три десятка стандартных фотографий размером десять на пятнадцать. Впрочем, снимков в альбоме было гораздо меньше. Всего-то девять.

Тата за гончарным кругом. Она улыбается и смотрит мимо объектива.

Лёка в своей маленькой мастерской. Он что-то вертит в руках и, сосредоточившись на этом «что-то», смотрит мимо объектива.

Бородатый красавчик викинг с огромными наушниками, болтающимися на шее. Прямо над ним навис мохнатый отросток профессионального микрофона.

Маш, снятая через стекло кафе.

Миш, снятый на улице. Он курит сигарету, прислонившись к стене дома.

Шило у теннисного стола — в майке с идиотической надписью: «Плохого человека ГЕНОЙ не назовут!» Русские буквы вступают в явное противоречие с нерусским пейзажем: пальмы, аккуратно постриженные кусты гибискуса, несколько олеандров с кипенно-белыми гроздьями цветов. И бассейн с лежаками и зонтиками на заднем плане.

Ростик. Зимний — в отличие от летнего Шила. Ростик снят на фоне заиндевевшего приземистого дебаркадера. Дебаркадер — то ли клуб, то ли ресторан — называется **«ПАРАТОВЪ»**. Волосы Ростика, выбивающиеся из-под низко надвинутой на лоб фуражки-капитанки, тоже заиндевели.

Все фотографии сняты на среднем плане, слегка небрежно, иногда — не в фокусе. Но в том, кто является их главными героями, никаких сомнений не возникает. И тревоги тоже — это совершенно обычные снимки. Вряд ли они станут украшением семейного альбома, их место — в братской могиле таких же необязательных малостраничных фотоотчетов на дне нижнего ящика письменного стола.

— Очень мило, — сказала Полина и перевернула страницу.

Этот-то как сюда попал? Лобастый парень в грубом свитере под горло и в джинсах. Поверх свитера идет выцветшая надпись:

POUR BARBARA
LAQUELLE DE CRACHER SUR DU CINÉMA.
EN TOUTE AMITIÉ.
BERNARD ALANE

Парень кажется Полине очень знакомым, хотя это невозможно, немыслимо. Открытке (именно открытке, не фотографии) — лет пятьдесят. Она пожелтела от времени, верхний и правый ее края украшены старомодными зубчиками, а нижний и левый — отрезаны: совершенно очевидно, что открытку подгоняли под размер альбома. И делали это второпях — уж очень неровными выглядят линии среза.

— Кто это?

— Там же написано, — Тата пожала плечами. — Бернар Алан.

— Никогда о таком не слыхала.

— Я думаю, он актер. А Барбара... Та, кому подписана открытка, — его поклонница. Барбаре, по-дружески. Бернар Алан.

— Ты знаешь французский?

— Немного. Но я не знаю, что здесь делает этот парень.

— А все остальные?

— Досмотри альбом до конца.

На следующей странице Полина увидела себя. И снова на среднем плане, вполоборота, без всякой оглядки на объектив. Она тотчас же вспомнила интерьер — московский Дом художника на Крымском Валу, фестиваль независимого кино «Tomorrow» (логотип фестиваля тоже попал в кадр). На просмотры Полина ходила одна, без спутников, а статью о самом фесте сдала лишь неделю назад.

Это совсем свежий снимок.

Ему не больше двух недель, воспоминания о коротких вспышках фотокамер в фойе и на этажах еще не стерлись. Но снимали отнюдь не Полину, а организаторов фестиваля, участников и кураторов программ, залетные медийные лица. Кому пришло в голову щелкнуть заодно и ее — случайно или намеренно? И как снимок, сделанный в Москве, попал в Крым?

— Удивлена? — спросила Тата.

— Скажем, хотела бы получить некоторые разъяснения.

— Я тоже была удивлена, когда увидела себя. Я не помню самого факта съемки, хотя память у меня хорошая. Профессиональная.

— Что говорят остальные?

— Ты первая, кому я это показала.

Означает ли это, что Тата доверяет Полине, которую знает полчаса, больше, чем всем другим кузенам и кузинам? Если так, то...

— Ты приехала только сегодня. Следовательно, не могла подбросить мне чертов альбом.

Вот и объяснение. Непонятно только, почему невинные снимки (каково бы ни было их происхождение) вызывают у Таты настороженность, граничащую с паникой. А она именно паникует, хотя и пытается это скрыть. Не слишком умело, иначе давно бы стерла пот с висков.

— Надеюсь, все разъяснится в самое ближайшее время, — Полина ободряюще улыбнулась сестре. — Тем более что в фотографиях нет ничего криминального...

Капель так много, что им уже тесно на висках, — и они устремляются вниз, к подбородку. И образуют там некое подобие запруды, на которой покачивается лодка с высоко задранными носом и кормой — Татина улыбка. Жалкая и саркастическая одновременно.

— Последняя страница.

Тата говорит шепотом, но ощущение такое, что она кричит. И этот до конца не проявленный крик пугает Полину и сбивает с толку. Трясущимися руками она перелистывает еще несколько — пустых — страниц и оказывается лицом к лицу с... мертвой девушкой. В отличие от всех предыдущих, это очень качественный снимок. Никакого расфокуса, глубокие цвета, продуманная композиция. Девушка юна и хороша собой, но красота ее разбивается о темно-бордовую полосу на шее. Это не что иное, как след от удавки.

Девушка была задушена, а потом найдена (возможно — опознана) и теперь лежит на прозекторском столе, укутанная простыней.

Полина не может отвести взгляда от зловещей борозды, ну почему, почему ближе всех к смерти неизвестной красавицы оказалась именно она? Не Тата и не Маш, и даже не Шило, для которого такие снимки не потрясение, а часть ежедневной рутинной работы? Почему все остальные спрятались за джинсами и свитером неведомого ей Бернара Алана, а на рандеву с чьей-то смертью выпихнули именно ее? По-дружески. ***En toute amitié.***

— Кто эта девушка?

— Ах да... Ты ведь только приехала и можешь быть не в курсе. Это Аля.

— Аля?

— Родная сестра Гульки. И наша с тобой сестра.

— Маленькая Аля? — до Полины с трудом доходит смысл сказанного Татой. — Разве она...

— В том-то и дело, что она жива. У тебя будет возможность в этом убедиться. И даже поговорить с ней.

— Тогда что означает эта фотография?

— Я не знаю.

— Дурная шутка?

— Или предупреждение об опасности.

— Почему-то отправленное тебе, а не ей?

— Я не знаю.

— А кто-то другой, кроме тебя... Не получал подобных фотографий?

— Я не знаю, не знаю, не знаю!..

Слова тяжело переваливаются через борта лодки с высоким носом и задранной кормой — и ненадолго скрываются из виду, чтобы всплыть где-то возле мочек Полининых ушей. Всему должно быть логическое объяснение, оно отыщется наверняка, если взглянуть на ситуацию непредвзято. Примерно так убеждает себя Полина. Нужно сказать об этом маленькой художнице, но говорить некому. Тата исчезла. Растворилась в чреве дома, оставив после себя мокрые следы.

Август. Белка

— Тебе не жить, чухонская дрянь!..

Бэнг-бэнг-бэнг.

После того как Маш проскрежетала это, Белка зажмурилась в ожидании стука падающего тела. Но стука не последовало. Аста рассмеялась красивым и очень взрослым грудным смехом:

— Куррат! Ты еще глупее, чем я думала!..

Кто-то хлопнул дверью, кто-то уронил стул; кто-то сбежал по ступенькам в сад, задев при этом бессмысленное нагромождение латунных трубочек — «музыку ветра». Кто-то разбил тарелку, кто-то громко и коротко залаял... Лаял, конечно же, Дружок. Но когда Белка открыла глаза, Дружка на веранде не оказалось. Как не оказалось ни Асты, ни МашМиша, ни Лёки. Только Шило изо всех сил раскачивался на стуле и хихикал.

— Здорово они помахались, — заявил Шило. — Никакого кина не надо!

— Иди спать, — Белка вовсе не была настроена обсуждать произошедшее с девятилетним сопляком.

— Как думаешь, она ее уроет?

— Кто — «она»? Кого — «ее»?

— Чухна — куряку.

— Что это еще за куряка?

— Куряка — которая курит. Я сам видел.

— Видел — ну и молчи себе в тряпочку.

— Я и молчу. Так уроет или нет?

— Не говори глупостей, Шило.

— Хорошо бы, чтобы урыла... — в голосе мальчишки послышались мечтательные нотки.

— Никто никого не уроет, — заверила Шило Белка. — И вообще, забудь обо всем, что видел. И никому не рассказывай. Настоящий мужчина именно так бы и поступил. Ты ведь настоящий мужчина?

— А то! — в подтверждение Шило стукнул себя кулаком в грудь и даже перестал раскачиваться на стуле.

— Вот и молодец. Теперь отправляйся спать и...

— А что это ты мне указываешь? Ты не бабка и вообще...

— Я — твоя сестра... Хоть и двоюродная, но сестра, — помолчав, Белка неуверенно добавила: — Старшая.

— Ха! Мы знакомы без году неделя. Тоже мне, сестра выискалась...

Неизвестно, чем бы закончились препирательства, если бы не появившаяся на веранде Парвати. Подозрительно взглянув на обоих внуков, она произнесла:

— Что тут происходит?

— Ничего, — в унисон ответили Шило и Белка.

— Не валяйте дурака. Я слышала шум. Зулейки что-то отчебучили?

«Зулейки» — так Парвати зовет старших внучек. Универсальная кличка иногда настигает и Белку: *поди-ка сюда, зулейка!* Что означает это слово, Белка не знает, но спросить у Парвати не решается и строит собственные предположения. Классическая зулейка почему-то видится ей солисткой «Ленинградского диксиленда», где терзают контрабас и прочие инструменты папины скелеты. Лучше всего у зулейки получается песня «Лаванда, горная лаванда», хотя мелодиями и ритмами зарубежной эстрады она тоже не брезгует. По многочисленным просьбам зрителей зулейка может исполнить кое-что из репертуара остро модных певиц Патрисии Каас и Дезирлес.

Это и называется — отчебучить.

Но «отчебучили» в контексте Маш и Асты звучит слишком легкомысленно, а ведь речь идет о жизни и смерти одной из *зулеек.* Маш — не тот человек, чтобы давать пустые обещания, если уж она сказала «пристрелю», значит пристрелит. В свое время Белку от скорой поездной расправы спасло лишь примерное поведение, но Аста не из тех, кто будет вести себя так, как хочет Маш. Угроза выпущена на волю, ее свинцовое неповоротливое крыло до сих пор висит над верандой; оно то и дело задевает «музыку ветра» — латунные палочки испуганно позвякивают и жмутся друг к другу. Белке тоже хочется к кому-нибудь прижаться. К кому-нибудь очень родному — маме или папе. Парвати для этих целей не годится — слишком уж строга.

— Ну-ка, рассказывай!.. — Одна из многочисленных рук Парвати ухватила Шило за подбородок и крепко сжала его.

— Нечего рассказывать, — заныл Шило. — Это собака. Она... толкнула Миша, а Миш... разбил тарелку. Вот и все.

Зорко оглядев поле боя, Парвати усмехнулась:

— Что-то я не вижу разбитой тарелки. Только стакан.

— Значит, Миш разбил стакан, — Шилу нельзя было отказать в находчивости.

— Врешь! Такой же прохиндей, как и твой папаша, — неизвестно, чего в голосе Парвати было больше — осуждения или одобрения. — Такой же прощелыга. А ты что скажешь?

Вопрос адресовался Белке, и она, секунду поколебавшись, пролепетала:

— Шило не врет.

— Не врал как раз твой отец. Когда был маленьким. Значит, во всем виновата собака?

— Собака, — Белка почувствовала, что краснеет.

— Ладно, поверю на первый раз. Но дважды вы меня не надуете, зарубите это у себя на носу.

После благополучного окончания тягостной сцены Шило был отправлен в постель, а Белка рекрутирована для уборки и мытья посуды. И пока она сносила грязные тарелки на кухню, а потом мыла их в огромном эмалированном тазу, ее не оставляла мысль: правильно ли она поступила, не рассказав о ссоре между старшими девочками Парвати?

Все правильно. Парвати никак не может повлиять на их взаимную ненависть. Она не может приказать им любить друг друга, потому что... сама никого не любит! Белкина вторая бабушка, мамина мама, совсем другое дело. Белка обожает приезжать к ней в Выборг, гулять по окрестностям и слушать самые занимательные разговоры на свете: о чудесных временах, когда Выборг был финским городом, и о спящей форели, и о неспящем ручье, о городских флюгерах и крышах, и о покойном дедушке, которого плохо помнит даже мама. Но это не мешает ему оставаться лучшим мужчиной в мире. Хорошо бы и единственной внучке встретить такого же мужчину, — именно об этом мечтает выборгская бабушка. К Белкиному приезду она готовится основательно: покупает всякие вкусности и чудесности у заезжих финнов, не переставая благодарить небеса и перестройку за то, что доставать вкусности и чудесности в последние годы стало гораздо проще. А раньше за несанкционированные торговые связи с жителями Суоми можно было схлопотать тюремный срок.

«Тюррремный сррок» — вот как это звучит в исполнении выборгской бабушки. При этом бабушка страдальчески морщится и всплескивает руками, а Белка хохочет. В выходные к ним приезжает мама, и тогда они гуляют втроем, а по вечерам играют в лото, подкидного дурака и «Магнитную викторину», и Белка всегда выходит победительницей, — нет ничего лучше каникул в Выборге!

Но в этом году все изменилось. Бабушка попала в больницу с инсультом, мама взяла отпуск за свой счет, чтобы ухаживать за ней, а Белку отправили в Крым, к Парвати.

Сережа появился уже после того, как Аста бросила вызов МашМишу. Сцена за обедом не прошла бесследно, хотя внешне мало что изменилось: море не вышло из берегов, скалы не рухнули в пучину, и ни один камешек не сдвинулся на маленьком пляже. Все так же вызревал виноград, спели огромные бурые помидоры «бычье сердце» и шушукались с ветром болтливые кипарисы. Общее состояние природы можно было назвать безмятежным.

Зато сразу после обеденных разборок куда-то испарился Миш.

Он не вышел к ужину, его стул пустовал за завтраком, и Белка заволновалась: уж не случился ли с Мишем *бэнг-бэнг-бэнг*? Спросить об этом напрямую у Маш, исправно сидевшей в торце стола, было смерти подобно, и Белка решила начать с менее опасных, на ее взгляд, человеческих особей. Но ни Ростик, ни толстый Гулька, ни вездесущий Шило Миша не видели. Лёка тоже не прояснил ситуацию, он лишь неопределенно улыбнулся и махнул рукой в сторону поселка.

Неужели Миш уехал? А точнее, был изгнан?

Оставался еще один человек, последний в списке (за ним следовали лишь Парвати и Маш). Именно к этому человеку и обратилась Белка. Начала она издалека, да и стояла на почтительном расстоянии от него, все так же покачивающегося в гамаке вместе с «Анжеликой».

— Привет. Хорошая книга?

Аста ответила не сразу и совсем не на тот вопрос, который задала девочка. Вернее, задала свой:

— Как тебя зовут? Я все время забываю.

Белка назвалась, осторожно приблизившись еще на шаг. Вот было бы здорово, если бы Аста придумала для нее новое имя с эстонским акцентом! Но в планы ведьмы из Таллина новые лингвистические эксперименты не входили. А может, все дело в самой Белке — уж слишком она ничтожна, чтобы тратить на нее время и силы.

— Впрочем, неважно, — Аста, сама того не ведая, подтвердила худшие опасения девочки. — Если я до сих пор не запомнила твое имя, значит не так уж важно, как тебя зовут.

— Для кого? — Белка почувствовала легкий укол обиды. — Для кого не важно?

— Для меня, разумеется.

— У меня простое имя.

— Это ничего не меняет.

Аста еще хуже, чем Маш, — неожиданно подумала Белка. Маш жестокая, да, но и прямолинейная тоже. Если ей что-то или кто-то не нравится, она сразу же заявляет об этом. Приподнимается на хвосте и раздувает капюшон, как кобра. Сразу видно, что перед тобой враг, — и ты можешь отступить. Или принять бой. Первый вариант (отступить) выглядит предпочтительнее, так все и делают, Белка не исключение. А Маш... Маш щедро отсыпает время на принятие решения — прямо в ладонь! И только потом приходит черед универсального правила «Кто не спрятался — я не виноват!»

Аста — другая.

Она только кажется паинькой, как то озеро со спокойной с виду водой. А тонуть в нем начинаешь сразу же, без всякого предупреждения. Но прежде чем пустить пузыри, Белка успела-таки пропихнуть сквозь плотно сомкнутые губы:

— Я беспокоюсь о Мише. О... Миккеле.

— С чего бы? — удивилась Аста. — Разве о нем некому побеспокоиться, кроме тебя?

— Он пропал, — продолжала упорствовать Белка.

— Не думаю.

— Как же? Его нигде нет.

— Где-то да есть. Ничтожества никуда не исчезают, и в этом — главная несправедливость жизни.

Не то чтобы Белке так уж нравился Миш, скорее — наоборот. Но сейчас она была на его стороне; пусть эта дурацкая вымороженная эстонка знает, что на свете существуют простые человеческие чувства — сострадание, забота, участие. Все вместе они образуют спасательный круг, в котором поместится не только Миш, но и сама Белка, что вот-вот захлебнется в омуте Астиного равнодушия.

— Он не ничтожество!

— Еще какое, — губы Асты тронула брезгливая улыбка. — Иди лови стрекоз. Собирай ракушки. И не приставай ко взрослым с глупыми расспросами. Это совет.

— А Миш?..

Не удостоив защитницу Миша даже взглядом, Аста снова уткнулась в книгу. Белка же, проигнорировав ракушечно-стрекозиный совет, все стояла возле беседки, переминаясь с ноги на ногу. Не для того, чтобы продолжить разговор, — разговаривать больше было не о чем. Но что-то не отпускало ее, не давало сдвинуться с места.

Ковер.

Наброшенный на гамак родной брат ковров из телеги — той самой, на которой они с МашМиш приехали сюда. Те ковры вызвали у нее чувство тревоги, сразу же впрочем забывшееся. Этот же ни в чем дурном до сих пор замечен не был: так, необязательное дополнение к Асте, Анжелике и тягучему южному полдню. Но сейчас все стало совсем по-другому — ковер вышел из тени, *явил сущность,* гораздо более опасную, чем раздутый капюшон кобры.

Наверное, все дело в рисунках, украшавших ковер: Белка явственно увидела чудовищ, адскую помесь из змей и пауков, и еще кого-то, — от кого не найти спасения. Чудовища тянули к Асте щупальца и мохнатые, усаженные ядовитыми жалами лапы, — неужели она этого не видит? Устроилась в самой сердцевине паучьего гнезда да еще улыбается. Или Аста и чудовища заодно?

Если бы они были заодно — Белке стало бы значительно легче: это ли не подтверждение ее мыслей о бесчеловечности и жестокосердии эстонки? Но щупальца и лапы явно угрожали Асте, еще секунда — и они обовьют стройное тело, вонзят жала в податливую бледную кожу и выпьют из Асты всю кровь! Белка оцепенела от ужаса, зажмурилась и тут же снова открыла глаза —

ничего непоправимого не произошло.

Аста все так же покачивалась в гамаке, положив на толстую книгу тонкие пальцы. Она смотрела куда-то вдаль, сквозь Белку, сквозь потемневший от времени огромный двухэтажный дом Парвати — туда, где гипотетически мог находиться Таллин. Или Америка, в которую так мечтают попасть МашМиш. Или какое-то другое место, известное лишь ей одной. Наверное, это было очень хорошее место, потому что Аста улыбалась.

А спустя пару часов улыбнулась и Белка: Миш вернулся!

Он как ни в чем не бывало появился за обеденным столом, занял свое место рядом с сестрой. Правда — не с той стороны: обычно он сидел справа от Маш, ближе к Асте. Теперь Миш переместился влево и стал как будто ниже ростом. И вообще странным образом усох: едва ли не до размеров любой из Лазаревых шахматных фигур. При желании Маш могла бы сунуть его в карман, а Аста — раздавить каблуком; да-да, Аста — единственная из всех, кто носит взрослые, очень высокие каблуки! Куда бы она ни направилась — к беседке с гамаком, к каменистой тропе, что ведет на пляж, — каблуки всегда сопровождают ее. Никаких неудобств при ходьбе по гальке или по мягкой, увитой огуречными плетями земле Аста не испытывает. Не то что Белкина мама, у которой тоже имеется в запасе несколько пар туфель и импортных босоножек на шпильках, танкетке и платформе. Танкетка и платформа еще туда-сюда, но всякий раз, надевая шпильки, мама морщится. Каблуки для нее — мука мученическая, *я в них — как корова на льду, и кто только их придумал, каблуки?* Теперь Белка знает — кто. Кто-то, кто веками ждал, когда появится Аста, и вряд ли это человек. Человеку отпущено не так уж много лет, другое дело — высшие силы, которые его опекают. Высшие силы могут быть хорошими, а могут — так себе, ни рыба ни мясо; а могут — и вовсе отвратительными, беспощадными, сеющими зло.

Ангелы и демоны, вот как они называются.

Мама и папа частенько рассуждают о них за нардами, белого и черного в мире поровну, взять хотя бы такую малость, как шашки на инкрустированной перламутром доске... От этих рассуждений Белке становится грустно, и тогда она вспоминает несчастного туркмена Байрамгельды — добрее не было человека на свете! Демоны к нему и на пушечный выстрел бы не приблизились, зато персональный ангел оказался ленивцем и ротозеем. Прощелкал момент, когда Байрамгельды еще можно было спасти, зазевался, отвлекся на что-то несущественное. Или — наоборот — существенное для него, *тельпек*. Тельпек — огромная меховая папаха, Байрамгельды никогда не расставался с ней, даже в пятидесятиградусную жару. Он был создан для тельпека так же, как Аста создана для каблуков. И если за тельпеком Байрамгельды присматривал недотепа-ангел, то за Астиными каблуками — уж точно демон. Или демоны. Как показывает жизнь, они — намного ответственнее, они держат в поле зрения массу вещей, — следовательно, за Асту можно не волноваться. Чудовища с ковра ничего ей не сделают, на них всегда найдется управа.

Может быть, стоит волноваться за Миша?

Тоже нет.

Пока Белка раздумывала о папахах и каблуках, он перестал быть Мальчиком-с-пальчик и приблизился по размерам к себе вчерашнему. На скуле Миша красуется синяк, и это единственное видимое повреждение. Из не очень видимого можно отметить неприятности с шеей:

она как будто лишилась сразу всех позвонков и качается от едва слышного дуновения ветра с моря. А вместе с ней покачивается и голова — самый настоящий воздушный шар. Та часть воздушного шара, где небрежно нарисовано лицо, обращена к Белке и Лёке. И немного — к Шилу и Ростику. При желании ее могут увидеть Маш, Парвати и все остальные, включая Дружка. И лишь одному человеку никак не добраться до нее взглядом — Асте.

Понаблюдав за головой-шаром чуть дольше, чем следовало бы, Белка делает вывод: легкий морской бриз ни при чем. Не он определяет местоположение лица, что-то совсем другое. И это другое связано с вероломной эстонкой. Если бы ей пришло в голову поменять свое местоположение за столом и усесться прямо напротив Миша, она все равно увидела бы то, что видит сейчас: заросший затылок.

— ...Передай мне, пожалуйста, соль, Миккель!..

Аста произнесла это как ни в чем не бывало, спокойным ровным голосом. Но на просьбу откликнулся вовсе не Миш, а Лёка. Он пододвинул к Асте солонку, но та даже не притронулась к ней.

— Я попросила Миккеля. Вовсе не тебя.

— Лёке совсем несложно, — простодушно сказал Лёка. Он всегда говорил о себе в третьем лице, что несказанно забавляло Белку.

— Просто хочу, чтобы это сделал Миккель. Ему тоже несложно. Ведь так? — вопрос, обращенный к Мишу, повис в воздухе.

Теперь Белка окончательно поняла, что именно напоминает ей безвольная, бескостная шея Миша — *веревку!*

Ту самую веревку, что держит на привязи голову-шар, не дает ему оторваться от земли. Кроме того, веревка может обвиться вокруг своей оси и повернуть шар на сто восемьдесят градусов. Или даже на триста шестьдесят! А может оборваться, и тогда шар улетит в небеса. И дальше — к затерянным в безвоздушном пространстве звездам, где его не достанет лучница-Аста с ее дурацкой просьбой. Несколько секунд веревочная шея колебалась, не в силах принять решение; Белке даже показалось, что она склоняется к тому, чтобы позволить шару взмыть в небеса. Так бы все и произошло в конечном итоге, если бы не вмешалась

Маш. Бестрепетной рукой она схватила злосчастную солонку и швырнула ее содержимое в лицо Асте.

— На! Подавись!..

Не ожидавшая такого выпада эстонка едва успела заслонить лицо ладонями. И тихонько взвизгнула, что совсем не вязалось с ее образом победительницы. И Маш не была бы Маш, если бы не воспользовалась плодами своего триумфа.

— Удовлетворена? Или не совсем? Чего еще желает наша прибалтийская цаца? Перец? Горчицу?..

— Эндшпиль, — не ко времени встрял Лазарь со своим шахматным резюме.

Но Аста уже пришла в себя. Спокойно стерев с рук крупинки соли, она произнесла:

— Я удовлетворена. Все увидели, какая ты идиотка, Мари. Опасная сумасшедшая. О да! Я полностью удовлетворена.

* * *

Лазарь, к чему бы ни относились его слова, оказался неправ: инцидент с солонкой не стал концом боевых действий. Война между Астой и Маш разгорелась с новой силой, а решающее сражение произошло за два дня до приезда Сережи. Главным его трофеем должен был стать юноша по имени Егор: он с компанией друзей гостил на ближайшей к дому Парвати даче. Несколько раз Белка видела его спускающимся по тропинке на пляж: закатанные по икры джинсы, голый торс, неизменный кассетник на плече. Чуть позади следовала его свита: два парня в джинсах похуже, с торсами поплоше и без всяких кассетников.

Откуда-то стало известно, что Егор приехал из Москвы, равноудаленной и от Саранска, и от Таллина. Одного этого было бы достаточно, чтобы им заинтересовалась практичная Маш, но у Егора имелись и другие преимущества. Узкий серебристый кассетник — раз. И красота — два. Тогда, на тропинке, Белка даже рот разинула от такой завораживающей, прямо-таки анакондовой красоты. Хорошо еще, что Егор не обратил на нее никакого внимания, прошествовал мимо. Как плющом увитый «Losing My Religion» — самой популярной песней того лета. То есть это потом, став старше, Белка узнала, как называется песня. И не только она — все остальные, на время покидавшие кассетник, чтобы ужалить прямо в сердце:

«Joyride»

«Black or White»

«Justify My Love»

«Crazy»

«Wind of Change».

Последняя — «Ветер перемен» знаменитых «Скорпионз» — нравилась Белке больше всего, и именно с ней Егор подкатился к МашМишу, валяющимся на пляже. Но знакомство состоялось не сразу, а лишь после того, как извел на саранскую парочку с десяток мелких камешков. Галька ложилась в опасной близости от Маш, но ни одна не задела ее: Егор оказался стрелком не хуже Асты. Все это время Белка наблюдала за ним из-за выступа на скале, втайне надеясь, что хотя бы один из камешков попадет в цель.

То-то будет весело!

Но веселилась пока только Маш. Через минуту после того, как Егор подсел к ней, Белка услыхала смех *опасной сумасшедшей*. Не такой, каким она смеялась обычно, а чем-то неуловимо похожий на Астин.

Маш подражает главной своей ненавистнице! — это открытие поразило девочку. С ним она и направилась домой. Вернее, переползла из одного вражеского стана в другой: там, где под маскировочной гамачной сеткой залегли Аста и начальник ее штаба Анжелика.

Маркиза ангелов.

— Видела его? — без всяких церемоний спросила Белка у Асты, покачивающейся в гамаке.

— Кого?

— Нашего нового соседа.

— Мне нет никакого дела до соседей.

Другого ответа и быть не могло. Дать понять, что разговор закончен, в то время, как он даже и не начинался, — в этом вся Аста. Уж это-то Белка уяснила для себя с прошлого раза. Тогда она отчалила от беседки несолоно хлебавши, но теперь... Теперь она не сдастся!

— И напрасно. Он красивый.

— Кто?

— Наш сосед.

— Это его трудности.

Еще можно было повернуться и уйти. И остаться в собственных глазах благородным человеком, а не какой-нибудь воображулей-сплетницей. На секунду Белке пришло в голову, что она поступает не очень хорошо, — примерно так же, как главный папин враг по фамилии Муравич. Этот псевдоученый только то и делает, что *плетет интриги, натравливает друг на друга хороших людей, главная вина которых состоит в их неискушенности и простодушии.* Так громогласно заявлял папа на их собственной кухне, и эти разговоры вовсе не предназначались для Белкиных ушей — только для маминых. Но кто виноват в том, что для зычного папиного голоса ни одна стена не преграда?

Никто.

А Маш и Аста виноваты. Они постоянно ссорятся, из-за чего переживают не только Миш, Лёка и Дружок. Но и цветы маттиолы, обильно высаженные вокруг веранды, где происходят главные баталии. Днем маттиола спит, а к вечеру раскрывает свои лепестки, наполняя воздух удивительным ароматом. Так было поначалу, до того, как обе кузины вступили в открытую конфронтацию. Теперь в сладком запахе маттиолы появились новые нотки: как кажется Белке — не очень приятные. Этих ноток еще немного, но с каждым днем становится все больше. Выходит, что маттиола только делает вид, что спит? А на самом деле чутко прислушивается к дневным склокам и реагирует на них по-своему.

Маш и Аста — вот кто несет ответственность за дурное настроение цветов. И к хорошим людям они не имеют никакого отношения. Так что Белка не делает ничего предосудительного, не сплетничает и не плетет интриги. Просто рассказывает своей таллинской сестре о местных новостях. «Losing My Religion» — чем не новость?

— Маш так не считает, — вкрадчивым голосом сказала Белка.

— А при чем здесь Мари?

— Ну... Она с ним уже познакомилась. Если тебя интересует...

— Ни капельки не интересует, — Аста забарабанила по книге кончиками пальцев.

— ...Они сейчас на пляже. Вот. Ладно, я пошла.

С самым независимым видом Белка покинула Астин наблюдательный пункт, но метрах в трех от беседки притормозила. Сделала вид, что заинтересовалась стрекозой-пожарником: та сидела на коряге, отколовшейся от старого сливового дерева. Глядя в огромные стрекозиные глаза, Белка ждала, что Аста вот-вот окликнет ее, потребует продолжения истории. И уж тогда... Тогда будут вывалены все подробности: и о кассетнике, и о закатанных джинсах, и о камешках, которые Егор швырял в Маш.

Сколько она простояла возле коряги?

Несколько минут или дольше?

Ох, не стоило ей играть в гляделки со стрекозой! Не стоило засматриваться на тонкие прозрачные крылья! Когда стрекоза взлетела, кивнув напоследок ярким красным брюшком, а Белка обернулась, — в беседке никого не было. Только покачивался старый гамак. Каким образом Асте удалось проскользнуть мимо, так и осталось загадкой.

Зато в том, куда именно она направилась, никакой загадки не было.

Спустя час Белка нашла Асту на пляже, в некотором отдалении от развеселой компании МашМиша, Егора и двух его спутников. Все пятеро играли в карты, Маш по-прежнему заливалась смехом, но он все меньше и меньше походил на Астин.

Теперь он напоминал короткие приступы кашля, словно Маш пыталась прочистить горло и вытолкнуть изо рта какой-то посторонний предмет. Рыбную косточку или что-то вроде того. И всякий раз эти приступы совпадали с поворотом головы нового приятеля МашМиша.

Егор то и дело оборачивался, чтобы взглянуть на Асту!..

Отсюда, из расщелины в скале, Белке была хорошо видна вся мизансцена, а лучше всех просматривалась сама эстонка. При желании Белка могла бы негромко окликнуть ее, и Аста обязательно бы услышала призыв: расстояние между ними составляло не больше десяти метров. Но раскрывать свое убежище не входило в Белкины планы, она и без того чувствовала себя папиным личным врагом Муравичем, способным на самые низкие поступки, —

подслушивание и подглядывание, недалеко ушедшие от плетения интриг.

За такое полагается *бэнг-бэнг-бэнг*!

Отвращение к себе чередовалось с острым любопытством: что-то будет дальше? Пару раз Белка даже порывалась выбраться из укрытия и бежать, не оглядываясь, до самого дома. Но в этом случае она не увидит конец истории, а увидеть его очень хочется. С такими историями никакого кино не надо, никакой Анжелики в потрепанном переплете!.. Попутно Белка восхитилась Астой, сумевшей за короткое время выбрать лучшую из всех возможных экипировку. Раздельный купальник Асты (нежно-голубой, с крупными яркими цветами) не шел ни в какое сравнение с унылым, одноцветным купальником Маш. Точно такие же цветы украшали огромное махровое полотенце: на нем стояла плетеная сумка немыслимой, по мнению Белки, красоты.

И очки!

Огромные, вполлица солнцезащитные очки придавали Асте вид надменный и отрешенный одновременно. И — совершенно неотразимый, если учесть легкий газовый платок, затейливо повязанный на голове.

Очередную карточную партию выиграл Егор.

Он не стал дожидаться, кто станет дураком в этот раз, а легко поднялся со своего места. И, спустя несколько секунд, опустился в опасной близости от Асты, на самом краю махрового цветочного поля. Никаких тебе камешков, надо же!..

— Добрый день! — вежливо произнес он.

— Тэрэ, — так же вежливо ответила Аста.

Что еще за «тэрэ»?

— Э-э? — красавчик-сосед смешно сморщил нос, а Аста, снисходительно улыбнувшись, тут же перевела:

— Здравствуйте.

Пока Егор переваривал эту сногсшибательную новость, платок с головы таллинской фурии соскользнул, и длинные белые волосы заструились по белым плечам. И в ту же секунду Белка поняла, что Аста выиграла войну. И будет выигрывать все последующие войны, сколько бы их ни было. Все последующие карточные партии. И на туз, с торжеством вываленный Маш, у Асты всегда найдется козырная шестерка. Или даже валет с профилем братца Миша.

Или даже король с профилем красавчика по имени Егор.

Сейчас этот маячивший перед Белкой профиль был покрыт мелкой рябью: Егор о чем-то размышлял.

— Забавный язык.

— Ээсти, — мягко уточнила Аста. — Эстонский. И ничего забавного я в нем не нахожу.

Никогда еще Астин русский не был таким неправильным и таким притягательным одновременно. Аста выдает себя за крутую иностранку, ну и пройдоха!

— Я... неправильно выразился. Я хотел сказать, что это необычный и красивый язык. Значит, вы эстонка?

— Вы что-то имеете против?

— Нет-нет, — испугался Егор. — Я нахожу, что это здорово!

Далее последовал ничего не значащий, но исполненный тайного смысла диалог, в ходе которого выяснилось, что Москва — чудесный город, и Егор непременно хотел бы показать его Асте. А город Таллин — хорош сам по себе и вовсе не горит желанием продемонстрировать себя первому встречному москвичу. И вообще, Эстония — «почтьи Эуропа! У нас всьё ньемного мьягче!» Здесь, в Крыму, тоже есть на что посмотреть: горы, море и все такое. А еще можно съездить в Ялту и погулять по набережной, съесть мороженое и сходить в кино, *вы не против составить мне компанию, Аста?*

— У меня есть мотоцикл. Прокатимся до Ялты на мотоцикле?

— Я подумаю над вашим предложением.

Длинные ноги Асты сомкнулись и на короткое время вдруг перестали быть ногами: Белка вдруг увидела перед собой самый настоящий русалочий хвост. Хвост сверкал на солнце, ослепляя Егора; коротко бил по гальке, оглушая его, — ничем иным нельзя было объяснить то, что Егор никак не реагировал на призывы, несущиеся с противоположной стороны пляжа.

— Кажется, вас зовут, — мягко заметила Аста.

— Не обращайте внимания.

— Вы заставляете своих друзей ждать. Это нехорошо.

— Пустяки. Подождут.

— Возвращайтесь. В любом случае, мне пора.

— Уже уходите? — Егор не мог скрыть своего разочарования. — Вы же недавно пришли...

— Длительное пребывание на солнце мне противопоказано, увы.

— Я... Я провожу вас, если вы не против!

В мгновенье ока русалочий хвост снова распался на две, немыслимой длины, ноги. Так ничего и не ответив, Аста поднялась. Сложила полотенце, набросила на плечи газовый платок, волшебным образом трансформировавшийся в шарф, подхватила сумку и направилась к тропинке. А Егор так и остался сидеть на прежнем месте — в полной растерянности.

Неужели конец истории?

Никакой не конец!

Это стало ясно, когда Аста прошествовала мимо Белки, едва успевшей вжаться в скалу. Ее шарф изящно и ненавязчиво соскользнул с плеч и спланировал на гальку. Русалка-оборотень даже не заметила потери, что было неудивительно: слишком легка ткань, слишком воздушна. Но и недооценивать ее удельный вес не стоило: из второстепенного персонажа шарф превратился в главное действующее лицо. Белка поняла это в тот самый момент, когда Егор бросился к нему, поднял, зачем-то поднес к подбородку и быстрым шагом затрусил наверх — догонять Асту.

Некоторое время до Белки доносился лишь плеск моря и короткие обрывки музыкальных композиций из кассетника. Затем «Ветер перемен» приблизился, заскрипела галька: перед Белкиными глазами мелькнули невнятные фигуры приятелей Егора и его кассетник. Мелькнули — и исчезли. Сама же Белка не торопилась покидать расщелину: столкнуться нос к носу с МашМишем вовсе не входило в ее планы. Даже ей, одиннадцатилетней девчонке, было понятно, что произошедшее вряд ли пришлось по вкусу Маш.

Маш раздавлена, унижена, оскорблена.

Вот если бы Егор вернулся к пляжной компании — хотя бы ненадолго, хотя бы попрощаться и сослаться на какие-нибудь неотложные дела! Но и это ничего бы не изменило, разве что Маш оказалась бы просто униженной и оскорбленной.

А Егор не вернулся.

Он и думать забыл не только о каких-то там МашМише, но и о своих друзьях, и — что самое важное! — о кассетнике. Он, как цуцик, побежал за Астой, а это равносильно тому, что Маш раздавили. Сбросили на нее мотоцикл, Москву с Ялтой и тонну мороженого. Но все это не достанется раздавленной Маш, а достанется ее главной врагине — эстонской русалке-оборотню.

Маш проиграла.

И свою лепту в поражение внес не кто иной, как Белка. Это она рассказала Асте о новом соседе, это она намекнула, что Егор пасется вокруг стоящего на пляжном приколе истребителя «МашМиш», — одним *бэнг-бэнг-бэнг* здесь не отделаешься. Маш точно убьет ее, если обо всем узнает.

— Я убью ее!..

Раздавшийся как гром среди ясного неба голос Маш заставил Белку вздрогнуть и закрыть лицо руками. Хорошо еще, что она не закричала и не обнаружила себя. Хорошо, что здесь, в расщелине, царит темнота, и вряд ли кому-то придет в голову заглянуть в эту темноту. Особенно если стоишь на солнце, как стоит сейчас МашМиш. Маш — налегке, в одном купальнике. А Миш — навьюченный сумками, с подстилкой через плечо. Подстилка (кусок плотной ткани) выужена из запасов Парвати и называется «баракан».

— Я убью ее, — с плохо скрываемой яростью повторила Маш, и Белка поежилась.

— Хорошая шутка, — откликнулся Миш.

— Я не шучу. Я убью эту тварь.

— Не кипятись.

— Я совершенно спокойна.

— Я вижу.

— Ты со мной или нет?

Вопрос застал Миша врасплох. Он надвинул на глаза белую матерчатую панаму с надписью «Ессентуки», затем сбил ее на затылок и вздохнул:

— Ты это серьезно?

— Более чем. Ты со мной?

— Ты же знаешь...

— Ничего я не знаю. Наверное, ты знаешь больше. О ней и обо мне тоже. Как это — «Машка страшная сука и гадина»? Да... Миккель?

Лицо Миша осветила страдальческая улыбка:

— Пожалуйста, не надо... Мы же во всем разобрались. И ты обещала... Обещала забыть об этом.

— Это оказалось труднее, чем я думала.

— Прости меня...

Миш ухватился за голый локоть сестры с такой силой, что костяшки его пальцев побелели. Маш поморщилась, но локоть не убрала.

— Сколько можно? Ты меня уже задрал своими извинениями. Они ничего не стоят.

— А что стоит?

— Она сука. Повтори.

— Сука, — послушно повторил Миш.

— Ничтожная тварь.

— Э-э... Ничтожная тварь.

— Таким тварям не место на земле.

— Не место.

— Хочу, чтобы она сдохла!

— Ты... хочешь?

— Я — само собой. А ты разве нет?

— Ну...

— Разве она недостаточно тебя унизила? Ткнула носом в дерьмо? Не будь тряпкой, Миккель!

— Перестань так меня называть! — впервые в голосе Миша появились злые нотки.

— Тебе же это нравилось. И она тебе нравилась.

— Больше не нравится.

— И это все? Не разочаровывай меня, братишка.

Миш приоткрыл рот, как будто ему не хватало воздуха. Взгляд его сфокусировался на плотно сжатых губах Маш в ожидании подсказки. Но Маш молчала, всем своим видом показывая: выкручивайся сам, соображай быстрее и не дай тебе бог не сообразить!

— Я ее ненавижу.

Маш дернула себя за мочку уха и засмеялась. И снова смех оказался похож на приступ кашля, вызванный присутствием в горле инородного тела. Но теперь Белка точно знала, что за инородное тело, что за рыбья кость застряла в трахее саранской кузины и мешает дышать. Мешает жить.

Аста.

— Значит, ты со мной, — подытожила Маш.

— Да, — теперь уже Миш не колебался ни секунды. — Ей не жить.

— Пусть сдохнет.

— Пусть.

— Сдохнет, сдохнет, сдохнет.

— Да!

Они повторяли это «сдохнет» на разные лады и никак не могли остановиться. От страха Белка съежилась и закрыла лицо руками. Сердце ее готово было выпрыгнуть из груди и стучало так сильно, что впору было удивиться: почему МашМиш не слышат этого грохота? Наверное, слишком заняты навешиванием бомб на свой истребитель. Или на истребитель нельзя навесить бомбы? Но тогда как уничтожить Асту?..

— Утопим ее? — поинтересовался Миш.

— Очень остроумно.

— Столкнем с обрыва?

— Как ты себе это представляешь? Снова напишешь ей записку? «Приходи к обрыву в 21.00. Ждем тебя с нетерпением»? Не будь дураком.

— А что предлагаешь ты?

— Разрезать ее на кусочки и скормить Лёкиной дворняге, — Маш коротко хмыкнула.

— Ты это серьезно?

— Да. Нет. Я не знаю. Просто хочу, чтобы она сдохла. Испарилась. Исчезла, как будто ее и не было никогда.

Белка перевела дух. Если до сих пор происходящее казалось ей сплошным кошмаром, то теперь в кошмаре появился просвет. Все проклятья, щедро высыпанные на голову Асты, оказались пустым сотрясением воздуха. Бессмысленным лаем, которым время от времени радует округу пустобрех Дружок. Маш ничего не сможет сделать с Астой, бомбы истребителю противопоказаны, а любая пуля, посланная в молоко Астиного тела, там же и потеряется. Или запутается в долгих белых волосах.

— Давай уедем, — неожиданно предложил Миш.

— И оставим эту суку торжествовать? Нет уж. Я что-нибудь придумаю. Главное, чтобы ты не струсил в самый последний момент. Ты ведь не струсишь?

— Нет.

...МашМиш давно покинули бухту, а Белка все еще сидела в своем укрытии, боясь выйти на свет. Что, если Асте и впрямь угрожает опасность? Нужно немедленно предупредить ее, вот только... Станет ли она слушать? Не высмеет ли так, как высмеяла Миша? Конечно, она может сделать вид, что не придала словам одиннадцатилетней соплячки никакого значения, а потом вывалит этот подслушанный разговор на всеобщее обозрение во время обеда. МашМиш снова окажутся в дураках, а сама Белка... Сама Белка окажется еще большей дурой. И — что самое ужасное — кровным врагом двойняшек. Двойняшки — почти взрослые, а Белка — маленькая, как самый распоследний паучок-гелиофанус, ее никто не защитит. Ни вечно занятая многорукая Парвати, ни шахматные короли Лазаря, ни Лёкин пес Дружок. Что уж говорить об Асте, которая даже не дала себе труд узнать, как зовут ее ленинградскую сестренку. Да еще посоветовала ей отправиться куда подальше — за ракушками и стрекозами.

Пусть выпутывается сама!

Придя к такому выводу, Белка почувствовала облегчение. А выбравшись из расщелины, успокоилась окончательно. Волны едва слышно накатывались на берег, на небе не было ни облачка, где-то в зените кричали окружившие солнце чайки. В этом почти идеальном мире не было места кровожадному «сдохнет», совсем напротив — все говорило о долгой и счастливой жизни, где дни и недели не имеют никакого значения. Точно так же, как не имеет никакого значения злопыхательство МашМиша. Нужно поскорее забыть все услышанное!

Белка очень-очень постарается — и забудет.

— ...Фуу! Опять ты!

Она увидела Лазаря в самый последний момент и едва не споткнулась о его ноги, обутые в старые стоптанные сандалии. Лазарь сидел, привалившись к большому валуну, за которым начиналась тропинка, ведущая к домам.

— Опять я, — подтвердил Лазарь и переставил фигурку на шахматной доске.

— Давно сидишь?

— Не очень.

— Я искала МашМиша, — зачем-то соврала Белка. — Ты их не видел?

— Нет.

Лгунишка! Если он пришел недавно, то не мог не столкнуться с ними — здесь или на тропе, другой дороги от дома к бухте нет. Во всяком случае, альтернативные подъемы и спуски Белке неизвестны. Может, они известны Лазарю?

— Ты ведь пришел сюда как обычно?

— Как обычно? — Лазарь приподнял выцветшую бровь.

— По тропинке?

— Да.

— И никого-никого не заметил?

— Ты уже спрашивала.

Вранье Лазаря показалось Белке совершенно бессмысленным. С другой стороны, он и впрямь мог не обратить внимания на парочку — слишком уж занят своими шахматами. Несколько секунд Белка раздумывала, рассказать ли верному последователю Вазургмихра о коварных планах двойняшек, а потом решила — не стоит. Лазарю нет никакого дела до свалившихся с неба и не слишком дружелюбных родственников. И не только Лазарю.

Здесь — в кипарисовом раю — каждый сам за себя.

Ноябрь. Полина

В комнате, которую она занимала двадцать лет назад, мало что изменилось: та же ниша в стене, забитая книгами и лоциями. То же кресло с продавленным сиденьем, тот же корабельный фонарь — никто так и не додумался протянуть сюда проводку. Кушетка, где она провела столько ночей, оказалась застеленной ковром: возможно, тем самым, что лежал в беседке. В наступивших сумерках рисунка на нем было не разглядеть, но Полина не торопилась включать фонарь; она подошла к окну и дернула ручку на раме. Рама поддалась не сразу (деревянные плашки разбухли от влаги), но когда распахнулась — шкиперскую (так называлась комната) заполнил холодный воздух. Все было на месте — кипарисовая аллея, сад со старым колодцем, выложенная плиткой тропинка. Все на месте — и все в беспорядке, как будто пальцы властной руки, столько лет собиравшей воедино все детали пейзажа, разжались. Вот и наступил хаос.

Он пока невидим, но уже ощутим.

Достаточно приглядеться к растрепанным кипарисам; к колодцу — его основание, некогда монолитное, выглядит теперь непрезентабельной грудой камней. Калитку в самом конце кипарисовой аллеи повело, и на смену идеальному железному прямоугольнику пришла совсем другая фигура, отдаленно напоминающая ромб. Алычу, сливы и персики давно никто не подрезал, и ветки свисают едва ли не до земли. Да и сами деревья скрючились, они похожи на стариков.

Они и есть старики.

А дождь лупит по ним с молодой яростью.

Где-то вдалеке сверкнула молния и сразу же раздался громовой раскат — такой сильный, что Полина невольно вздрогнула. Ей захотелось уйти отсюда — из этой комнаты, из этого дома. Где-то глубоко внутри заворочалось нехорошее предчувствие: *добра от этого дома не жди*. Он еще проявит себя, да так, что мало не покажется никому.

Впрочем, она тут же устыдилась своих страхов. Все они связаны с одним-единственным летом из детства, но с тех пор Полина выросла. Она многое пережила, потеряла самых близких людей — все самое страшное произошло, чего же еще можно бояться?

— Ничего, — произнесла она вслух. — Ни-че-го!

Дождь залепетал сильнее, и неясно было, хочет ли он поддержать Полину или, наоборот, возразить ей. Да и сама шкиперская наполнилась неясными шорохами. Как тогда, в детстве, перед сном, когда раковины, живущие в известняке, нашептывали ей свои истории. Да вот же они, ее старые друзья, — крошка-аммонит, пестрая двустворка и похожая на стрекозиное брюшко теребра! Полина нежно погладила их пальцами, а потом прижалась щекой к аммониту: *вот ты и вернулась, Белка! Мы так ждали тебя, здесь столько всего произошло в твое отсутствие!*

— Вот ты и вернулась, Белка! — сказала она сама себе. — И никуда не уедешь до тех пор...

До тех пор, пока не увидишь Сережу, но теребре и пестрой двустворке знать об этом необязательно. Об этом необязательно знать Тате, МашМишу и братьям из Архангельска. Полина могла врать самой себе относительно визита в старый дом Парвати. Но Белка уж точно врать не станет: она здесь только потому, что сюда должен приехать Сережа.

Другой причины нет.

Все эти годы она вела с ним непрекращающийся разговор; иногда — показательно забывала, демонстративно отворачивалась от памяти о нем. Но Сережа рано или поздно выныривал из глубин, отфыркиваясь, как тюлень. Хотя сущность у него никакая не тюленья — *дельфинья*. Дельфины — добрые, они приходят на помощь, когда уже не ждешь спасения, — разве это не их с Сережей история? Так было в Стамбуле, после смерти родителей. Так было с работой в одном довольно влиятельном журнале: Полина получила ее в тот самый момент, когда перед ней замаячил призрак нищеты. Звонок из журнала был настолько нереален, что она поначалу приняла его за розыгрыш. Еще бы! Оказаться в штате мечтали гораздо более опытные и талантливые журналисты. А у Полины за душой не было ничего: ни связей, ни стажа, ни вменяемого резюме. И все же ее взяли, и лишь спустя несколько лет выяснилась причина ее стремительного карьерного взлета —

Сережа.

Журнал-в-который-все-мечтают-попасть был одним из непрофильных активов его старшего компаньона. Так что достаточно было одного звонка, чтобы судьба начинающего корреспондента Полины Кирсановой была решена. Но даже тогда Сережа не позвонил ей. Не написал электронного письма, не сбросил эсэмэс. Полина по привычке обиделась на него задним числом и заново его позабыла. Не очень надолго, потому что, как ни забывай о Сереже, он все равно напомнит о себе. Небольшой заметкой в специализированном, посвященном компьютерам журнале. Бегущей строкой о курсе акций, бегущей строкой о слиянии и поглощении (поглощает, как правило, Сережа), бегущей строкой о благотворительных марафонах (компания Сережи славится своей благотворительностью). Несмотря на частоту упоминаний в прессе, биографические данные о нем крайне скупы. Упоминается лишь год рождения, учеба в Европе, стажировка в Гонконге и Токио, после чего сразу же следует довольно длинный список организованных им холдингов и трастов.

Ни слова о личной жизни, ни намека на романы с фотомоделями, актрисами или популярными певицами. И еще — Сережа не любит фотографироваться. Пара-тройка смазанных снимков — вот и все, что выдает Интернет. И везде он снят в компании безупречно одетых мужчин (их количество варьируется от двух до пяти); на среднем плане, как... как сама Полина. Как все остальные из Татиного альбома!

После бегства художницы альбом остался у Полины. И бросить его на полу в коридоре она не решилась, вот и принесла в шкиперскую вместе с остальными вещами. А принеся, тотчас пожалела об этом. Альбом вызывал смутное беспокойство, а вкупе с разгулявшейся за окнами природой — едва ли не панику. Наверное, нечто подобное испытывала и Тата, оттого и избавилась от фотографий.

Впрочем, Полина тоже может избавиться.

Засунуть его в нишу между книгами — легче легкого. Подбросить в ванную, где рано или поздно материализуется любой из нынешних постояльцев дома, — не вопрос. Вот только тревога никуда не денется — по крайней мере, до тех пор, пока Полина находится здесь. Или пока... не приехал Сережа! Она и раньше возлагала большие надежды на этот приезд, но теперь он кажется ей самым настоящим спасением. У Сережи достаточно сил, чтобы защитить ее, чтобы...

Она слишком далеко зашла. С какой радости Сереже защищать ее? Они не виделись больше двадцати лет, а детские воспоминания — слишком ненадежная вещь, чтобы, основываясь на них, просчитать стратегию и тактику его нынешней жизни. Сережа никогда не был ее парнем, всего лишь двоюродным братом. Весьма сомнительное родство, отталкивающее его носителей куда-то на периферию сознания — туда, где находятся вещи, о которых легко забывают, а вспоминают с большим трудом. Чтобы добраться до двоюродных братьев, вечно приходится расчищать завалы из любовников, близких друзей, домашних любимцев (кошек или собак), просто любимцев (сумки фирмы «Бимба и Лола»), приятелей, коллег по работе и официантов из соседнего бара. Да-да, официанты из соседнего бара, которых ты не знаешь по именам, занимают твое воображение больше, чем абстрактные двоюродные братья.

Сережа — исключение из правил. Меньше всего Полине хотелось бы видеть его официантом, коллегой по работе, сумкой фирмы «Бимба и Лола». Меньше всего ей хотелось бы видеть его домашним любимцем: Полина никогда не решилась бы завести собаку или кошку — из-за недостатка времени и постоянных разъездов. Сережа — близкий друг? Но близкая дружба предполагает частые встречи или хотя бы разговоры по телефону после полуночи, письма, телеграммы с пометкой «Срочная» и ободряющим содержанием, что-то вроде — **«Нынче ветрено и волны с перехлестом...»**

Надо бы добраться до моря — может, оно успокоит ее?

Но лучше отложить свидание с ним до завтра. А сегодня ей предстоит свидание с теми, кого она еще не успела увидеть. Гулькой и Алей. Впрочем, Алю она уже видела.

Тата, Лёка, бородатый викинг, МашМиш, Шило и Ростик.

Вытащенные из альбома и вытянутые в линию, фотографии лежали теперь перед Полиной. Очевидно, что сделаны они были в разное время, в совершенно разных местах и с разных точек (возможно даже — разными фотоаппаратами). Но в снимках имелось и что-то общее, помимо среднего плана и неучастия героев в процессе съемки. Это что-то постоянно ускользало от Полины и исчезало совсем, стоило лишь переставить их, расположить в другом порядке. Окончательно запутавшись, она достала еще две фотографии — Алана Бернара и себя самой. А фото из прозекторской так и осталось в альбоме: вновь встречаться глазами со страшной полосой Полине не хотелось категорически.

Что делает здесь фотография актера?

Он — не родственник никому из Большой Семьи, но его присутствие здесь наверняка несет тайный смысл. И в чем смысл самой последней фотографии в альбоме? Ведь Аля жива, и Полина совсем скоро познакомится с ней. И с ее братом Гулькой — викинг в наушниках, судя по всему, он и есть.

Нет только Сережи, и это огорчает. Но и обнадеживает одновременно. Кто бы ни стоял за дурацкой шуткой с фотографиями, до Сережи ему добраться не удалось. А это значит, что шутник не всесилен. И ему можно противостоять. И — при известном напряжении сил — вывести на чистую воду. Нужно только дождаться Сережу и все ему рассказать. Вдвоем они обязательно что-нибудь придумают, обязательно!.. Но пока Повелитель кузнечиков не приехал — что ей все-таки делать с проклятым альбомом? Наверное, правильнее было бы вернуть его той, к кому он попал изначально.

Тате.

Прежде чем опустить фотографическую коллекцию в сумку, Полина — сама не зная почему — заглянула под лежащую на кушетке подушку. Эту подушку, как и три других, прислоненных теперь к стене, она помнила еще со времен последнего приезда в дом Парвати: две совсем маленькие и две побольше. Они были призваны создавать уют, как его понимала бабушка. Вышитые гладью наволочки — с восточным узором, с розовыми бутонами, с головой оленя и с двумя веселыми котятами, играющими в карты. Яркие когда-то краски поблекли, нитки кое-где разошлись, но котята по-прежнему улыбались и подмигивали: *не бойся, Белка, загляни к нам, вдруг тебя ожидает сюрприз?*

Поначалу она ничего не заметила и даже успела вздохнуть с облегчением. И лишь в самый последний момент увидела маленькую — размером с ладонь — плоскую жестянку. В таких обычно хранят табак, леденцы или почтовые марки. Жестянка оказалась почти невесомой, так что вариант с леденцами (а заодно с монетами, значками, пулями дум-дум) отпадает. Что тогда? — Полина терялась в догадках. К тому же никаких опознавательных знаков на жестянке не было. Как не было ничего такого, что могло бы пролить свет на содержимое.

Открой! — подмигивали котята.

Открой! — качал ветвистыми рогами олень.

Она все еще колебалась; суеверный страх увидеть то, что навсегда изменит жизнь, неожиданно овладел ей. Но в конце концов детское любопытство взяло верх. Да и что там может быть страшного? — мертвое тело в жестянку не поместится, фотоотчет из прозекторской — тоже. Так подумала Полина — и ошиблась. Едва открыв крышку, она столкнулась со смертью, пусть и кардинально уменьшенной в размерах и почти бутафорской.

В жестянке лежал высохший трупик стрекозы.

* * *

...Спустившись вниз, в гостиную, Полина наконец-то увидела еще двоих, недостающих, членов семейства — бородатого Никиту и Алю. Высокие, стройные, без единого изъяна в лицах и одежде — брат и сестра издалека показались ей едва ли не полубогами, сошедшими с греческого фриза. Но стоило приблизиться к ним, как очарование слегка потускнело. Наверное, все дело в едва уловимой гримасе, подпортившей идеальные черты обоих: смесь презрения и легкой брезгливости, — но разве не так относятся полубоги к простым смертным?

Простые смертные находились тут же: Лёка расставлял тарелки на столе, Ростик и Шило возились с камином, который никак не хотел разгораться, Маш сидела в кресле с уже привычным бокалом в руках, а Миш маячил у нее за спиной. Не хватало только Таты.

Появление питерской кузины немного подкорректировало физиономии полубогов: на кукольное личико Али взбежала улыбка, которую можно было даже назвать дружелюбной.

— Вот и ты! — сказала она, стремительно двинувшись в сторону Полины и раскрыв объятья. — Я рада. Давно слежу за твоими публикациями.

Стоило начинающей актрисе произнести это, как Маш захохотала.

— Ну надо же! Хоть кто-то удостоился благосклонности нашей местечковой Мэрилин!

— Заткнись, — поморщившись, бросила Аля на ходу.

Ее жеманный поцелуй застыл в сантиметре от Полининой щеки — сначала одной, потом другой. *Очень по-европейски*, отметила про себя Полина, никаких троекратных русских лобызаний. Очень по-европейски, очень по-светски на лицо Али наложен безупречный макияж, брючный костюм безупречно сидит на безупречной фигуре, она — не что иное, как целевая аудитория госпожи Кирсановой. Для таких, как Аля, кропает она свои глянцевые колонки; для тех, кто мечтает стать такими. Единственное, что мешает целостному восприятию, — воспоминание о снимке из альбома. Никаких сомнений быть не может: жертва удушения и девушка, что только что поцеловала Полину, — одно и то же лицо.

— А я не знала, что у нас великосветская вечеринка, — все не могла уняться Маш. — Пойти, что ли, переодеться в платье для коктейля?

— На твоем месте я бы так откровенно не завидовала чужой молодости и красоте, — процедила Аля.

— И успеху, — добавил Никита, приблизившись к Полине и поцеловав ей руку.

Теперь они стояли рядом, трое успешных и молодых людей. А кресло, оккупированное неудачниками Маш-Мишем, отодвинулось сразу на несколько тысяч километров — в бибиревский панельный ад. А камин с Ростиком и Шилом уплыл еще дальше, к дикому Белому морю, где хорошо себя чувствуют лишь беспривязные любители экстрима.

— Ты здорово изменился, — сказала Полина.

— Это было несложно, — Никита улыбнулся, продемонстрировав ослепительно белые зубы. — Когда мы виделись в последний раз, мне едва стукнуло четыре года.

— И ты был дурацким бессмысленным толстяком, — похоже, Маш доставляло удовольствие задирать младших родственников. — Мне кажется, ты и сейчас такой же дурацкий бессмысленный толстяк.

Улыбка кинобратца стала еще шире. Намертво прибитая, на совесть зацементированная, она единственная удерживала каркас лица от распада на отдельные, снедаемые злобой куски. Глаза Никиты ненавидели Маш, его раздувшиеся ноздри ненавидели Маш, даже брови свело в одну линию от ненависти.

— Не обращай внимания, — шепнул он Полине. — По этой ничтожной суке давно плачет дурдом. Надеюсь, рано или поздно она там окажется.

— У вас здесь весело.

— Обхохочешься.

Неуклюжие и довольно предсказуемые шпильки Маш могут вызвать неприязнь или досаду, но ненависть... Это слишком сильное чувство, его нельзя расходовать на пустяки. Что же такого должна была совершить несчастная алкоголичка, чтобы вызвать демонов вражды из преисподней? Одним воспоминанием о пухлом детстве здесь не отделаешься. Требуются вещи посвежее.

— Прошу тебя, Гулька, — Аля ухватила брата за рукав. — Не заводись. Ты же знаешь, чем это обычно заканчивается.

— Чем? — осторожно спросила Полина.

— Ничем хорошим. Вчера чуть до драки не дошло.

— Ты преувеличиваешь. Я не бью женщин. Но этой хочется врезать от души. Честно говоря, уехал бы прямо сейчас из этого клоповника.

— А завещание?..

Молчаливый Лёка между тем принес из кухни две сковороды с жареной картошкой и поставил их в центр стола. Места по бокам заняли соленья — помидоры, огурцы и целая вязанка черемши. Последним выплыло огромное блюдо с дымящимся мясом, и только теперь

Полина поняла, как проголодалась. Ростик и Шило откупоривали бутылки с водкой и домашним вином (если вдруг кому-нибудь придет в голову блажь запивать черемшу «Изабеллой»).

Через минуту все уже сидели за столом. Рассаживались в произвольном порядке — кому какое место приглянется, но итоговый результат насторожил Полину: застольная мизансцена вечера почти в точности повторила обеденные мизансцены двадцатилетней давности. Именно так все они и устраивались относительно маленькой Белки: Лёка, МашМиш напротив, между Лёкой и МашМишем — Шило. С ее стороны по левую руку уселись Аля с Никитой; Ростик тоже занял привычное место — в торце стола. Стул слева от Полины пустовал, и она немедленно вспомнила, что рядом обычно сидела Тата. В суматохе все как-то позабыли о ней, но она непременно появится. Итого в доме присутствует девять человек. А стульев — тринадцать. Даже если учесть, что Лёка заранее побеспокоился о Сереже, хотя тот редко обедал вместе со всеми. Он предпочитал уединение, — но пусть один стул действительно приготовлен для него.

А остальные три?

Вернее — два стула и массивное резное кресло с высокой спинкой. К креслу у Полины не было никаких претензий: оно принадлежало Парвати, которая навсегда покинула этот дом не так давно. И стремление осиротевшего Лёки хотя бы таким нехитрым образом воссоздать иллюзию ее присутствия понятно. А вот два обветшавших венских стула совершенно не вписываются в пейзаж, им самое место на помойке, они раздражают своим несоответствием всей остальной мебели. И — пугают, потому что...

Сердце Полины замерло и снова часто забилось во второй раз — она вспомнила, что на тех местах, которые сейчас занимают проклятые венские уродцы, сидели когда-то одна смерть и одно исчезновение.

Это уже слишком!

Наверное, так думала не только она. Вот и Маш, обернувшись к Лёке, сказала:

— Опять ты за свое! Убери немедленно эту рухлядь.

Обычно покладистый Лёка неожиданно заартачился. Он положил тяжелую ладонь на спинку ближайшего к нему ве́нца и тихо, но твердо произнес:

— Нет.

— Здесь только одной мне подванивает гнильем? — Маш посмотрела на деревенского дурачка едва ли не с ненавистью. — У остальных полностью атрофировалось обоняние?

Поддержка пришла не со стороны братца Миккеля, как можно было бы ожидать, а от Шила:

— Маш права. Хочется посидеть спокойно, в теплой семейной обстановке. А при таком раскладе кусок в горло точно не полезет.

— Тебе полезет, — произнес Никита, бросив мрачный взгляд на здоровяка кузена. — При любом раскладе. Лично мне эти стулья не мешают. Пусть стоят.

— И мне не мешают, — поддержала брата Аля.

Оба они лукавили. Достаточно было посмотреть на их физиономии, чтобы понять: дурацкие стулья неприятны и им. Никита втянул голову в плечи, Аля морщится, как от зубной боли, но упускать момента, чтобы насолить Маш, они не намерены. Ради этой благой цели можно и потерпеть присутствие полуистлевших воспоминаний за столом.

— А ты что скажешь, Белка? — Шило был полон решимости избавиться от стульев, вот и искал союзников.

— Я не знаю... — Полина повернулась к Лёке. — Ты можешь объяснить, зачем они здесь?

— Бабуля, — коротко ответил Лёка.

— Что — «бабуля»?

На лице несчастного отразилась самая настоящая мука. Очевидно, объяснения требовали гораздо большего словарного запаса, чем тот, которым обладал Лёка.

— Наверное, наш даунито хочет сказать, что такова была воля покойной бабули, — снова впряглась Маш. — Так?

Лёка судорожно кивнул головой.

— Видите, как просто! Бабуля сказала — дурачок сделал, так было всегда. И плевать, что старуха уже в могиле, она и оттуда нас достанет. Испортит настроение посредством дурачка. Вот только одного старая грымза не учла. Она здесь больше не хозяйка. И ее посмертные пожелания — пшик. Ничто.

Ничто.

Маш прошипела это так эффектно, с такой яростью и вместе с тем — с болезненным удовлетворением, как будто ставила последнюю точку в заочном поединке с Парвати. Если таковой, конечно, когда-то происходил.

— Твоей заступницы больше нет. Ты хоть это понимаешь, дурачок? — победоносно глядя на притихшего Лёку, заключила Маш. — Привыкай жить своим умом. Ах да. Ум в твоей башке и не ночевал, как я могла забыть! Тогда отвыкай жить своим умом, пользы будет существенно больше.

Довольная шуткой, она откинулась на спинку стула и рассмеялась. Миш поддержал ее коротким хохотком.

Даже Шило с Ростиком, которых никак нельзя было заподозрить в людоедстве, гаденько улыбнулись. Происходящее живо напоминало избиение младенцев, оно было подлым, было неправильным. И Полине надлежало немедленно вмешаться, защитить доброго Лёку, но... Ни одного слова не вырвалось из ее враз окаменевшего горла, ни одного звука. Она вдруг снова почувствовала себя маленькой Белкой, бессильной перед могуществом *бэнг-бэнг-бэнг*. Аля и Никита до этого активно сопротивлявшиеся Маш, тоже молчали, — еще бы, стоит ли ожидать каких-либо решительных действий от четырехлетнего толстячка и его маленькой сестренки? Полина как будто воочию увидела двух малышей, прижавшихся друг к другу. И себя саму — одиннадцатилетнюю.

Всему виной проклятые стулья.

Они, вольно или невольно, возвращают взрослых, состоявшихся людей в те времена, когда они были детьми. Механизм этого возвращения неясен и оттого пугающ, — но он существует!

— ...Вместе, — пролепетал Лёка. — Вместе!

— В каком таком месте? — поддразнила его Маш. — Твое место известно где. В сарае. При кухне. Вот и отправляйся туда. Когда будет нужно, мы тебя позовем.

— Вместе. Мы должны быть. Все вместе.

— Да мы и так все вместе, — Шило попытался выправить ситуацию. — Мы вместе. Разве ты не видишь, Лёка?

— Не все, — продолжал упорствовать тот.

— Сережа! — осенило вдруг Полину. — Ты имеешь в виду Сережу?

— Сережа. Да, — голос Лёки прозвучал не слишком уверенно.

Упоминание о Сереже вызвало у Маш новый приступ сарказма:

— Вот черт! Я и забыла о нашем Супермене. О нашем семейном достоянии, о нашем карманном олигархе. Но и ему при всем могуществе трудно будет усидеть на четырех стульях сразу. Миккель, Шило... Вынесите этот хлам!

Мужчины синхронно кивнули подбородками и двинулись к стульям. На этот раз даже Лёка не посмел им помешать. Он стоял, вцепившись пальцами в край стола; голова его мелко тряслась, а взгляд был устремлен на дверь, за которой когда-то располагались чертоги Парвати. И Полина вдруг поймала себя на мысли: как было бы здорово, если бы дверь отворилась. И темнолицее многорукое божество — ее собственная бабка — возникло бы на пороге.

Тут и конец твоему могуществу, Маш!

Наверное, о чем-то сходном думали и Аля с Никитой: они тоже, не отрываясь, смотрели на дверь. И совсем выпустили из виду лестницу, со стороны которой донесся смешок.

— Так-так-так! Едва собрались, а уже успели перессориться? Гадкие, гадкие детишки!..

Тата!

Увлекшись разборками со стульями, все как-то позабыли о ней. Как долго она наблюдает за происходящим, сидя на ступеньках лестницы?

— Никто и не думал ссориться, — буркнул Шило. — Все в порядке.

— Ты полагаешь? А я вот думаю, что все совсем не в порядке. Один человек... — Тата перевела взгляд на Маш и с нажимом повторила: — Один человек возомнил себя самым главным в отсутствие хозяев. По-моему, это неправильно.

— У нас здесь целый боекомплект блаженных, — фыркнула Маш. — Протри глаза, блаженная! Хозяева давно здесь.

— Это ты, что ли?

— Не только я.

— Но ты — в первую очередь. Маш — самая главная. Всегда, везде и во всем. Правда, до тех пор, пока...

Тата замолчала.

— Пока что? — подзадорила ее Маш.

— До тех пор, пока не появится кто-то еще.

— На что это ты намекаешь?

— Тебе не понравились старые стулья. Почему?

Почему Тата не спускается вниз? Сидит и сидит на этой проклятой лестнице. Как будто опасается приблизиться к столу, приблизиться к двоюродным братьям и сестрам. Что с ней не так? Или — не так со всеми остальными?..

— Этой рухляди здесь не место. Кажется, я ясно объяснила.

— Еще бы! Вот только тебя беспокоят не сами стулья. Тебя беспокоят те, кто когда-то сидел на них. Любое воспоминание о прошлом злит тебя. Тебе неловко, Маш. Тебе неприятно. Ведь все здесь знают, что...

— Что? — Маш побледнела.

— Сама знаешь.

— Иди сюда, детка. Шепни мне на ухо о том, что знают все. Смелее, не бойся.

Маш явно провоцировала свою молодую кузину на скандал, выманивала на просторы гостиной, к отрогам стола: туда, где все неожиданно подчинились ей. Все до единого — так почему Тата должна стать исключением?..

Но она даже не сдвинулась с места — девушка, с которой Полине так неожиданно захотелось подружиться. Она осталась на лестнице, и именно оттуда полетели в Маш тяжелые, как булыжники, слова:

— Все здесь знают, что в том, что случилось тем летом, виновата ты.

Стоило только Тате произнести это, как в гостиной воцарилась гнетущая тишина. И в самой сердцевине этой тишины, подобно насекомому в янтаре, застыла Маш — с искаженным болезненной гримасой лицом, растерянная и жалкая. Постаревшая сразу на пару десятков лет.

— Ложь! — прошамкала старуха Маш ввалившимся ртом. — Гнусная, омерзительная ложь. Я и пальцем ни к кому не прикасалась! А ты — просто сволочь, если распространяешь эти слухи. Дрянь.

— Может быть, и дрянь, — спокойно ответила Тата. — Но не убийца.

Первым опомнился Шило. Он крякнул, почесал всей пятерней в затылке и произнес совсем уж нелепое:

— Не ссорьтесь, девочки.

Маш, наконец-то вновь овладевшая собой, захохотала.

— Разве здесь кто-то ссорится? Здесь обвиняют в убийстве... Что, дрянь, ради того, чтобы завладеть этим сраным домишком, все средства хороши?

— Дом ни при чем.

— Еще как при чем! Дом на побережье всегда при чем. Думаешь, я не понимаю, для чего ты затеяла разговор?

— Чтобы наконец докопаться до истины.

— А вот и нет, дрянь, вот и нет! Ты просто решила убрать конкурентов. Хочешь, чтобы я уехала, не дождавшись оглашения завещания. Чтобы мы с Миккелем уехали... Отказались от своей доли. Чем меньше соискателей на бабкино имущество, тем лучше, да?

— Имущество меня не интересует, — Тата надменно приподняла бровь.

— Жаль, что эта шутка не вошла в КВН! Кто же поверит, что голозадой провинциалке не нужен кусок земли, который стоит миллионы?

— О чем это она? — тихо спросила Полина у Али. — Разве наследство не делится поровну между всеми родственниками?

— Не между родственниками, а между внуками. И только теми, кто будет присутствовать в кабинете нотариуса. Такова была последняя воля бабушки, — шепотом ответила та. — Ты не в курсе?

— Нет.

— Странно. Все были оповещены...

— Кто-нибудь еще думает так, как думает эта дрянь? Что я — убийца? — повысила голос Маш, обведя взглядом стол.

Это был вызов, но никто не принял его: Никита и его сестра потупили глаза в тарелки; Ростик уронил вилку, полез за ней под стол, но выбираться не спешил. А Полина вдруг почувствовала, что какая-то неведомая сила сдавила ей горло. Наверное, то же самое чувствовал двойник Али с фотографии — прежде чем петля на его горле затянулась окончательно.

— Э-э... Никто так не думает, — медленно и с расстановкой произнес Шило. — Наверняка и Тата не думает. Она... просто расстроена. Из-за того, что здесь произошло тыщу лет назад. Я правильно говорю, Тата?

Тата молчала.

— Ну вот! Молчание — знак согласия!

— Мне плевать на ваши куцые мыслишки, — в голосе Маш неожиданно послышалось отчаяние. — Не знаю, кто из вас затеял грязную игру. Кто-то один или это плод коллективного разума. Но только вы меня отсюда не выкурите. Посмотрим еще, чья возьмет!

Трясущимися руками Маш плеснула себе в бокал коньяка и залпом выпила. А до сих пор молчавший Миш подошел к сестре и осторожно обнял ее за плечи:

— Успокойся, милая. Не стоит...

— Я совершенно спокойна. И ни на какую провокацию не поддамся, не переживай.

— А что случилось-то? — насторожился Шило.

— Принеси эту мерзость, Миккель.

— Может быть, не стоит?

— Принеси!..

Миш отсутствовал не дольше нескольких минут, и все это время в гостиной царила напряженная тишина. А когда он вернулся и бросил на стол кусок легкой прозрачной ткани, тишина и вовсе стала гробовой. Первым ее нарушил Шило.

— Что это? — спросил он.

— *Это* я нашла у себя под подушкой вчера вечером. Можешь рассмотреть его поближе.

— А что его рассматривать? Обыкновенный платок.

— Я тоже так подумала поначалу. Обыкновенный платок. Не новый. Кому пришло в голову засунуть его мне в кровать? Присмотрись. Ничего не замечаешь?

— Ну... — озадаченный Шило повертел платок в руках. — Здесь какие-то пятна.

— Какие-то? Ты же мент, Шило. Соображай быстрее. Даже я сообразила.

— Кровь?

— Бинго! — Маш нервно хихикнула. — А теперь признавайтесь, дети, кто из вас решил подшутить над старушкой Машильдой?

И снова в гостиной воцарилось молчание. Лишь платок кочевал из рук в руки. После Шила настала очередь Ростика: он расправил платок, и теперь все присутствующие увидели пятна на ткани — бурые, бесформенные, громоздящиеся друг на друга. Полина не могла отвести взгляда — не от пятен, от самого платка. Она сразу же узнала его. Она узнала бы его из тысячи других: это был платок Асты. Тот самый, в котором ее впервые увидел москвич Егор. Потерянный у кромки пляжа и тут же счастливо найденный, он стал прологом к недолгому роману русалки-оборотня и парня с кассетником. И вряд ли Маш забыла об этом. Но даже если забыла, если заставила себя забыть, — кто-то напомнил ей об этом. Не тот ли человек, что подбросил Тате альбом с фотографиями, а Полине — жестянку с дохлой стрекозой?

— Если уж на то пошло, — неожиданно вмешался Никита. — Я тоже получил подарок.

— И я, — поддержал его Ростик.

— И я, — отозвалась Аля. — Вчера вечером. Надеюсь, он не от зубной феи.

— Что же вам всучили? — спросила Маш.

Ростик сунул руку в карман и вытащил на свет божий крохотную, искусно сплетенную из соломы фигурку какого-то животного, скорее всего — собаки. Одно ухо у соломенного пса было приподнято, а хвост завивался кольцом. Все с видимым облегчением тут же забыли о платке и переключились на фигурку.

Какой славный пес!

— Славный пес, — сказал Ростик. — Смахивает на нашего корабельного Дика. Я подобрал его три года назад, еще щенком. Теперь он живет на камбузе и стал самым настоящим членом экипажа. А это даже больше, чем член семьи.

— Не очень-то ты следишь за членами своей семьи, — Маш презрительно выпятила нижнюю губу.

— Это еще почему?

— Он... какой-то грязный. Твой соломенный Дик.

Тельце собаки и впрямь покрывали какие-то пятна. Но не рыже-бурые, как на платке, а темные, почти черные. То, что Полина издали приняла за подпалины, оказалось легким налетом копоти: как будто мини-Дика бросили в огонь и сразу же вытащили, испугавшись последствий.

— Интересно, что это может означать? Эта собака, я имею в виду? — Никита задумчиво пощипал бороду. — И что может означать вот это? Есть какие-нибудь соображения?

К стоящему на краю стола соломенному псу прибавились карманные часы на длинной цепочке. Крышка, защищающая циферблат, когда-то была покрыта эмалью, но теперь эмаль облупилась, — оттого и сами часы выглядели непрезентабельно.

— Павел Буре. Наверное, представляют интерес для коллекционеров. А практической ценности в них — ноль.

— Ты ничего не сказал мне о часах, — запоздало обиделась Аля. — Они милые.

— Они без стрелок. Вот что я имел в виду, когда говорил о практической ценности.

— Но я же рассказала тебе про открытку! Она тоже милая. Сейчас схожу за ней.

Аля выскользнула из-за стола, и никто не обратил на это внимания: все увлеклись разглядыванием часов. Когда они добрались до Полины, та вдруг подумала, что в облупленной часовой луковице гораздо больше смысла, чем в альбоме с фотографиями, стрекозе из жестянки и соломенном псе вместе взятых. Вернувшись в дом Парвати после двадцатилетнего отсутствия, она обнаружила, что время здесь как будто остановилось: ее одолевают те же эмоции, и те же страхи, и та же беспомощность перед Маш, и то же вечное ожидание Сережи. Как долго оно продлится, неизвестно, ведь стрелок на циферблате нет!.. Но сами часы, как ни странно, указывают на человека, которому они могли бы принадлежать.

Лёка!

В Лёкиной мастерской, куда редко заглядывали посторонние, стоял маленький стол, зажатый между двумя верстаками. Стол был завален самыми разными часами — наручными, карманными, каминными. Остовами старых ходиков и домами, где обычно живут металлические кукушки. Тем летом Белка наведывалась в мастерскую несколько раз, а однажды пришла туда с Сережей. Тогда-то ей и удалось разглядеть стол вблизи, а заодно — и малопонятное ей часовое изобилие.

— Лёка часовщик, да? — спросила она у Сережи.

— Лёка — философ.

О философии у одиннадцатилетней Белки было весьма смутное представление. Философ — человек, который много думает (к Лёке это не относится); философ — человек, который может все объяснить (к Лёке это не относится); философ — человек, который знает, как жить всем остальным людям. К Лёке это не относится, зато уж точно относится к Сереже. Впрочем, Белка тотчас же забыла о сравнительном анализе, заглядевшись на крошечные механизмы.

Вот часы под названием «Командирские», с большой звездой на циферблате, — точно такие же носит папа. Вот — женские в виде кулона и еще одни женские — на литом потускневшем браслете. Вот часы, от которых тянется металлическая цепочка, они сплющенный воздушный шар. А есть еще часы-луковица, и часы-шкатулка, и часы-единорог. Циферблаты у всех часов разные, цифры на них тоже — римские, арабские, вытянутые и сплющенные; двух похожих друг на друга не найти, и все же... В них есть и общее: ни один из механизмов не работает.

Единороги и воздушные шары мертвы.

Может быть, Сережа не так уж неправ: часовщик никогда бы не смирился с таким положением вещей, а философ...

Философ ко всему относится философски.

— Зачем Лёке столько часов, которые не ходят?

— Затем, что он философ, — улыбнулся Сережа. — И у него свои отношения со временем.

— Лёка хочет остановить его?

— Он уже это сделал. Думаю, он хочет совсем другого.

— Чего?

— Повернуть время вспять.

Какой смешной Лёка! Даже Белка знает, что ничего со временем поделать нельзя, как бы ты ни старался. Невозможно проснуться и оказаться во вчера, или в прошлом декабре с электрогирляндой «Космос» в руках, или у экспедиционного грузовика, где стоит шофер Байрамгельды — живой и невредимый. Насчет декабря Белка не очень расстраивается: будет еще не один декабрь с елкой и гирляндой, и с Синей птицей, которую они с папой повесят на самую макушку. И насчет массы других дней, которые уже стали вчерашними, — тоже. Ей жаль только Байрамгельды. Может, и Лёке кого-то жаль?

— Так не бывает, Сережа. Нельзя повернуть время.

Сережа улыбнулся и приложил палец к губам:

— Только Лёке об этом не говори.

— Не буду.

— Обещаешь?

— Да. А где он взял столько часов?

— Он знает места, где часов видимо-невидимо. Вот и достает их при случае.

...Интересно, как сейчас поживает Лёкина коллекция? И являются ли часы, которые Полина держит в руках, ее частью? Хорошо бы спросить об этом у самого Лёки, но он куда-то подевался.

— Никто не видел Лёку? — громко спросила она.

— Упс, — откликнулся Шило. — Ты ведь подумала о том, что и я?

— Не понимаю...

— Мастерская в саду. Там уйма всяких механизмов. А часов — больше всего.

Ну, конечно! Еще в детстве Шило отличался любопытством и непоседливостью (за что и получил свое прозвище). И такая грандиозная вещь, как мастерская, где полно милых мальчишескому сердцу вещей, просто не могла остаться без его внимания. Возможно, он уже побывал там и в нынешний приезд.

— Думаешь, это Лёка подбросил часы?

— Кто же еще?

— Зачем?

— Ну, откуда мне знать? Может, решил таким образом поприветствовать родственничков, преподнести небольшие сувениры, так сказать. А поскольку клёпок у него в голове не хватает, то и сувениры получились дурацкие.

Что ж, в логике Шилу не откажешь. Сувениры и впрямь дурацкие, *детские* — часы без стрелок, соломенный пес, дохлая стрекоза в жестянке. Даже бывший в употреблении старый платок не выбивается из общего ряда. И все же что-то не складывалось в этой стройной и спасительной картине. Но что именно — Полина понять не могла.

— А тебе что преподнесли?

— Красотку девушку, — ухмыльнулся Шило.

Красотка девушка! Именно так называлась стрекоза, что лежала в жестянке, — красотка-девушка из семейства «Красотки», *Calopteryx virgo*. Полина, дочь энтомолога, сразу же признала ее, недаром все ее детство прошло среди насекомых, а часть отрочества — среди атласов и каталогов, посвященных насекомым. И странно, что она нисколько не удивилась красотке-девушке, хотя должна была бы: этот вид стрекоз не живет у моря, он селится по берегам мелких речушек и озер. А в округе нет ни одного водоема, ни одного ручья. Наверное, этому можно найти какое-то объяснение, но Шило... Откуда далекому от энтомологии милиционеру известно имя синекрылой малютки?

— Ты имеешь в виду стрекозу?

— Какую стрекозу? — удивился Шило.

— Ты сказал — «красотка-девушка»...

— Ну да. Я и получил в безраздельное пользование красотку девушку. Вот, смотри!

Шило извлек из кармана шахматную фигурку ферзя — с нарисованными прямо под короной глазами. С нарисованным ртом. От глаз шли завивающиеся кверху закорючки-ресницы, а рот был сложен бантиком. Несколько неровных волнистых штрихов — по обеим сторонам от глаз и рта — символизировали волосы. Сходство со сказочными принцессами, какими их обычно рисуют дети, было очевидным.

— Разве не красотка?

— Пожалуй, — осторожно ответила Полина.

— А что получила ты?

— Тоже красотку-девушку. Так называется стрекоза.

Она достала из сумочки жестянку и положила ее на стол — рядом с ферзем, облупленными часами, потешной собакой из соломы. Эти вещи имели безусловную ценность — но только в глазах ребенка. Каким все эти годы был Лёка, какими были они сами — двадцать лет назад. Конечно, из общего списка детей можно смело исключить старших. А Белку? — можно ли исключить Белку, которой в то время исполнилось одиннадцать? И что-то в ее тогдашней жизни было связано именно с ферзем, или — шахматной королевой, *красоткой девушкой*.

Полина сразу вспомнила сон, приснившийся ей в том далеком августе. Собственно, она никогда не забывала о нем: изредка — раз в несколько лет — сон возвращался. Он не был кошмаром в классическом смысле, — ничего особенно пугающего в нем не происходило, но после пробуждения на Полину наваливалась сосущая тоска. Ужас она испытала лишь однажды — когда увидела сон впервые. Тогда одиннадцатилетней Белке приснилось странное, устланное коврами помещение. Ковры устилали пол, лепились к низкому потолку, свешивались со стен. На большинстве из них были вытканы гигантские шахматные фигуры, чему Белка нисколько не удивилась, — это же сон!

Не удивилась она и тому, что фигуры неожиданно отделились от ковров, стали объемными. И на их матово поблескивающей поверхности стали проступать лица: МашМиш, Лёка, Аста, Парвати. А морда одного из белых коней вдруг напомнила ей добродушную физиономию Лёкиной собаки Дружка. По идее, на месте Дружка органичнее бы смотрелся мерин Саладин, но... Это же сон!

Был и еще кто-то, запертый в шахматной королеве, но как раз его черты постоянно ускользали от Белки. А ведь этот *кто-то* — главный здесь, Белка откуда-то знает это. В страстном желании рассмотреть королеву получше, она скользит по комнате, отодвигая ковры один за другим. Они все не кончаются, королева по-прежнему не открывает лица, как долго продлится эта игра в кошки-мышки?..

Все закончилось внезапно.

Отодвинув очередной ковер, Белка обнаружила за ним черноту. Да и ковры куда-то исчезли, все до единого: теперь чернота окружала ее со всех сторон, и снизу, и сверху. И в этой черноте повисли давешние фигуры с лицами вновь обретенных родственников. Ничего отталкивающего в них не было, даже Парвати улыбалась Белке — красными, похожими на рубцы от лозины, губами. Сходство с рубцами и насторожило Белку, заставило отступить назад. И не напрасно!

Откуда-то сверху, из черноты, посыпались змеи. Целый дождь из змей, целый водопад. Обвив фигуры мощными кольцами, они в мгновенье ока превратили их в пыль, в ничто! Устояла лишь шахматная королева, по-прежнему неузнанная. А Белка не стала дожидаться, пока змеи подберутся к ней, и...

проснулась.

— ...Эй, с тобой все в порядке? — голос Шила вывел Полину из оцепенения.

— Да... Да, конечно.

— Вспомнила о чем-то неприятном?

— Пустяки.

Совсем не пустяки, совсем. Она никому не рассказывала об этом своем сне, а все попытки разгадать его ни к чему не привели. Не помогло и обращение к сонникам, где змеи трактовались, как опасность и смерть; шахматы — как решение трудной задачи, а ковры — как благополучие и процветание, которые должны вот-вот наступить. Все это слишком умозрительно и далеко от истины, ведь маленькая Белка не была озабочена процветанием, не собиралась решать никаких задач, а о смерти не думала вовсе. Так чем был сон изначально и чем он стал впоследствии? Предупреждением. И напоминаем о том, что она что-то упустила. Не заметила, не обратила внимания тогда, когда нужно было смотреть во все глаза. Быть может, Лёке снился похожий сон, и — в отличие от Полины — ему удалось разглядеть шахматную королеву.

Он запечатлел ее, как умел.

Как умел!.. Только теперь Полина поняла, что выбивалось из стройного ряда детских подарков: альбом с фотографиями. Даже если его подбросил Тате именно Лёка, вряд ли он сделал это по собственной инициативе: слишком сложна драматургия снимков, слишком разные места на них изображены, слишком одинаково *не смотрят* в объектив герои. Да и потом — Лёка никогда не покидал Крым, представить его в роли опытного папарацци невозможно. Как невозможно представить его дружбу ни с кем, кроме... Сережи. Сережа — единственный, кто время от времени навещал Парвати. Единственный, кто относился к Лёке, как к равному, а вовсе не как к *даунито.* Но это означает...

Ничего это не означает.

Нужно просто дождаться Сережу, и все встанет на свои места. Вот только что делать с альбомом? В конце концов, она и Тата — не единственные его героини. Есть еще МашМиш, Шило и Ростик. И Гулька, и... двойник Али с прозекторского стола. Что, если альбом — тоже своего рода предупреждение? Довольно серьезное, если судить по последнему снимку. И Полина не имеет права скрывать его ото всех. Странно, что когда все вытягивали на свет божий свои киндерсюрпризы, Тата и словом о нем не обмолвилась.

Она машинально повернула голову в сторону лестницы, где еще несколько минут назад сидела художница.

Лестница была пуста.

— А где Тата?

Никто не видел ее, никто не заметил, как и куда она исчезла: Шило и Ростик лишь пожали плечами, а Маш выразилась в том духе, что Тата может отправляться куда угодно — к морю, в поселок, в Ялту, в Симферополь, а лучше — так сразу к чертовой матери.

— Она же дохлая!.. —

будничным тоном произнес Шило, и Полина вздрогнула. Спустя секунду оказалось, что речь идет всего лишь о стрекозе, которую он выудил из жестянки и теперь рассматривал на свет.

— Сдохла и мумифицировалась. Ай да Лёка! Отжег так отжег!

— Кто-нибудь сходит за этим идиотом? — спросила Маш. — Пусть объяснит, что за комедию он здесь затеял.

Первым на ее слова отреагировал Ростик:

— Я могу. Скажите только, где его искать?

— Почем я знаю? Посмотри на кухне. В мастерской. На старухиной половине...

— Будет сделано.

Сделав несколько шагов к лестнице, за которой располагалась кухня, он едва не налетел на спустившуюся со второго этажа Алю.

— Я принесла! — заявила она. — Вот эта открытка.

Но передать ее сгрудившимся у стола родственникам так и не успела. Улыбка сползла с ее лица, уступив место мертвенной бледности.

— Что это?

Голос Али был так тих и прерывист, что никто не расслышал его толком.

— Что это?!

Теперь она почти кричала, а исполненный ужаса взгляд застыл на пальцах Шила, которые все еще сжимали стрекозу. Первым опомнился Гулька. В два прыжка он оказался рядом с сестрой и успел подхватить ее прежде, чем Аля потеряла сознание.

— Кто-нибудь! Принесите воды!..

Произошедшее с Алей было так странно и необъяснимо, что все на мгновение застыли в растерянности. А потом, суетясь и мешая друг другу, принялись искать пустые стаканы на столе. И лишь Маш не шелохнулась, безучастно наблюдая, как Гулька пытается привести Алю в чувство.

— Что происходит? — спросил Миш.

— Глубокий обморок, — констатировал Шило. — Одной водой здесь не отделаешься. Нужен нашатырь.

— И где его взять, этот чертов нашатырь?

— На кухне должна быть аптечка... Ростик! Поройся в аптечке. Она должна быть в навесном шкафу, справа от холодильника.

Отдав распоряжение тихо исчезнувшему за кухонной дверью брату, Шило присел на корточки перед Алей.

— И... часто с ней такое случается?

— Нет. Давно уже ничего подобного не было.

— Значит, раньше все-таки было?

— Раз или два. Это имеет какое-то значение?

— Мне кажется, она что-то увидела, — высказала предположение до сих пор молчавшая Полина. — Что-то такое, что напугало ее до обморока.

Со времени ухода Али в гостиной не прибавилось ни одного предмета, все вещи стоят на своих местах и тени лежат ровно так, как им положено. Быть может, Аля увидела кого-то за окном, неплотно прикрытом шторами? Или ей показалось, что увидела? Но, если бы речь шла о человеке, она бы воскликнула: «Кто это?»

Кто, а не что.

— Вообще-то, она пялилась на тебя, Шило. Я это точно помню.

Это сказала Маш. И в комнате на мгновение повисла такая тишина, что стало слышно, как по оконным стеклам барабанят капли дождя. И сквозь эту мелкую, частую дробь прорывался еще один звук — далекий и вовсе не такой настойчивый — «ууй-дии! ууй-дии!».

— Что за бред? — Шило даже покраснел от негодования.

— Вовсе не бред. Ты ее испугал. Ты! Вот и Миккель может подтвердить. Правда, Миккель?

— Ну-у, — промямлил Миш. — Что-то такое было.

— А я говорю — бред! С чего бы ей меня пугаться? Как будто она впервые меня увидела...

— Кто знает, кто знает, — губы Маш скривились в улыбке. — Но то, что она испугалась именно тебя, — медицинский факт.

Теперь и Полина вспомнила. Прежде чем Алины глаза затянуло пеленой ужаса, она действительно посмотрела на Шило. На его пальцы, в которых безвольно болталась стрекоза. Но ведь не мертвое же насекомое вызвало у нее такую реакцию? И где оно сейчас? — обе руки Шила свободны.

Спрашивать о судьбе пленницы жестянки Полина постеснялась: глупо в такой момент переживать о насекомом, того и гляди обвинят в элементарной черствости и отсутствии сострадания. Если не сам Шило, то уж Маш точно. Как показывают последние события, ничто не ускользает от ее цепкого и, несмотря на выпитое, трезвого взгляда. Вопрос со стрекозой можно отложить на потом, когда... когда Аля придет в себя.

Ууй-дии! ууй-дии! — продолжает скрипеть тьма за окном.

Что означает этот странный звук?..

Август. Белка

...В последующие сутки ничего страшного не произошло. Аста по-прежнему восседала в торце стола, но вела себя совершенно спокойно и больше не приставала к Мишу с дурацкими просьбами. И вообще делала вид, что его не существует в природе, — равно как и его сестры. МашМиш отвечали таллинской кузине таким же хорошо срежиссированным безразличием. Из Лёки и раньше невозможно было вытянуть лишнее слово, а на бормотание и крики малышей Белка с самого начала научилась не обращать никакого внимания. Вот и вышло, что обеды, завтраки и ужины потеряли нерв, и за столом царила самая настоящая скука.

— ...Надоело! — сказала Аста в тот самый момент, когда Лёка поставил на стол огромный казан с пловом.

Но реплика эстонки была адресована не ему, а пришедшей следом Парвати.

— Что именно тебе надоело, голубушка?

— Есть по часам со всей этой мелюзгой. У нас дома...

— У вас дома вы можете делать все, что угодно. Хоть на голове стоять. А здесь существует порядок, который не ты заводила. И не тебе его отменять. А тот, кому он не нравится...

— Я поняла, — дерзко перебила Парвати Аста. — Тот, кому он не нравится, — может выметаться.

— Кусочничать я не позволю, — припечатала старуха.

Дом Парвати устроен совсем не так, как Белкина ленинградская квартира. Хотя ее не назовешь маленькой — дом в десять раз больше. А может, даже в сто. В нем два этажа, огромный чердак, который сам по себе занимает целый этаж, и прилепившаяся к массивному телу дома башенка. Есть еще подвал — Парвати называет его «цугундер», вроде бы это должно означать тюрьму или гауптвахту. Вот только томятся там не люди, а банки с соленьями и мешки с картошкой. Отдельную полку занимает варенье — крыжовниковое, черносмородиновое, малиновое. Чуть ниже расположился бутылочный ряд. Все бутылки, как на подбор, пузатые, из темного стекла, с запечатанными сургучом горлышками: бабушка собственноручно делает вино из винограда «Изабелла». По стенам развешены пучки травы, сушеные грибы в марле, лук, сморщенные красные перцы и связки сухофруктов. Есть еще две рассохшихся бочки, старый сундук и кухонная утварь самого разного назначения.

В старом сундуке, по мнению Белки, заключена жизнь Парвати.

Жизнь ее детей окопалась двумя этажами выше, на чердаке со слуховым окном, заколоченным ровно наполовину. Окно — круглое и больше всего напоминает иллюминатор. Напоминало бы, — если бы не доски, скрывающие от глаз ровно половину окружности. Это делает окно похожим уже не на иллюминатор, а на месяц в его промежуточной стадии. Навечно застрявший между тонким серпом и полной луной. И свет на чердаке — мягкий, серебристый, *лунный*. Он льется на белые сугробы (а на самом деле — на старую мебель, покрытую белыми простынями), на юрты кочевников (а на самом деле — на чемоданы, саквояжи и сундуки). Чердачные сундуки явно моложе цугундерного. Все они заперты, а на крышках красуются самые разные буквы:

П.

В.

С.

Ч.

еще одно **П.**

и еще одно **С.**

Это могло бы сойти за дни недели, но для полноты картины не хватает воскресенья. Или вторника. Хотя это вовсе не дни недели, нет! Белкиного папу зовут Петр, отца Ростика и Шила — Павел. Отчима Лазаря — Чеслав (имя странное и красивое одновременно). Зато у дочерей Парвати вполне обычные имена — Вера, Софья и Светлана. Шесть имен, шесть детей, шесть запертых на замок сундучков и старомодных, ростом с Белку, фибровых чемоданов.

Где хранятся еще два — Самого старшего и Самой младшей, — неизвестно. Возможно, они прихватили багаж с собой, на «Летучий голландец», который носится сейчас по волнам янтарного моря. Но Белку интересуют вовсе не пассажиры «Голландца», а два почти одинаковых сундука с буквой «П» на крышке. Почти, потому что один из них обит по бокам тонкой металлической полосой, а бока другого покрыты синей краской. Краска — податливая, ее можно сковырнуть пальцем, и это очень похоже на папу — мягкого, нежного и податливого человека. Наверное, именно в сундуке с синим кантом и сидит, скрючившись, папино детство!

Вот бы выпустить его на волю!

Но как бы ни старалась Белка, что бы ни совала в замочную скважину (кусочки засохшей виноградной лозы, спички, невидимку, украшенную пластмассовой божьей коровкой), — вскрыть крышку не получается. К тому же она боится быть застигнутой врасплох Парвати — бабушка не против того, чтобы внуки играли на чердаке, но совать свой нос куда не положено строго запрещается.

Кроме запертых на ключ дней недели, на чердаке обитает коробка с игрушками и коробка со старыми елочными украшениями. Игрушки не представляют никакой ценности, для Белки уж точно: гипсовые куклы с отбитыми носами и безвольно повисшими тряпичными конечностями (ног и рук явно меньше, чем должно быть). Оловянные солдатики, железные лягушки, кубики, волчки, медведи с пуговицами вместо глаз. Пуговицы частенько не совпадают друг с другом по цвету и размеру, оттого медведи выглядят комично. А их эмоции явно преувеличены: если удивление — то безмерное, если грусть — то вселенского масштаба, но медведи в основном удивляются. Есть еще пара зайцев (в костюмах и без), лошадь на колесиках, но без хвоста;

самосвал, проржавевший настольный футбол, флажки с надписями **«1 МАЯ»** и **«7 НОЯБРЯ»,** пустой треугольный флакон с профилем цыганки с розами в волосах. Точно такая же роза зажата у нее в руке —

КАРМЕН

Вот как называется одеколон. Спутники Кармен — маленький зеленый пограничник и маленький голубой моряк — находятся по ту сторону стекла, внутри флакона. Кто затолкал их туда? Пятница, понедельник или четверг? Другие дни недели вряд ли заинтересовались бы солдатиками.

Белку они тоже не интересуют.

Елочные игрушки куда занимательнее.

Белкин фаворит — спутанная электрогирлянда «Космос», состоящая из нескольких Солнц, нескольких ракет, нескольких искусственных спутников Земли и нескольких естественных. Вот бы унести ее с собой вниз! Тогда в комнате, которую занимает Белка, сразу бы стало уютнее. Это — самая маленькая комната в доме, самая непрезентабельная, больше похожая на кладовку. Единственное ее достоинство состоит в том, что она находится в башенке. Из полукруглого окна открывается вид на сад, виноградник и кипарисовую аллею. Иногда в окно заглядывают заблудившиеся ящерицы, иногда — маленькие птички-зарянки. Они прилетают из ближайшей рощицы поддержать Белку своим пением: ранним утром и вечером, на закате солнца. Из комнаты закат не виден (солнце с завидным упорством садится в море, игнорируя кипарисы и виноградник), зато он отражается в птичьих грудках, окрашивая их в ярко-оранжевый цвет.

Комната в башенке досталась Белке совершенно случайно.

Изначально Парвати планировала поселить старших девочек вместе, на втором этаже. Но это не понравилось ни Асте, ни Маш. В результате к Маш переехал ее брат Миш, а Аста отвоевала светелку в противоположном конце второго этажа. Делить ее с кем-либо она отказалась наотрез: *у нас в Эстонии свято соблюдается право человека на частную жизнь.*

Еще две комнаты заняты младшими детьми: в одной из них, «лягушатнике», — спят любители сказок на ночь Аля, Тата и Гулька. В другой, поменьше, — Ростик и Шило.

Сама Парвати живет в дальнем углу первого этажа: чтобы попасть в ее покои, нужно пройти по скрипящим половицам через огромную гостиную. Но не факт, что цель будет достигнута, — двери на бабушкину половину всегда плотно притворены. И вход туда строго воспрещен, так что совершенно непонятно, чем занимается Парвати, когда остается одна. Белка склоняется к тому, что она меняет уставшие за день руки на другие такие же — только отдохнувшие. А поскольку рук много, то и операция длится достаточно долго: полоска света под дверью не гаснет почти никогда.

Любопытный Шило несколько раз пытался прорваться в запретную зону, за что исправно получал подзатыльники. А однажды она застала его под окнами собственной комнаты и отстегала лозиной по голым ногам. Шило орал как резаный на всю округу, а потом еще долго ходил с красными, вспухшими рубцами под коленками.

— Увидел что-нибудь интересное? — спросила Белка у Шила.

— Ага. Банки с лягушками.

— И все?

— Куриные лапы и череп дракона. И огроменную метлу. Наша бабка — ведьма!

Шило, конечно же, врет: никакого драконьего черепа в комнате Парвати нет. А на подоконниках стоят вовсе не банки с лягушками, а цветы. Самые разные — фикусы, амариллисы, фиалки, алоэ и каланхоэ, маленькие чайные розы в горшках. А «огроменная» метла, если даже она существует, вполне могла оказаться безобидным домашним веником, ведь Парвати — вовсе не ведьма, она устроена намного сложнее.

Она — многорукое божество.

Единственный, кто время от времени допускается в чертоги божества, — Лёка. В его комнату тоже можно попасть из гостиной, теперь там живет Лазарь. А сам Лёка переместился в свою мастерскую, он и ночует там. А в дом приходит, чтобы помыться и помочь Парвати по хозяйству.

Когда все жилые помещения были разобраны, у Белки осталась одна-единственная альтернатива: либо поселиться с малышами, либо отправиться в башенку. Башенка всплыла в самый последний момент, когда Парвати неожиданно сказала:

— Можешь занять шкиперскую.

— Шкиперскую?

— Комната в башне. Берегла ее... — Парвати вздохнула. — А теперь уж и не знаю — ждать или нет. Занимай, чего там.

Едва оказавшись в шкиперской, Белка страшно удивилась: и что здесь можно беречь? Радует глаз только окно, в котором, как свечки в праздничном торте, торчат кипарисы. А сама комната — узкая и маленькая, с откидной матросской койкой. Противоположную стену занимает выдолбленная в известняковой стене ниша, все пространство которой занято полками. На двух верхних примостились книжки, вернее, толстые книжищи в старых, истрепанных переплетах. В основном — морские атласы и лоции. Белке стоило огромных трудов сковырнуть с полки несколько фолиантов, но понять, что происходит в лоциях, — невозможно. Мало того, что их содержимое составляют бледные, испещренные непонятными значками карты, так еще и пояснения к ним изобилуют твердыми знаками и прочими странными буквами. Они делают вроде бы русский текст не совсем русским, а... каким?

ЮЛИЯ ЛОВУАРЪ обязательно бы разобралась, а Белке остается лишь догадываться.

Нижние полки забиты свитыми в кольца тросами, внушительного вида железными карабинами, брезентовыми скатками, кусками серого пенопласта. Куда пристраивать чемодан, с которым Белка приехала к Парвати, непонятно.

И где развесить вещи?

Хорошо еще, что в комнате оказалось кресло-качалка. Плетеное сиденье продавлено, так что бездумно раскачиваться на нем, наблюдая за ящерицами, зарянками и виноградником, вряд ли удастся. Зато спинку кресла можно использовать в качестве вешалки!

Еще один недостаток шкиперской — отсутствие проводки. Электрический свет заменяет подвешенный на крюк корабельный фонарь, отдаленно напоминающий старую громоздкую фотокамеру. Лёка, поднявший в шкиперскую чемодан, показал, как эта камера функционирует (щелкнул тумблером на задней панели).

— Могу включать его сколько угодно раз? — уточнила Белка.

— Угу, — Лёка, как всегда, был немногословен.

— Пусть всю ночь горит?

— Угу.

— А если батарейки сядут?

— Лёка принес ак.. аккумулятор. Вот.

Свет от фонаря слишком яркий, смотреть на него так же невозможно, как смотреть на солнце. Помыкавшись часок с этим ослепительным мертвым сиянием, Белка попыталась урезонить его при помощи старой шали Парвати. Ее Лёка принес вместе с постелью, на случай, если девочке вдруг станет холодно. Закутанный в шаль фонарь сразу помягчел душой и больше не раздражал Белку. А со всем остальным можно было смириться — и с продавленным креслом, и с жесткой, узкой койкой и даже со стенами. Не отштукатуренными и белеными, как во всем остальном доме, а сохранившими свой первозданный вид —

бруски из пиленого ракушечника, плотно подогнанные друг к другу.

Ракушечник — колючий. Об него можно легко оцарапаться, и это, безусловно, минус. Плюс состоит в том, что ракушечник теплый и обладает хорошей памятью. Он помнит все то, что происходило на земле задолго до Белки, и готов поделиться рассказами об этом. Нужно только всмотреться в стены — и сразу же увидишь миллион спрессованных ракушек. Самых обычных, но и необычных тоже. Лежа в кровати, Белка подолгу рассматривает обломки некогда живших моллюсков, у нее даже появились свои любимцы: крошка-аммонит, пестрая двустворка и длинный трубчатый остов *теребры* — он напоминает стрекозиное брюшко.

В лунные ночи стены шкиперской приходят в движение, раковины о чем-то перешептываются друг с другом, и Белка чувствует себя на дне моря; если бы в комнату вплыли смешная рыба камбала или дельфин — она нисколько бы не удивилась. Наоборот — обрадовалась.

Увидеть дельфинов — ее мечта, именно для коротких встреч с ними и существуют теплые моря.

В Ленинграде тоже полно открытой воды, имеется даже залив, но он почти всегда хмур и насуплен, уж не это ли отпугивает дельфинов?

Наверняка.

Шкиперская то и дело преподносит сюрпризы: совсем недавно Белка нашла в ворохе брезента подзорную трубу. Она, конечно, не ровесница крошки-аммонита, но тоже очень старая: латунные части трубы потемнели, а кожаная оплетка потрескалась. С большим трудом Белке удалось вытащить из главного колена два других, поменьше и потоньше: теперь натуральная длина трубы составляет около метра, ее довольно тяжело удерживать на весу. И, чтобы взглянуть на окружающий мир сквозь окуляр, Белке приходится класть трубу на подоконник, а самой устраиваться на полу.

Первыми, кого Белка увидела в чудесное око, были верхушки кипарисов. Они приблизились настолько, что легко можно было рассмотреть гроздья маленьких шишек. Затем пришел черед персиков и круглых, как яблоки, ранних груш. И старого колодца. Основание его составляют тяжелые, грубо отесанные валуны, а вкопанные в землю деревянные столбы поддерживают еще один столб-перекладину. От центра перекладины, прямиком в разверстую пасть колодца, тянется цепочка с тронутыми ржавчиной звеньями. Цепочка пребывает в вечном покое, поскольку колодцем никто не пользуется: в доме есть водопровод. Жаль, что из окна не видно море, в окрестностях которого всегда происходит что-то интересное, но еще больше жаль, что чудесному оку не дотянуться до беседки.

Тайная жизнь Асты предстала бы тогда во всех подробностях.

Но и без того у Белки была возможность понаблюдать за русалкой-оборотнем — вечером того самого дня, когда МашМиш задумали дурное.

Сначала в конце аллеи послышался треск мотоцикла. Ярко-красная «Ява» притормозила напротив маленькой решетчатой калитки в стене, что было довольно странно. Егор (на мотоцикле восседал именно он) не воспользовался центральными воротами, а подъехал к боковому входу. Выходит, Аста не хотела, чтобы ее торжественный выезд видели все, и главное — врагиня Маш?

Впрочем, и мотоциклетного оглушающего треска будет вполне достаточно, чтобы Маш все поняла.

Аста появилась спустя пять минут.

Каблуки, легкий шифоновый сарафан, маленькая сумка на длинной ручке через плечо. Волосы эстонки забраны в небрежный хвост, а в несколько свободно развевающихся прядей вплетены бусины. Их довольно легко разглядеть в подзорную трубу, а, разглядев, лопнуть от зависти. Именно о таких разноцветных бусинах Белка мечтала всю прошлую зиму. Это и не бусины даже, а маленькие зажимы, плотно облегающие прядь, — но достать их в Ленинграде совершенно невозможно. А для Таллина ничего невозможного нет.

И для Асты тоже.

При виде русалки-оборотня Егор замер. Замер, а потом разулыбался — такую улыбку иначе как глупой не назовешь. Он явно был застигнут врасплох гладью холодного озера, попал в один из его водоворотов — вместе с «Явой» и двумя шлемами, красным и цвета морской волны. И теперь шел ко дну без всякой надежды на спасение.

Асте пришлось даже пощелкать пальцами, чтобы привести парня в чувство. А Белка... Белка теперь остро завидовала не только бусинам, но и шлему, оказавшемуся на голове Асты. Вот бы занять ее место на кожаном узком сиденье! И вообще — занять ее место! Но она тут же вспомнила о неясных угрозах Маш, и острое чувство зависти к таллинской кузине прошло само собой.

Через полчаса Белка уже сидела за столом, а еще через десять минут Парвати поинтересовалась:

— Наша зулейка решила не выходить к ужину?

Маш хмыкнула, Миш сморщился, как от зубной боли, а Лёка, воспринимавший любое слово бабки, как руководство к действию, поднялся со стула:

— Пойду позову.

Несколько секунд Белка раздумывала, объявить ли всем присутствующим, что Аста укатила с Егором в Ялту, или промолчать? С одной стороны, надменная эстонка не просила держать свои передвижения в секрете, она вообще не подозревает, что разговор на пляже подслушан кем-то третьим. С другой — любые Белкины разъяснения будут выглядеть как самое настоящее доносительство. А такие вещи не поощряются даже в детском саду.

— А она слиняла, — неожиданно заявил Шило.

— Куда это она слиняла? — седые брови Парвати сошлись на переносице.

— С соседским парнем. На мотоцикле. Я сам видел.

— Час от часу не легче.

И действительно, в атмосфере за столом явственно промелькнули электрические разряды. Грозовой фронт шел сразу с двух сторон — от Парвати и от Маш. Белка даже пригнулась, чтобы не попасть в эпицентр циклона.

Первая — шаровая — молния пришла со стороны Парвати:

— Что еще за парень?

— Поселился напротив, — Шило выказал удивительную осведомленность. — За три дома от нас.

— Москвич, что ли? Ищенковский родственник?..

Маш, к которой никто не обращался, метнула свою стрелу:

— По-моему, она ведет себя, как последняя шлюха.

— В моему доме не выражаются! — приструнила внучку Парвати. — Ладно, пусть только появится! Разберемся.

...Аста появилась ближе к ночи, когда ракушки на стенах почти убаюкали Белку; где-то невдалеке, на самых подступах к сну, затарахтел мотор. Затарахтел и затих, но и этого короткого стука было достаточно, чтобы Белка кубарем скатилась с кровати и подбежала к окну. Ждать пришлось недолго: за прутьями калитки смутно мелькнул шифоновый сарафан, потом послышался скрип петель, и светлая тонкая фигура возникла в самом конце кипарисовой аллеи.

Сад, живший до того своей собственной жизнью, неожиданно притих: не было слышно ни шелеста веток, ни потрескивания лозы, ни пения цикад. Аста шла к дому в абсолютной тишине, изредка попадая в полосы лунного света.

В этой ночной картинке не было ничего необычного, но у Белки на секунду сжалось сердце и пересохло во рту.

По пятам за Астой следовали черные тени!

Еще секунда — и они настигнут ее, поглотят, утащат куда-нибудь в страшное место, куда не долетает плеск моря, куда не проникает ни один луч — ни солнечный, ни лунный. Странным образом конфигурация теней совпала с контурами чудовищ с ковра, Белка хорошо их запомнила! Она хотела закричать, предупредить Асту об опасности, но ни один звук не вылетел из раскрытого рта. Слова иногда тоже бывают трусишками, даже такие маленькие ростом, как «Эй!»

Где-то на середине кипарисовой аллеи тени отступили, и Белка смогла перевести дух: все это почудилось ей, не иначе! Самые обычные девчоночьи страхи, от которых пора избавляться! МашМиш давно спят в своей комнате, следовательно — Асте ничто не угрожает.

Через минуту где-то внизу хлопнула дверь, и тут же послышались приглушенные голоса. Судя по всему, разговор носил отнюдь не мирный характер, и даже несколько раз прерывался острым, как игла, Астиным «Куррат!».

Эта свара и есть бабкино «Разберемся!», — решила про себя Белка и погрузилась в сон.

Утром ее волновало лишь одно: сойдет ли Асте с рук несанкционированный марш-бросок в Ялту? Судя по всему, грозовой фронт прошел стороной и небо над русалкой-оборотнем снова очистилось. Она выглядела совершенно довольной жизнью — в противовес МашМишу: те были мрачнее мрачного. В полдень снова загромыхал мотоцикл — теперь уже у центральных ворот. Что ж, ушлая Аста добилась всего, чего хотела: ее встречи с Егором легализованы, Парвати больше не хмурит седые брови, а несчастные двойняшки посрамлены.

И ничего страшного не произошло, ни в этот день, ни в последующий.

А потом приехал Сережа.

* * *

— ...Есть у тебя такой секрет? Подумай хорошенько.

Почему бы не рассказать Сереже о том, что МашМиш задумали *дурное*? Они хотят, чтобы Аста исчезла, испарилась навсегда. Об этом не знает никто, кроме Белки, — разве это не подтверждение важности секрета? Перед такой великой, обдающей ледяным холодом тайной меркнут дурацкие «секретики» младших детей: все эти фантики, пуговицы и цветочные лепестки, зарытые в землю и придавленные для надежности стеклышком. И даже секрет Лазаря (вырастать перед глазами в самый неподходящий момент) теряет свою ценность.

Если бы Белка и Сережа находились сейчас в расщелине скалы, где острые осколки камней так же обостряют восприятие, она не задумываясь поведала бы о замыслах МашМиша. Но здесь, на залитой солнцем веранде, ее тайна скукоживается и тает.

— Я подумаю, — обещает Белка.

Именно в этот момент на веранде появляется Парвати. Та ее ипостась, которую Белка никогда не видела прежде. Обычно суровая и неулыбчивая, она излучает свет. Руки ее (все шесть, или восемь, или двенадцать) тянутся к Сереже, обнимают его, треплют по затылку, хватают за подбородок, хлопают по спине. Оружейный салют звонких поцелуев оглушает Белку.

— Сереженька! Ты приехал, сэрдэнько мое! Я уже и ждать перестала... Почему не дал телеграмму? Лёка бы тебя встретил...

— Ты же знаешь, ба. Не люблю я этой конной выездки.

— Приехал, приехал, — Парвати никак не может успокоиться. — Дай-ка посмотрю на тебя... Хорош! Ты надолго?

— Пока не знаю.

— Опять ты за свое! По мне — так оставался бы навсегда.

По лицу Парвати текут слезы, они то исчезают в темных провалах морщин, то появляются вновь; глаза, промытые влагой, неожиданно приобретают младенчески-васильковый цвет.

— Я подумаю, — отвечает Сережа Белкиными словами и смеется, смеется.

— У тебя был в запасе год, чтобы подумать!

— Не уложился в указанный срок, каюсь! А повинную голову и меч не сечет, так?

— Так, так! —

легкий подзатыльник, отпущенный Сереже, совсем не обиден. Он полон любви. И Парвати полна любви, никогда еще Белка не видела ее счастливее. Интересно, что это за природное явление — Сережа? И почему адепт лозины и гроза мелюзги так радуется ему? Он бог и повелитель кузнечиков, это понятно, но кто еще? Кажется, он сказал о Парвати — «наша бабушка».

Сережа — брат.

Белкин двоюродный брат, близкий родственник — такой же, как Шило, Ростик, МашМиш, Аста и прочие.

Такой же, да не такой!

Дети детей Парвати — все вместе и каждый поотдельности — не вызывали у нее столь острого приступа любви, какое вызвал один-единственный человек, в этом есть что-то неправильное. Что-то обидное для Белки и для всех остальных. Наверняка у Сережи в кармане есть целый набор отмычек к многорукому божеству. А может, даже отмычки не нужны. Фактура божества мало чем отличается от фактуры ракушечника, если хорошенько присмотреться. Кожа Парвати так же изъедена временем, как и стены шкиперской, глаза сойдут за раковины-двустворки, а губы — за длинные обломки *теребры.* И где-то на ее теле, под темным стареньким платьем (платья более веселых расцветок бабка не носит) спрятаны морские атласы и лоции, указывающие путь к сердцу.

Сережа их прочел и осуществил плавание на практике, избегая подводных камней, мелей и столкновений с другими судами.

Другого объяснения у Белки нет.

— Ну что тебе делать во Владивостоке?

— Вообще-то я там живу.

— Твой дом здесь, — Парвати все еще не может отлепиться от Сережи, держит и держит его за руки.

— Я знаю.

— Он тебя ждет. Мы с Лёкой тебя ждем.

— Я знаю. Как он там, Лёка?

— По-старому.

— Ну и хорошо. Я вижу, у вас в этом году много гостей...

— Да уж. Послал Бог внучков-архаровцев... Вагон и маленькую тележку...

— А ты как будто недовольна, старая брюзга, —

голос Сережи полон ласки. С теми же интонациями мама говорит иногда: «Ты моя ягодка, ты мой цыпленок», и у Белки щекочет в носу от подступающих сладких слез. Интересно, каковы на вкус слезы Парвати — сладкие они или нет?

Они сладкие. И пахнут ванилью.

Воздух, окружающий Парвати, напоен этим ароматом. Ваниль — одно из открытий сегодняшнего дня, обычно бабку сопровождают совсем другие запахи: жареного лука, салатного перца, яблочного уксуса, пыли и земли. Это все Сережа, в трюмах корабля, который он привел сюда, следуя лоции из потайной ниши, полно ванили. Ваниль — его единственный груз, и на каждом мешке стоят соответствующие маркировки:

«Нежность — сыпучий груз»
«Прощение — сыпучий груз»
«Любовь — сыпучий груз. Осторожно!»

— ...Видел бы ты этих зулеек!

— Еще увижу.

— Никакого с ними сладу.

— Заездили тебя, ба?

— Главное, ты приехал. Вот только комната твоя занята.

— Кем же? — продолжает улыбаться Сережа.

— Вот этой... зулейкой.

Указательный палец Парвати целится прямо в Белкин лоб, и та на секунду чувствует себя воришкой, пойманным на месте преступления. В этом состоит еще одна неправильность ситуации: Белка не занимала шкиперскую с боем, напротив, Парвати сама предложила ей переселиться в башню с окном. Быть может, в тот момент старуха была зла на Сережу за то, что он не приезжает, что застрял в своем Владивостоке с грузом ванили на борту. Но теперь все изменилось, повеяли совсем иные ветра, того и гляди — выдуют из ракушечного аквариума и Белку, и ее вещички.

— Этой — можно, — проявляет неожиданное великодушие Повелитель кузнечиков. — Она ведь из Ленинграда?

— Из Ленинграда, — кивает головой Парвати. — Петина дочка.

— Ясно. Хороший город — Ленинград. И люди в нем хорошие.

Белку так и подмывает спросить — откуда Сережа знает, что она приехала из Ленинграда? Ее выдает особенная прозрачность кожи? Но кожа Асты еще прозрачнее. И волосы у Белки вовсе не светлые — русые, как у папы. Как у большинства собравшихся здесь внуков Парвати. Исключение составляют лишь белоголовые Аста, Миш и самая маленькая — Аля.

Ну и сама Парвати тоже, разница между ней и Алей состоит лишь в том, что волосы у Парвати — седые.

— Значит, я могу остаться? — подает голос Белка.

— При условии... Что я буду иногда заходить к тебе в гости. Ты не против?

— Хоть сто раз!

Белкиной радости нет конца, она подпрыгивает на месте и дергает пальцами мочки ушей, левую и правую попеременно: жест, подсмотренный когда-то у папы. У него есть целая система опознавательных знаков, самая настоящая семафорная азбука. Хорошо ее изучивший (к этой категории людей относятся мама и Белка) с ходу может определить, в каком настроении пребывает папа. Потирание подбородка означает крайнюю степень сосредоточенности — и в таком случае папу лучше не трогать. Его нельзя трогать, если он ставит на переносицу большой палец, а остальными описывает вокруг лба воображаемый полукруг.

Папа зол. Папа в ярости, как правило, бессильной.

Обычно полукруг случается после таинственных ученых советов, *где правит бал злодей Муравич*.

Зато когда папа дергает себя за мочки ушей — всё! Можно брать его тепленьким, просить чего только душенька ни пожелает: мороженое, кино, поездку на Елагин в ближайшее воскресенье, поездку на Борнео в отдаленной перспективе. И даже наручные часы — предмет давних Белкиных вожделений. В такие моменты папа готов отдать ей свои — марки «Победа», с круглым циферблатом цвета топленого молока и маленьким хронометром в том месте, где обычно располагается цифра 6. Торжественная передача семейной реликвии до сих пор не состоялась лишь потому, что запястье у Белки очень тонкое, и «Победе» на нем никак не удержаться.

Придется подождать следующего приступа радости и счастья (именно эти чувства символизируют прикосновение к мочкам ушей) — глядишь, и запястье выправится.

— А ты? —

вопрос обращен к Сереже, но смотрит Парвати на Белку. И это не самый добрый взгляд на свете, в нем легко прочитывается ревность, а еще — недоумение: с чего бы это лоцман с долгожданного ванильного корабля вдруг выделил ленинградскую зулейку? Отнесся к ней с симпатией? Это в корне неверно, все симпатии должны принадлежать Парвати. И Сережа должен принадлежать Парвати.

Только ей одной.

— Я как-нибудь устроюсь, ба.

— Как-нибудь? Что еще за новые новости?

— Все лучшее — гостям. Вот и вся новость.

— Ну уж нет! Самый дорогой гость — ты, сэрдэнько мое!

— Ты сама себе противоречишь. Только что сказала, что это — мой дом. Значит, я не гость, а хозяин. Разве нет?

Как ловко все повернул Сережа! Его логика безупречна. Настолько безупречна, что Парвати вынуждена сдаться:

— Шут с вами. Зулейка пусть остается там, где остается. А ты...

— А я поселюсь в Лёкиной мастерской.

— Еще чего! Там и одному не развернуться, а уж вдвоем...

— Тогда на сеновале, рядом с Саладином. Он еще жив?

— Живехонек! Но не дело это, рядом с лошадиной мордой куковать...

— Ты не поверишь, я только и мечтал, что о нашем сеновале...

— Что же мы стоим? — вдруг спохватывается Парвати. — Ты, наверное, голодный?

— С голоду не умираю, но от твоей стряпни бы не отказался.

— И почему было не дать телеграмму? — по второму кругу начинает сокрушаться бабка. — Уж я бы всего наготовила... Всего, что ты любишь.

...Долма, плов, вареники с вишней, жареные бычки и барабулька — вот что любит Сережа. А еще — яичницу с салом, окрошку, зеленый борщ, фаршированный перец, суп из баранины, который называется *чорба*, открытые пироги с мясом, которые называются *пиде*. А еще — помидоры прямо с грядки. А еще — недозрелые сливы.

С приездом Сережи Парвати заметно изменилась, хотя по-прежнему носит темные платья. И рук у нее поубавилось, но те, что остались, заняты Сережей. Мысли Парвати тоже заняты Сережей, они витают где-то на уровне ушей мерина Саладина, и выше — там, где над лошадиным стойлом, в ворохе пожухшего сена, расположился Повелитель кузнечиков.

С тех пор как он приехал, бабка ни разу не брала в руки лозину, и железная дисциплина, установленная ею, затрещала по швам. Но и анархии не случилось: младшие дети все так же отправляются спать после обеда, Шило и не думает сбегать в Турцию на надувном матрасе, как грозился. К вечерним отлучкам Асты все давно привыкли, и никто больше не гнобит старших за их нежелание обедать и ужинать вместе со всеми.

У старших могут быть свои дела.

У Белки нежданно-негаданно тоже образовалось дело: следить за тем, чтобы никто не побеспокоил Сережу. А желающих сойтись с ним на короткой ноге — немало, начиная от неугомонного Шила и заканчивая МашМишем. Даже Лазарь, ни к кому не приближающийся на расстояние меньше двух метров, — даже Лазарь был застукан Белкой в опасной близости от Сережи.

Сережа и Лазарь играли в шахматы.

При этом Сережа делал ходы молниеносно, а Лазарь, прежде чем переставить фигуру, раздумывал по полчаса. Сережа не торопил соперника и не выказывал никакого неудовольствия. Он занимался своим обычным делом: читал книжки и что-то записывал в пухлый блокнот. Книжек в руках у Сережи может быть и две, и три. Белка пыталась заглянуть в них, чтобы понять, чем интересуется Сережа, но из этой затеи ничего не вышло. То есть заглянуть — получилось, а вот понять — нет. Иероглифы, английский, какие-то формулы и рисунки. Рисунки называются диаграммами и графиками, что-то похожее иногда по вечерам вычерчивает папа.

— ...Мат, — сказал Сережа Лазарю, не отрываясь от книжки.

— Э-э... Как это у тебя получилось? — обычно не проявляющий никаких эмоций Лазарь закусил губу и почесал в затылке.

— Получилось.

— Давай еще раз.

— Не сегодня.

— Когда?

— Когда я соскучусь по шахматам.

Видно было, что Лазарь не удовлетворен ответом, зато Белка торжествовала. Все то время, что она наблюдала за игрой, ее не покидало чувство, украденное прямиком из глаз Парвати: ревность. Что, если Сережа возьмет себе за правило играть в шахматы часами, как это делает Лазарь? Тогда они сблизятся и... *не-пришей-кобыле-хвост* и седьмая вода на киселе займет в сердце Сережи то место, которое по праву принадлежит Белке. Ведь они с Повелителем кузнечиков — двоюродные брат и сестра, а Лазарь ему даже не родственник. И потом — именно Белка первой из всех увидела Сережу на веранде, именно про Белку он сказал: «Этой — можно!» — именно ей он уступил шкиперскую, а Лазарь — никто, жалкий паучок-кругопряд!

Делить Сережу с Парвати — еще куда ни шло, но делить его с Лазарем...

Хорошо, что Сережа так быстро избавился от шахматной лихорадки, иначе Белка додумалась бы до злых и несправедливых вещей, за которые потом ей было бы стыдно. А так она осталась хорошей девочкой, а всем хорошим девочкам полагается награда. Общение с Сережей, за которое Белка готова отдать не только гипотетически принадлежащие ей папины наручные часы, но и поездку на Борнео в отдаленной перспективе.

Это общение сводится к нескольким минутам в день, так что самый первый их разговор на веранде оказался и самым длинным. Но сдаваться Белка не намерена, оттого и придумала гениальный в своей простоте план, позволяющий видеть ее персонального бога чаще.

Первая часть плана состоит в окучивании Парвати.

— Я на секунду, — деловито заявляет Белка, врываясь на кухню. — Сережа попросил чего-нибудь вкусненького.

— Пирожков?

— Ага.

Парвати говорит о том, что первым приходит в голову, и о том, что она готовит именно сейчас. Это могут быть пирожки, или плацинды с брынзой и зеленью, или ватрушки, или сдобный рулет с маком. Белка соглашается на все, ведь главное — получить от бабки заветную тарелку с вкусностями, всегда одну и ту же, *Сережину*. Ничего примечательного в ней нет, да еще кое-где сколоты края. Но когда она пустеет или еще не наполнена, на самом дне можно прочесть надпись:

«НЕ ТРОНЬ МЕНЯ!»

Несмотря на строгое фарфоровое предупреждение, характер у тарелки покладистый. Она безропотно переносит общество пирожков и руки Парвати. После того, как пирожки уложены в несколько рядов и прикрыты белоснежной салфеткой, «Не тронь меня!» перекочевывает к Белке, уже готовой к осуществлению второй части плана.

По пути к сеновалу Белка обязательно срывает маленький цветок маттиолы и кладет его сверху, на салфетку.

Сеновал представляет собой небольшую, обшитую досками вышку. Она прилепилась к торцу Лёкиной мастерской и условно разделена на два этажа. Внизу,в стойле, обитает Саладин, а Сережа поселился выше, в до краев заполненном сеном пространстве. Попасть туда можно по шаткой старой лестнице с перекладинами, расположенными довольно далеко друг от друга. Если бы не страстное желание увидеть Сережу, Белка бы к такой сомнительной конструкции и на пушечный выстрел не подошла. Но иного пути увидеть бога нет — вот и приходится ползти по занозистым круглым ступенькам, всякий раз рискуя свалиться и сломать себе шею.

Очутившись на самой верхней ступеньке и поставив «Не тронь меня!» на выгоревшее и как будто вяленое сено, Белка тут же принимается звать Повелителя кузнечиков:

— Сережа, ты здесь?

— Привет, Бельч, — откликается Сережа.

«Бельч» — новое производное от Белки, оно свидетельствует о том, что отношения с Сережей перешли на качественно новый уровень. В них появилось больше теплоты и доверительности, возможно, что и дружба при таком раскладе не за горами.

— Я только... отдать.

— Что отдать?

— Пирожки. Ба волнуется, что ты голодный.

— Я не голодный.

— Значит, мне передать, что ты отказываешься? — Белка восхищена собственной наглостью.

— С чем пирожки?

— Ну... С ливером, вишней и курагой.

— Давай их сюда.

— А можно я немножко посижу с тобой?

Ради этого вопроса и была затеяна вся операция. Только бы Сережа не выпроводил ее, сославшись на занятость. Этого Белка боится даже больше, чем возможного разоблачения. Откройся всё, и она прослывет лгунишкой, хотя утверждала обратное: «Я никогда не вру». Но ведь то, что она делает, — никакое не вранье. Всего лишь — забота о Сереже. Если можно Парвати, то почему Белке нельзя?

— Давай-ка я тебе помогу. —

Сильные Сережины руки втягивают Белку на сеновал. От нахлынувших переживаний она краснеет и вот-вот готова расплакаться — сладкими ванильными слезами.

— А цветок откуда? — удивляется Сережа. — Тоже Парвати передала?

Чувствуя, что близка к провалу, Белка краснеет еще больше и начинает всерьез опасаться за сено: как бы оно не вспыхнуло от сжирающего ее щеки огня.

— Н-не знаю. Нет. Наверное, просто упал.

— С неба?

— Почему с неба? У веранды целые заросли... Вот он и упал.

— Принято, — Сережа запрокидывает голову и смеется. — Сама-то будешь?

— Ага.

Некоторое время они жуют пирожки, одобрительно глядя друг на друга. Белке хочется задать Сереже тысячу вопросов: что за книжки он читает? что за графики чертит? почему Парвати относится к нему совсем не так, как ко всем остальным? что за город — Владивосток? кто его родители? — хотя что-то подсказывает ей: этой темы лучше не касаться.

Если бы он был родным братом МашМиша, Гульки или Лазаря — это сразу всплыло бы на поверхность. Но все дети, кроме Лёки, — и старшие, и младшие, — увидели его впервые. Выходит, он — Лёкин брат?

Тоже нет.

В Белкином сознании давно брезжит отгадка: груженное ванилью судно и «Летучий голландец», который унес в море Самого старшего и Самую младшую, как-то связаны между собой. А лоцман — профессия универсальная. Лоцман не только прокладывает путь к сердцу Парвати, но и ищет затерянные корабли.

— Странная надпись, — заявляет Белка, когда последний пирожок съеден и дно «Не тронь меня!» сиротливо обнажается.

— Ничего странного.

— Ну как же?

— «Не тронь меня!» — так назывался один линейный фрегат.

— Корабль? — уточняет Белка.

— Да. Эта тарелка — оттуда. Она самая что ни на есть морская.

Непонятно, шутит Сережа или говорит правду? У корабля не может быть такого смешного имени. Петроградка, где живет Белка, охраняется крейсером «Аврора». Вот подходящее название! В Александровском парке, рядом с метро «Горьковская», стоит памятник миноносцу «Стерегущий» — вот подходящее название! А в «Не тронь меня!» слышатся визгливые нотки, трусость его удел.

— Корабль не может так называться.

— Корабль может называться как угодно, — терпеливо поясняет Сережа. — И «Не тронь меня!» — не самое плохое имя, поверь.

— В чем же его смысл?

— Смысл? Лучше не приближайся — и избежишь неприятностей. Лучше не приближайся — и останешься цел.

Эти простые слова поворачивают всю историю на сто восемьдесят градусов. Визги и крики сменяются спокойной уверенностью в своих силах, и в Белкином воображении расцветает могучее судно со ста пушками, ста мачтами и десятью тысячами парусов. Капитан «Не тронь меня!», конечно же, Сережа: в руках у него — подзорная труба из шкиперской, в петлице — маленький цветок маттиолы. А Белка... Белка еще не решила для себя, в каком образе взойдет на борт «Не тронь меня!». Можно облачиться в кринолины, а можно напялить на себя парусиновую куртку юнги. Последнее выглядит предпочтительнее, ведь корабль-то — военный!

Женщинам на нем не место.

— Я тебе не мешаю, Сережа?

— Нет.

— Тогда я еще посижу.

— Сиди.

Сережа снова углубляется в книги, а Белка — в изучение своего кумира. Взгляд у Белки — цепкий, ни одна подробность Сережиного лица не ускользает от него. Вот крошечный шрам, который делит правую бровь на две части. Вот маленькие черные точки на подбородке, под носом и на высоких скулах — Сережа бреется! Вот ресницы, длинные и прямые, как стрелы. Вот ложбинка между ключицами — в ней лежит монета, и не просто лежит, это — монета-медальон на черном кожаном шнурке. Она такая старая, такая стертая, что разобрать, что же на ней отчеканено, не представляется возможным.

Белка думает о монетах.

Когда они всей семьей ездили на трехдневную экскурсию в город Киев, папа бросил монетку в большой фонтан на центральной площади.

— Затем, чтобы вернуться, — пояснил он. — Тебе же понравился Киев?

Белке очень понравился «Киевский» торт, который они ели в стекляшке на Крещатике, а еще — поездка на фуникулере, а еще — звон колоколов в Лавре. Конечно, Киев — ничего себе!

— Понравился. Да.

— Тогда бросай монетку, чтобы вернуться сюда.

Вернуться ради «Киевского» торта, в то время как у них на Невском есть чудесный магазин восточных сладостей? Ради фуникулера? — но подъем занимает не больше пяти минут! Белка бросает монетку в фонтан только для того, чтобы папа не расстраивался.

Ей все равно — вернется она сюда или нет.

Сережа — совсем другое дело! Вот где пригодилась бы монетка! Белка бросила бы ее на дно ложбинки между ключицами, и это означало бы... Означало бы, что она обязательно вернется к Сереже! Иногда он отрывает глаза от книжки, и застигнутая врасплох Белка тотчас дергает головой. Перемещает взгляд на красные шарики клевера, запутавшиеся в сене. И на проем в стене: из него открывается вид на ту часть сада, которая не видна из шкиперской: веранда, беседка с гамаком и Астой в гамаке; клумба с туберозами, помидорные грядки. А за живой изгородью из лавра и жимолости угадывается море.

— Тебе нравится Аста? — неожиданно для себя спрашивает Белка.

— Нет.

— Почему?

— Потому.

— А... Маш?

— Тебе не кажется, что ты задаешь мне странные вопросы?

— Они же твои сестры. А ты — их брат.

— И?..

— Братья всегда помогают сестрам. Защищают и все такое. На братьев всегда можно положиться. Так говорит мой папа.

— Что ж, твой папа говорит правильные вещи.

— А еще он говорит... — увлекшись, Белка начинает нести отсебятину. — Он говорит, что братья объясняют сестрам непонятные вещи.

— Например? — втягивается в игру Сережа.

— Ну... Заумные книжки...

— У тебя возникли вопросы по «Идиоту»?

Отношения с «Идиотом» не сложились так же, как с МашМишем, Астой и Лазарем. Но их не засунешь на дно чемодана, а «Идиот» отправился туда безропотно; вот если бы с людьми дела обстояли так же просто, как с книгами! С появлением Сережи Белка и думать забыла про несчастного князя Мышкина, — не то что Повелитель кузнечиков.

Сережа помнит всё! Во всяком случае, всё, что связано с Белкой, и осознание этого наполняет ее сердце восторгом.

— Нет. Я имела в виду совсем другие книжки. Твои.

— Ну... В них нет ничего заумного. Это всего лишь учебники. Японская грамматика. Китайская грамматика. Компьютерные справочники. Знаешь, что такое компьютер?

— Э-э...

О компьютерах иногда рассуждают папа и мама: они идут в связке с какими-то карточками, перфорированными лентами, *систематизацией и каталогизацией.* В Белкином представлении компьютер предстает огромной горой наподобие термитника, с целой вереницей лампочек над входом. Лампочки призывно горят красным светом, и на этот призыв к термитнику со всех сторон стекаются пауки, сползаются змеи. Неизвестно, что происходит с ними там, внутри (скорее всего — *систематизация и каталогизация*), но термитник они покидают стройными рядами, шеренгами и колоннами.

— Ты и глазом моргнуть не успеешь, как компьютеры все заполонят.

— Пфф!..

Вовсе не компьютеры интересуют Белку, а отношения между братьями и сестрами. За спинами Маш и Асты скрывается она сама, страстно желающая быть защищенной. И не кем-нибудь, а Сережей. За несколько дней, не приложив никаких усилий, он сделался едва ли не главным человеком в ее жизни. Мама и папа не в счет, они и так у Белки в кармане, а вот Сережа... Он то и дело ускользает, прячется за колючей проволокой иероглифов. Если Белка скажет ему: «Я пошла», Повелитель кузнечиков лишь кивнет головой.

Так-то оно так, вот только Сережа иногда сам наведывается к ней в шкиперскую.

Это было всего лишь два раза: один — рано утром, а другой — вечером, почти ночью. В обоих случаях ему понадобились какие-то книги. И если утром он просто вытащил пару томов и тотчас ушел, то вечером остался на подольше.

Белка уже лежала в постели, натянув простыню до подбородка, когда осторожно скрипнула дверь и чья-то тень прошмыгнула к полке. Испугаться она не успела, потому что почти сразу признала Сережу. Его пальцы шарили по корешкам, на ощупь пытаясь найти нужный.

— Ты можешь зажечь фонарь, — громким шепотом сказала Белка.

— Я думал, ты спишь.

— Я не сплю.

— Я только возьму книжки.

Зажигать фонарь Сережа не стал, а с поиском книг справился довольно быстро. И минуты не прошло, как в его руках оказались сразу три: судя по размеру — что-то из коллекции морских атласов и лоций.

— Извини за беспокойство.

— Не за что извиняться! — Белка уже сидела на кровати, подтянув колени к подбородку. — Это же твоя комната. Посиди со мной пять минут.

— Пять минут можно.

Сережа устроился на подоконнике распахнутого в сад окна. Некоторое время они молчали, прислушиваясь к звукам, доносящимся из темноты, самым обычным звукам: треск цикад, отдаленные поскрипывания и постукивания, и даже море, — впервые за все время пребывания в шкиперской Белка услышала его шум. Или это Сережа принес море с собой?

— Тебе здесь не снятся кошмары? — неожиданно спросил он.

— К-кошмары? — Белка даже подпрыгнула в кровати. — Нет.

— Хорошо.

Тема с кошмарами закончилась, не начавшись, заявленные пять минут истекали, почему вдруг Сережа заинтересовался ее снами? Может быть, стоило рассказать ему о коврах, шахматных фигурах, змеях и пустоте, приснившихся совсем недавно? Белка напрочь забыла о них, а вспомнила лишь тогда, когда Сережа произнес «хорошо». Теперь любое упоминание о причудливом змеином гнезде в ковровой лавке будет выглядеть, как желание подольше удержать Сережу.

Любой ценой.

— А кто жил в этой комнате... До тебя?

— Никто, — после небольшой паузы ответил Сережа.

— А книжки?

— Дедовы. Снесли сюда за ненадобностью.

Белка никогда не думала о деде. О нем ей известно лишь то, что он умер много лет назад, еще до ее рождения. И до рождения большинства ее двоюродных братьев и сестер. В гостиной висит его портрет: суровый мужчина чуть постарше Белкиного папы, в фуражке и бушлате с погонами моряка торгового флота, в толстом свитере под горло. Представить его на борту «Не тронь меня!» не составило бы особого труда. Но не в качестве капитана (эта должность навечно закреплена за Сережей) и не в качестве его старшего помощника, а кого-нибудь рангом пониже, кто редко появляется в офицерской кают-компании.

Начальник машинного отделения. Боцман. Лоцман — ведь атласы и лоции появились здесь не зря. Или лоцман не относится к членам команды? — морская иерархия мало знакома Белке.

— А ты когда-нибудь видел его? Деда?

— Нет.

— Он был моряк, да?

— Он был хороший моряк, — Сережа коротко вздохнул. — Самый настоящий. И, как полагается настоящему моряку, погиб в море.

— Погиб? —

папа никогда не посвящал Белку в подробности жизни Большой Семьи. Он исправно поздравляет Парвати с Новым годом и днем рождения, и каждое пятнадцатое число месяца отправляет ей письмо. Цепочка из писем не прерывалась даже тогда, когда они жили в пустыне. До ближайшего населенного пункта с почтовым отделением было не меньше ста пятидесяти километров, и безотказный Байрамгельды отвозил письмо туда, что занимало едва ли не целый день. Иногда его сопровождал папа, и тогда день закупки провианта для экспедиции сдвигался на неделю. Пятнадцатое число было для Белки настоящим праздником: Байрамгельды обязательно привозил ей завернутый в кусок белой холстины риват — топленый сахар, спрессованный в палочки, а иногда и в бесформенные куски размером с кулак. Ничего вкуснее по тем временам Белка не знала, хотя тонкие пластинки навата, отслаиваясь, легко могли порезать язык и нёбо.

Ничего не изменилось и после того, как они вернулись в Ленинград, — разве что из Белкиного рта навсегда исчез вкус навата, а отправка письма стала обыденностью.

Смерть деда — никакая не обыденность. Это выяснилось через минуту, когда Белка задала Сереже вопрос о том, как именно он погиб.

— Был страшный шторм. Не здесь, а под Новороссийском, где дует ветер бора. И во время шторма его смыло за борт волной. Больше его не видели живым. И тело так и не было найдено. Но я думаю... — тут Сережа приложил палец к губам и улыбнулся. — Что это не конец истории...

— Не конец?

— Ты что-нибудь слыхала о кораблях-призраках?

— «Летучий голландец», да?

— Не совсем. «Летучий голландец» — совсем дряхлый. От него за версту разит несчастьем. Ты только представь: обрывки парусов, сломанные мачты, сгнивший такелаж. Ни один капитан не приблизится к такой посудине. Но есть и другие корабли...

Другие, другие — шепчет крошка-аммонит, *корабли-корабли* — вторит ему раковина-двустворка, *другие-корабли* — подводят итог ломкие губы теребры. Ракушечник за Белкиной спиной волнуется, волнение передается и Белке: по ее спине бегут мурашки.

— Другие?

— Издали их ни за что не отличишь от обычных. Ни одного порванного троса, ни одного свисающего каната, ржавых потеков на борту тоже нет. Якоря, как и положено якорям, при движении сидят в своих гнездах. А если дашь приветственный гудок, то...

— То? — мурашки перебрались со спины на плечи и скатились вниз — к запястьям, что за историю собрался поведать Белке Сережа?

— Тебе, скорее всего, не ответят. А проследуют мимо, не меняя курса.

— Что же в этом необычного?

— Ничего. Кроме обыкновенной невежливости, несовместимой с морскими законами. Но законы эти — неписаные. Поэтому капитаны и не хватаются за бинокли и подзорные трубы. И не пытаются вызвать такие корабли по рации. Но представь, что кому-то очень любопытному пришло бы в голову это сделать.

— Тебе?

— А тебе разве нет?

— Да! — чего только не сделаешь, чтобы повысить свои акции в глазах Сережи.

— Итак... Ты вызываешь корабль по рации, но в эфире слышен лишь треск. Тогда ты берешь подзорную трубу и изучаешь палубу.

— И... что я там вижу?

— В том-то и дело, что ничего. Ничего и никого на палубе нет. Никого нет в рубке, никого нет на капитанском мостике. В иллюминаторах чернота.

— И... что это значит?

— Что ты столкнулась с кораблем-призраком. Он не признает территориальных вод и свободно перемещается из моря в море, из океана в океан.

— Без всякой цели? — удивилась Белка.

— О нет! Цель у них есть — собрать души всех, кто погиб в море. Души летят к этим кораблям, как мотыльки на свет. И там обретают успокоение. Там они в безопасности.

— Значит, дед тоже мог оказаться на одном из таких кораблей?

— Скорее всего.

— Это... хорошо?

— Конечно. Дед остался в том месте, которое любил больше всего. Это хорошо и справедливо.

Сережа — удивительный, — вот о чем думает Белка. Страшная история неожиданно превратилась в сказку, он напугал ее и тут же успокоил. И не только ее — ракушечник тоже притих. И цикады притихли. Умиротворяющую тишину нарушил лишь знакомый мотоциклетный треск, и то ненадолго. Значит, минут через пять появится Аста. Или через десять — если вздумает целоваться с Егором. В последнее время Белку волнует именно этот аспект отношений между людьми. Тем более что кое-какой опыт есть и у нее: сто лет назад, когда Белка была еще первоклассницей, она тоже целовалась — с соседом по парте Славкой Тарасовым. Наверное, они что-то делали не так, потому что ничего особенно приятного Белка не почувствовала, к тому же подсохшая болячка на Славкиных губах больно царапалась. Эксперимент возобновлялся несколько раз — все с тем же плачевным результатом, и оба охладели к нему одновременно. Теперь Славка изменился в худшую сторону и сидит уже не с Белкой, а со своим приятелем Бакусиком, тупицей и двоечником. Периодически они задирают Белку и подленько смеются, когда она появляется в классе. Сережа справился бы с этими субчиками одной левой, как жаль, что он не живет в Ленинграде!..

— Ладно, мне пора. А ты спи.

— Посиди со мной еще чуточку, Сережа!

— Уже поздно.

Как задержать Сережу? Уж очень не хочется, чтобы он уходил!

— Не слишком-то и поздно. Кое-кто еще даже домой не вернулся.

— Кто же? — особого интереса в голосе Сережи не чувствовалось.

— А вот подожди немножко — сам увидишь!..

Никаких звуков со стороны кипарисовой аллеи слышно не было, калитка не подавала признаков жизни, и Белка забеспокоилась: как бы Аста не стерла себе все губы во время поцелуя. А потом представила русалку-оборотня без губ, а потом — без носа; последними — вуаля! — исчезли глаза. Пустое лицо Асты приобрело матовый оттенок — совсем как у шахматной королевы из Лазаревой коллекции. Или у пешки...

Нет, эти фигурки не принадлежат Лазарю! Его шахматы — маленькие, карманные, они сделаны из пластмассы. А оттенок Астиного пустого лица предполагает совсем другой материал. Благородный и такой старый, что под слоем лака проступают легкие трещины, множество трещин. Линии разлома идут как раз по ним: еще секунда — и лицо разлетится на мелкие кусочки.

Ничего подобного Белка не увидела, она просто заснула. Так и не дождавшись ни скрипа калитки, ни ухода Сережи. Ей не снились кошмары, но в ту ночь она стала обладательницей очень важного знания, нашептанного то ли ракушечником, то ли какими-то иными обитателями шкиперской, до сих пор остававшимися вне поля ее зрения. Знание касалось Сережиного отца — Самого старшего. И сестры его отца — Самой младшей. Впрочем, оно тут же оказалось позабытым, так и не дойдя толком до Белкиного сознания. А те, кто давно и прочно уложил его в голове, молчали как заговоренные. Никаких откровений со стороны Сережи не было, да и Парвати свято хранила тайну Большой Семьи. Лёка — в силу своих ограниченных умственных способностей — тоже не мог ею поделиться. Вот и выходит, что проболтался крошка-аммонит: вытащил из своего свернутого в спираль тельца такую же спиралевидную, туго свернутую (и концов не найдешь!) историю.

Извлеченная на свет, история немедленно распрямилась и принялась извиваться, словно щупальце гигантского осьминога. Любое соприкосновение с ней обдает холодом и заставляет вспомнить о морской пучине, где погиб дед. Утешает лишь то, что он обрел наконец покой: в каюте третьего класса, на одном из милосердных кораблей-призраков.

О деде и обо всех остальных Белка стала думать много позже, когда детская кличка, придуманная Сережей, и все производные от нее отдалились, исчезли в толще времени. Собственно, они были актуальны только там, в доме Парвати, во владениях Повелителя кузнечиков. Там Белка их и оставила — из неосознанного еще инстинкта самосохранения. Ведь то страшное лето случилось именно с Белкой, Бельчонком, Бельчем, а девочка по имени Полина тут совершенно ни при чем.

Она не видела того, что видела Белка.

Она не подвергалась мучительным допросам, каким подвергалась Белка.

Ее не ненавидели так, как ненавидели Белку. И не обвиняли в чудовищной лжи.

Девочка по имени Полина стирала из памяти всех, кто разделил с ней то лето, — одного за другим. Благо, большинство из них были младшими детьми, ничем особенно ей не запомнившимися: эти исчезли сразу, мелькнули и исчезли — как пейзаж за окном скорого поезда. Труднее было со старшими — сильными и выносливыми, с крепкими руками и ногами: они еще долго бежали по перрону, вслед за составом Полининой памяти, стучали в окна, пытались взобраться на подножку. Если кому-нибудь из них удастся сделать это и дернуть стоп-кран, — кошмар не кончится никогда.

Им не удалось.

А Полине не удалось забыть Сережу.

Сережа — совершенно отдельный человек. Отдельный бог: как и положено богу, он распознáет Белку в любом обличье. Сменой имени его не проведешь. И всем поездам Сережа предпочитает трамваи, идущие в счастливое *неизвестно-куда*.

О, если бы это счастливое *неизвестно-куда* существовало!..

* * *

...Ночью прошел дождь.

Белка проснулась внезапно, как от толчка, и страшно удивилась этому. Обычно на прощание со сном уходит время, — он то прячется за спину реальности, то снова пытается ухватить Белку за рукав. И тогда она ненадолго смыкает веки, досматривая что-нибудь интересное, связанное с небом (во сне Белка летает), или с морем (во сне Белка находит там сокровища), или с людьми. Сны про людей — самые забавные, хотя бы потому, что даже папа и мама в них редко похожи на себя самих. Что уж говорить о других — гораздо менее значимых в ее жизни. Это не люди, а какие-то перевертыши! Они выдают себя за кого-то другого, могут прикинуться деревом или тенью — и тотчас исчезают, если Белка вдруг решится с ними заговорить. Она всегда кого-то ищет, куда-то боится опоздать, не справиться с поручением, данным непонятно кем.

Но в то утро, открыв глаза, она больше не закрывала их. В шкиперской было прохладно, от полуприкрытого окна веяло свежестью, а на подоконнике... лежали книжки.

Сережа!

Он забыл их здесь, хотя приходил именно за ними. Белка тоже хороша — взяла и заснула, в то время как Сережа рассказывал ей самую удивительную историю на свете. В то время, как он согласился остаться с ней еще ненадолго.

Деревья и кусты блестели в предутренней дымке словно стеклянные; первые, еще робкие лучи солнца отражались в мириадах крошечных капель — вот Белка и решила:

ночью прошел дождь.

Хорошо еще, что книги не вымокли, — их нужно будет отнести Сереже. А значит, получить еще одну возможность приблизиться к нему, и на этот раз помощь Парвати и ее пирожков не понадобится.

Судя по тому, что в отдаленных областях сада еще скрывается тьма, сейчас очень-очень рано, все еще спят. Ни одного звука не долетает снаружи, ни одного звука не слышно внутри. Дом похож на огромный, движимый силой инерции корабль: он с трудом успокаивается, и примерно такое же количество усилий требуется, чтобы запустить все его механизмы.

Стараясь не нарушать этой — почти священной — тишины, Белка выскользнула из шкиперской и спустилась на второй этаж. Двери комнат были плотно прикрыты, и в коридоре царил полумрак, немного рассеивающийся у лестницы. Она вела вниз, в гостиную.

На цыпочках (чтобы лишний раз не тревожить скрипучие половицы) Белка прошествовала мимо комнаты МашМиша и комнаты, где жили младшие дети. И ненадолго задержалась перед дверью в ванную:

умыться прямо сейчас или оставить утренние процедуры на потом?

Через какое-то время здесь образуется очередь из желающих наспех почистить зубы и ополоснуть сонную физиономию двумя пальцами. Белка частенько оказывалась в этой очереди, примерно в ее середине: между младшими детьми и старшими, которые встают на полчаса, а то и на час позднее. Последней ванну занимает Аста — ей одной, по эстонскому обыкновению, требуется целый бак горячей воды, в то время как МашМиш вполне обходятся таким баком вдвоем. А мелюзге хватает одного на всех.

С этим баком — одно сплошное неудобство!

Чтобы вода в нем нагрелась, требуется довольно продолжительное время — полчаса или около того. И только потом можно пользоваться им снова. Конечно, если ты желаешь поплескаться в комфорте, а не принять холодный душ.

Есть еще летний душ в саду (его предпочитает Лёка и иногда — Лазарь), но и там ранним утром тебя ждет все та же холодная вода.

Поколебавшись секунду, Белка решила-таки покончить с умыванием раньше всех.

Но тут ее поджидала неприятность: вода оказалась не то чтобы совсем холодной, а какой-то прохладной. И на полу поблескивали непросохшие лужицы: видимо, кто-то встал раньше Белки и выхлюпал всю горячую воду.

Интересно — кто?

Вот Белкино полотенце — бледно-лиловое, с желтыми полосами. Остальные идентифицировать невозможно, все — кроме Астиного. Аста и здесь выпендрилась, утерла нос не только малышам, но и МашМишу: самые красивые полотенца принадлежат ей, они приехали с хозяйкой прямиком из Таллина. Большие (чуть ли не вдвое больше остальных), махровые: алым макам приходят на смену нежные бабочки, которые через неделю снова сменяются постиранными и выглаженными маками.

Сейчас было время бабочек, и бабочки оказались сухими!

Впрочем, Белка сразу же забыла и о бабочках, и о лужицах на полу, и даже временное отсутствие горячей воды не особенно ее расстроило.

Через минуту она оказалась внизу, в гостиной — такой же тихой, как и весь остальной дом. Тишину нарушало лишь басовитое тиканье напольных, едва ли не в два Белкиных роста, часов. Часы показывали двадцать одну минуту шестого, так что тишина вполне объяснима. Удивительно то, что сама Белка проснулась так рано. И что кто-то проснулся даже раньше нее.

Или — еще не ложился?

Из всех живущих здесь таким человеком могла быть только Аста. Это она встречается с москвичом, ездит на мотоцикле в Ялту и выторговала себе право возвращаться тогда, когда пожелает. Конечно, без скандалов с Парвати не обошлось, но с тех пор, как приехал Сережа, бабка заметно изменилась. Она больше не главная в доме. Вернее, все еще главная для *пузатой мелочи,* которую нужно вовремя накормить, переодеть и уложить в постель. Зато старшие вздохнули свободно, и бабка больше не ждет возвращения таллинской зулейки, чтобы устроить выволочку. К тому же можно попасть в дом через калитку в саду, никого особенно не беспокоя. Ну или почти никого. Вчера Белка слышала, как подъехал мотоцикл, но Аста, увлеченная поцелуями или чем-то другим, не менее важным, так и не появилась.

Видел ли ее Сережа, когда Белка заснула?

Она не будет спрашивать об этом у Повелителя кузнечиков, лишнее внимание к русалке-оборотню ей совершенно ни к чему.

Белка направилась к веранде, отметив про себя небольшую странность. Странность заключалась в куске земли с едва заметным рифленым отпечатком: он валялся на полу в гостиной. Скорее всего, землю принес на подошвах кто-то, кто последним вошел в дом. И вошел он уже после того, как Парвати легла спать. Иначе бабушка, которая поддерживает дом почти в идеальной чистоте, обязательно убрала бы землю. И заставила бы Лёку вымыть пол.

Брать в руки черную лепешку с прилипшими к ней травинками не хотелось, и Белка допинала ее ногами до входных дверей. Двери на ночь закрываются — на собачку в английском замке. Открыть их не составляет труда, если ты находишься внутри. Попасть в дом с улицы — сложнее, особенно если не знать, где спрятан запасной ключ.

Белка, как и все остальные, знает.

На веранде стоит большой горшок с фикусом, в нем-то и можно найти ключ. Он лежит там на случай, если Лёке или Сереже что-нибудь понадобится в доме: еще одно одеяло, или попить компота, или поговорить с Парвати: Белка ни секунды не сомневается, что Парвати, как и она сама, ждет Сережу в любое время.

Открыв дверь, Белка ловко перебросила земляной ком через порог и снова подумала о том, что ночью прошел дождь: перила веранды и доски крыльца влажно поблескивали.

Она и не заметила, как запели первые птицы. К одинокому голосу самой ранней пичужки добавился еще один и еще, и спустя минуту, когда девочка подошла к беседке, ее сопровождал целый птичий хор.

Положительно, все просто сговорились забывать книжки в не самых подходящих местах! Сначала Сережа, а теперь — Аста; в гамаке, покрытом ковром, лежит ее вечная спутница «Анжелика». Никогда, никогда Аста не оставляла книгу в беседке, она уносила «Анжелику» в комнату, и в этом есть своя — *эстонская* — логика: никто не имеет права прикасаться к ее личным вещам. Даже Астины маки и бабочки висят обособленно от всех остальных полотенец, на другой стене.

Белка воровато обернулась (хотя шансов быть застигнутой врасплох в половину шестого утра не было никаких), а затем протянула руки к вожделенной книжке. О том, чтобы взять ее с собой, не может быть и речи, Аста немедленно устроит скандал! Но полистать-то можно?..

«Анжелика» распахнула свои объятья на странице 365 просто потому, что там лежала закладка. Вернее, открытка, явно самодельная. Сложенная вдвое, она казалась намного объемнее, чем обычные открытки. Из нее выглядывала тонкая зеленая лента с маленьким якорем на конце. Якорь был вырезан из плотного картона золотисто-желтого цвета, а по чистому белому полю открытки, почти у обреза, шла сделанная от руки надпись:

WOULD YOU SAIL WITH ME?

Жаль, что Белка не знает английского! Изучать его она начнет лишь в этом году, не то что МашМиш, жаждущие перебраться туда, где все только на нем и изъясняются! МашМиш часто говорят друг другу «о’кей», а всем остальным — «хай!», что означает «привет». А вот из уст Асты Белка не слышала ни одного английского слова, для того чтобы произвести впечатление, ей вполне хватает эстонских.

Внутренности открытки оказались не менее впечатляющими, они напомнили Белке чудесные раскладывающиеся книжки со множеством мелких деталей. Формат открытки не позволял впихнуть «множество», но и того, что имелось, было вполне достаточно:

— кораблик с двумя парусами. Один парус — полосатый, как тельняшка, а к другому приклеено маленькое бумажное сердечко;

— веселый и тоже полосатый сине-белый маяк с красной шляпкой;

— чайки, именно такие, как их обычно рисует Белка и любой другой, не слишком выдающийся художник, — две галочки на открыточном небе;

— три ряда волн, кораблик прикреплен к среднему.

Белке так понравилась открытка, что она несколько секунд раздумывала: не присвоить ли ее себе? Вдруг Аста не заметит пропажи?

Еще как заметит! Устроит скандал и со всей своей эстонской дотошностью заставит Парвати провести допрос с пристрастием. Или сама его учинит — и Белка обязательно расколется. Покраснеет, зашмыгает носом и расколется! И все оставшееся лето будет ходить с клеймом воришки.

Нет уж!

Вздохнув, девочка сунула открытку обратно в книгу и побежала к калитке.

Калитка была не заперта, чему Белка мимоходом удивилась: отличающаяся любовью к порядку Аста всегда закрывает ее на щеколду, а тут, пожалуйста, заходите, люди добрые, берите все, что вашей душеньке угодно!..

За калиткой Белку встретил такой же едва заметный туман, который укутывал стволы яблонь и слив в саду. Теперь туман стелился по земле, а его огромные языки лизали колеса машины, что стояла напротив дачи Егора. Спустя минуту показался и сам Егор с чемоданом в руках и с кассетником на плече. Выскочивший из машины дядька в сбитой на затылок фуражке открыл багажник, Егор погрузил туда чемодан и кассетник и сел на переднее сиденье. Авто, мигнув красно-желтыми веселыми огоньками, сорвалось с места и скрылось за поворотом.

Это не очень-то напоминало бегство, подумаешь — у москвича кончились каникулы, и он просто покидает дачу, но Белка призадумалась. Знает ли об отъезде Аста? Если знает — почему не проводила своего дружка?

Может, они попрощались накануне — вечером или ночью?

Наверное, так и есть, но расспрашивать Асту она не станет. А вот кто точно порадуется — так это МашМиш. Еще бы, их главный раздражитель отбыл восвояси, и ненавистная эстонка снова осталась в одиночестве.

Первым, на кого Белка наткнулась, вернувшись на участок, был Лёка. Он уже вывел из сарайчика Саладина и теперь запрягал его в телегу.

— Привет, — сказала Белка. — Куда-то собираешься?

— Лёка едет в поселок, — коротко ответил Лека.

— Можно мне с тобой?

Лёкина голова закачалась, как у китайского болванчика, и это могло означать все, что угодно, в диапазоне от «да» до «нет», с промежуточной остановкой «как хочешь». Белка решила остановиться на «да» и взобралась на телегу. Обычно мягкие от лежащего под ними сена ковры неожиданно спружинили, но так даже лучше, подумала Белка.

— А зачем тебе в поселок? — спросила она, когда они покинули участок и неспешно двинулись в ту же сторону, куда укатило авто.

Придержав поводья, Лёка достал из нагрудного кармана бумажку и без всякого выражения прочел по складам:

— Молоко, творог, сметана, бычки — три килограмма...

Все понятно, Лёка намерен посетить местный базарчик, только там можно купить все это. Привалившись к спине брата, крепкой и шершавой, как ракушечник, Белка сказала:

— А москвич уехал. Только что, я сама видела. Аста, наверное, расстроилась...

Лёка легонько стеганул Саладина хлыстом, непонятно, зачем это ему понадобилось: лошадь и без того с энтузиазмом трусила по каменистой дороге.

— А ты бы хотел заиметь мотоцикл, Лёка? Или машину?

— Лёка любит лошадей.

— А Сережу? —

произнеся это, Белка удивилась сама себе. Вернее — вопросу, соскользнувшему с перекладины ее губ и оказавшемуся на воле. Еще секунду назад она не собиралась расспрашивать Лёку о Сереже, — но взяла и спросила. О чем это говорит?

О том, что она думает о Сереже даже тогда, когда не думает о нем!

— Сережа — хороший.

— Лучший! — в голосе Белки послышался вызов.

Простодушный человек Лёка вызова не принял:

— Лучший.

— Он очень добрый.

— Да.

— И самый умный.

— Да.

— Видел, сколько у него книжек?

— Да. Сережа обо всех заботится. Он нас защитит.

Расспрашивать Лёку от чего их должен защитить Сережа — бесполезно. Лёкин словарный запас слишком ограничен, чтобы пускаться в пространные рассуждения. Скорее всего, он просто повторяет сказанное Парвати, интересно только, по какому поводу она это сказала? Сережа — самый старший из всех внуков, Лёка — не в счет. Несмотря на то что ему недавно исполнилось восемнадцать, разум его застрял где-то между трехлетней Татой и четырехлетним Гулькой, даже до Шила Лёка не дотягивает. Зато с руками у него все в порядке! И с хозяйственными навыками — в этом Белка убедилась через час, когда они оказались в молочных рядах, а затем — в рыбных. Лёку здесь давно знали, не пытались обмануть, обвесить или обсчитать и все время передавали приветы Парвати. Звучало это примерно так:

Что-то Михайловны давно не видно, не приболела ли?

А Михайловна когда объявится?

Кланяйся Михайловне, сынок!

...Дорога в один конец занимала около часа, на рынке они пробыли едва ли не столько же, учитывая неторопливость и основательность Лёки, вот и получилось, что Белка вернулась домой около девяти. Парвати хлопотала на кухне, младшие мальчики носились по саду, младшие девочки со своими куклами сидели на ступеньках веранды, там же пристроился Шило с самодельной удочкой: цеплял ржавый, толщиной с палец, крючок на леску. Поймать на удочку катрана — его вторая заветная мечта после вторжения в территориальные воды Турции на надувном матрасе.

Уже поднявшись на крыльцо, Белка бросила взгляд на беседку: «Анжелика» по-прежнему лежала в гамаке.

Об Асте забеспокоились перед самым завтраком.

На запах свежеиспеченных оладий слетелись все, включая МашМиша и Сережу, не было только ее. Бросив в сердцах что-то о зулейках-полуночницах, Парвати отправила за Астой быстроногого Шила. И минуты не прошло, как он вернулся с известием, что комната русалки-оборотня пуста.

— А в ванную заглядывал? — недоверчиво прищурившись, спросила у внука Парвати.

Оказалось, что сообразительный Шило сунул нос и туда.

— Там тоже никого нет, — сообщил он.

— Ладно. Пусть только покажется мне на глаза!..

От прошедшего ночью дождя (если он действительно был) не осталось никакого воспоминания, кипарисы перешептывались с птицами, сад был залит солнцем, и в те минуты Белка даже представить себе не могла, что через несколько часов на дом Парвати опустится мрак. Что это утро — последнее в череде тихих и ласковых, а все последующие будут отравлены, разъедены трагедией — точно так же, как ржавчина разъедает металл и превращает его в труху.

После завтрака МашМиш отправились на пляж, Сережа вернулся к своим книгам, Лёка уединился в мастерской, а Шило с Ростиком отпросились на рыбалку. Младшие девочки вместе с куклами и Гулькой переместились в дальний конец сада, и лишь Белка не знала, чем себя занять. Время от времени она посматривала на гамак в беседке: книжка все еще лежала там, а Аста так и не появилась.

За час до обеда в дом вернулся Сережа, и Белка, после некоторых колебаний, последовала за ним. И застала обрывок разговора на кухне.

— Не нравится мне все это. Девчонка со своим ухажером совсем от рук отбилась...

— Будет тебе, ба! — засмеялся Сережа. — Она почти взрослая и вольна распоряжаться своим временем как хочет.

— У себя дома пусть распоряжается. А здесь мой дом. Так что, будь любезна — подчиняйся распорядку.

— Девушка и распорядок — вещи несовместные. Вспомни свою молодость, ба!

Парвати проворчала, что в молодости она была гораздо скромнее, чем чухонская зулейка, и не водилась с пришлыми парнями, и неизвестно — что еще за фрукт этот москвич, и вообще — давно пора познакомиться с ним поближе...

— А он уже уехал!

Это сказала Белка, появившаяся в дверях кухни.

Сережа и Парвати замолчали, посмотрели друг на друга, а потом — на Белку. Сережа покачал головой и состроил гримасу, страшную и веселую одновременно: «подслушивать взрослых нехорошо!». А Парвати поманила Белку пальцем:

— Уехал?

— Да.

— Это тебе Аста сказала?

— Я сама видела, — почувствовав себя главным поставщиком новостей, Белка покраснела от удовольствия.

— Когда же ты успела?

— Сегодня утром.

— Никто не видел, а ты видела?

— Я встала раньше всех. Раньше Лёки. А... этого Егора на улице ждала машина. Он сел в нее и уехал. Вот так!

— Значит, уехал? — еще раз переспросила Парвати. — И Аста с ним?

— Асту я не видела. Видела москвича и еще шофера, он открывал багажник. Асты там не было.

— В багажнике? — Сережа снова улыбнулся, но на этот раз улыбка получилась не очень убедительной.

— Ее вообще там не было!

— И... куда же она подевалась? — только теперь в голосе Парвати послышались тревожные нотки. — Сходи-ка в ее комнату, Сережа. И посмотри, все ли вещи на месте.

— Сейчас.

Сережа ушел, а Белка подивилась тому, какими непонятливыми могут быть взрослые. Вряд ли Аста уехала бы, не прихватив с собой свои роскошные полотенца. И «Анжелику» — она до сих пор сиротливо лежит в гамаке.

— Ты точно не видела Асту? —

еще раз уточнила бабка, словно надеясь на какой-нибудь другой ответ.

И Белке снова пришлось разочаровать ее:

— Не-а.

— Может быть, она сидела в машине, и ты ее просто не заметила?

Может, и не заметила, подумала про себя Белка. Может, Аста встала раньше нее и даже успела принять душ — в пользу такого развития событий говорят лужицы на полу в ванной и отсутствие в баке горячей воды.

Но тогда как объяснить, что Астино полотенце осталось сухим? Представить, что надменная до брезгливости Аста воспользовалась чужим полотенцем, Белка не в состоянии.

— И что ты делала на улице в такую рань?

— Ну... Просто вышла. Посмотреть на туман.

— И никого не встретила по дороге?

Никого, кроме куска грязи в прихожей, но вряд ли такие подробности заинтересуют Парвати. Тем не менее Белка что есть силы зажмурилась и представила весь путь до садовой калитки: кусты смородины и крыжовника справа, шеренга яблонь слева, затем кипарисы с обеих сторон, густые приземистые заросли лавра, калитка с отодвинутой щеколдой... Вроде бы все. Никто не прятался в кустах, никто не выглядывал из-за кипарисовых стволов, ни одна веточка не шелохнулась, ни одна молочно-зеленая шишка не упала.

— Ну, хорошо, — смилостивилась наконец Парвати. — А потом?

— Потом я вернулась и увидела Лёку. Лёка собирался на базар, и я поехала с ним. Вот и все.

В этот самый момент в кухню вошел Сережа:

— Чемодан и сумка на месте, — сообщил он. — Платья висят в шкафу, постель не разобрана. Похоже, она не ночевала дома.

— Иди-ка, займись чем-нибудь, — к бабке вернулась обычная властность. — И поменьше болтай.

— О чем? — удивилась Белка, поскольку слова Парвати были обращены именно к ней.

— Ни о чем. Держи рот на замке, вот и все. А мы с Сережей прогуляемся к этому самому Егору. Узнаем, что к чему.

...Они вернулись спустя полчаса, и вид у обоих был хмурый и сосредоточенный. Парвати сразу же прошла в дом, а Сережа чуть поотстал, задержавшись на ступеньках крыльца, где его ждала Белка.

— Ну что? — спросила она. — Уехал? Я была права?

— Права, права, — Повелитель кузнечиков присел рядом, вздохнул и потрепал Белку по голове. — Он уехал сегодня утром, у него самолет.

— А Аста?

— Его тетка ничего не знает об Асте.

— А его друзья? — Белка вдруг вспомнила о двух оруженосцах Егора, игравших на пляже в карты с МашМишем.

— Те самые, которые отчалили три дня назад?

— Наверное...

— Их было двое, так?

— Да.

Двое. Один из них прихватил с собой кассетник Егора, когда уходил с пляжа. А МашМиш остались, чтобы потом, у расщелины, где затаилась Белка, озвучить дурные мысли. Маш сказала, что хочет убить Асту, и Миш поддержал ее. До сих пор воспоминание об этом разговоре таилось на самом дне Белкиной души, но теперь самое время вытащить их на свет.

— Я слышала один разговор, — волнуясь, начала Белка. — Случайно... Я не хотела, но так получилось... В общем... МашМиш говорили плохое про Асту.

— Плохое? — Сережа сморщил нос. — Ну-ка, объясни.

Белка на мгновение ощутила сырость и холод расщелины в скале, и по ее спине побежали мурашки. Хорошо Сереже, он еще ничего не знает, а это все равно что стоять на солнце, греясь в его лучах. Сейчас... Сейчас она все расскажет! И тогда Сереже тоже придется сделать шаг в темноту. Что ж, Белке будет не так одиноко.

— Они не ладили друг с другом, Маш и Аста, — начала она издалека. — Они ссорились.

— Тоже мне, новость.

— Аста обидела Миша... Он даже дома не ночевал.

— Я смотрю, у нас тут целое поветрие — не ночевать дома, — все еще стоя на солнце, перед мрачной расщелиной, Сережа мог позволить себе улыбнуться.

— А потом появился этот Егор. Сначала он подбивал клинья к Маш, а потом перекинулся на Асту.

— Ты, я смотрю, в курсе всех дел.

— Это случайно вышло...

— Я не в осуждение, Бельч. Что было дальше?

— МашМиш говорили плохое... Хорошо бы Асте исчезнуть навсегда. Вот что они говорили.

— И это все?

Сережины глаза были совсем близко: ближе, чем любые другие глаза, кроме маминых и папиных. Белка отразилась в них полностью, отразилась — и исчезла в своей расщелине, куда не проникает свет, а под ногами хрустят обломки ракушек и пахнет тиной. Нет-нет, она ни за что там не останется в одиночестве!..

— Еще Маш сказала, что хочет убить Асту.

— Убить? — недоверчиво переспросил Сережа.

— Миш сначала испугался. А потом согласился.

— Согласился с чем?

— Что Асту надо убить.

— А ты ничего не напутала?

— Нет.

— И не придумала?

— Нет.

— Пойми, это серьезное обвинение.

— Все было, как я сказала, — Белка почувствовала, как по ее щекам поползли предательские слезы.

— Ты никому об этом не рассказывала?

— Никому.

— Вот и молодец. Представь, что Аста сейчас появится... Ну или через час. Или вечером. Кем мы будем выглядеть?

Сережа сказал — «мы»! Его «мы» означает, что они с Белкой заодно. А еще «мы» означает, что Сережа ступил под своды расщелины. Или, наоборот, ухватил Белку за руку и вытащил на солнце: яркий свет слепит глаза, по набитой галькой бухте бродят чайки, дельфины так и не появились, но ожидаются, что-то Белка забыла. Что-то выпустила из виду.

Вот только что?

— Мы будем выглядеть дураками, — неуверенно сказала Белка.

— Хуже. Лгунишками, которые портят жизнь близким.

— Я никогда не вру, ты же знаешь.

— Просто никому не говори о том, что ты слышала.

— Даже Парвати?

— Парвати — особенно. Обещаешь?

Белка быстро и часто закивала головой в знак согласия.

— Вот и умница. А теперь — беги.

— Куда?

— Ну-у... Чем ты обычно занимаешься в это время?

В это время Белка обычно думает о Сереже, если находится вдали от него. Но даже если находится рядом, в поле зрения японской грамматики, — все равно думает о нем. И еще немного — о маме и папе, но о Сереже все-таки больше. Говорить об этом Повелителю кузнечиков она не станет, хотя не мешало бы узнать: если он такой всесильный, почему бы ему не вернуть Асту на место? И тогда все проблемы отпали бы сами собой. И Парвати перестала бы хмуриться.

— Помнишь того кузнечика? — спросила Белка.

— Какого?

— Того, который исчез. Когда ты дунул на него. Помнишь?

— Что-то припоминаю, — Сережа дернул себя за ухо той самой рукой, которая когда-то стала последним прибежищем кузнечика.

— С ним ведь ничего страшного не случилось?

— Нет, конечно.

— И ты мог бы вернуть его обратно?

— Наверное.

— Тогда верни обратно Асту.

— Видишь ли, Бельч... С людьми все обстоит сложнее, чем с кузнечиками. Намного, намного сложнее.

— Но ведь она вернется?

— Не сомневайся. И не забудь про наш уговор. Никому?

— Никому! — клятвенно пообещала Белка, для убедительности приложив палец к губам.

Сережа потрепал Белку по голове (совсем как маленькую, *фу-у!*), поднялся с крыльца и направился в дом — туда, где десять минут назад скрылась Парвати. Белка могла бы последовать за ним и наверняка услышала бы что-нибудь интересное, что-то, что касается возвращения Асты, *один бог хорошо, а два лучше.* И вообще, если сложить силы обоих, то о русалке-оборотне можно не беспокоиться.

Но Белка все равно беспокоилась.

Она снова заглянула в беседку и снова взяла «Анжелику» в руки. И аккуратно полистала страницы — открытки с корабликом, маяком и вольноотпущенным якорем на нейлоновой ленте не было! Белка даже ногой топнула от такой несправедливости: вот и будь после этого хорошей девочкой, никаких ощутимых радостей это не приносит. Обязательно найдется кто-то похуже и понаглей — ему-то и достанется все! Лишь одно успокаивает — Аста вернется, а она обязательно вернется, так сказал Сережа; она вернется и выведет воришку на чистую воду.

Вот бы поприсутствовать при этом!

Аста умеет жалить в самое сердце, от воришки мокрого места не останется.

Ноябрь. Полина

— Ну, как там она? — спросил Шило.

Никита покачал головой и вздохнул:

— Получше. Просила не беспокоить ее. Когда придет в себя окончательно — спустится к нам. Но сейчас лучше ее не трогать.

— Так и не сказала, что произошло?

— Нет.

Шило хрустнул пальцами и задал вопрос, который все это время мучил его:

— Это ведь... не из-за меня?

— Не думаю, что из-за тебя. Говорю же, с ней и раньше такое случалось. Падает в обморок на пустом месте, потом долго приходит в себя. Отмалчивается, страдает. Никого не хочет видеть. Правда, длится это недолго. Несколько часов, максимум — сутки. А потом все снова входит в колею, и Алька оживает. Становится веселой и забавной, как прежде...

— А что говорят врачи? — осторожно спросила Полина. — Как они объясняют ее обмороки и странности в поведении?

— Никак, — Никита нахмурился. — Отсылают к психологам, но она терпеть не может психологов. И к психотерапевту ее не затащишь.

— Хотя бы можно выявить закономерность этих приступов?

— Нет никакой закономерности... Во всяком случае, так утверждает она. А я надеюсь, рано или поздно все закончится. И... еще одна просьба ко всем... Особенно к тебе, Маш. Когда Аля вернется сюда, не стоит напоминать ей о случившемся.

Маш неопределенно хмыкнула, пожала плечами, но рта так и не раскрыла: поди узнай, что означает эта неопределенность. А уж Никита — последний человек, к которому она прислушается, если она вообще способна прислушиваться.

Каждый здесь — сам за себя.

Каждый — сам за себя, хотя Ростик и Шило — очень симпатичные молодые люди. Аля и Никита — милы, а Тата — и вовсе притягательна. Примерно так думала Полина, наблюдая за своими родственниками. Теми, кто еще оставался в гостиной: внезапно исчезнувшая Тата не появилась, Лёка тоже куда-то сгинул, и никто даже приблизительно не мог сказать, где он находится сейчас. Его отсутствие привносило в атмосферу гостиной нервозность — неявную, но ощутимую.

И еще — куда-то подевалась стрекоза из жестянки. Последним, кто держал ее в руках, был Шило, но он напрочь не помнил, куда сунул несчастное засушенное насекомое.

— Наверное, обронил, — сказал он Полине. — Надо пошарить на полу, наверняка найдется.

Но стрекоза так и не нашлась — ни на ковре, ни в щелях между половицами. Не нашлось ничего, что хотя бы отдаленно напоминало о ней: оторванное брюшко, обломок крыла.

— Куда же она подевалась? — в сердцах воскликнула Полина, ползая на коленях под столом.

— Далась тебе эта мумия. Черт бы с ней. Нашла о чем горевать.

Конечно, Шило прав. Она уделяет слишком большое внимание мелочам, вместо того чтобы сосредоточиться на главном. Беда в том, что главное всегда ускользает. Полина не обладает и десятой частью всей информации, способной привести к пониманию этого самого *главного,* — то же можно сказать и обо всех остальных. Вот если бы удалось сложить куски информации вместе! Но не окажется ли тогда, что маленькая стрекоза была нижней ступенькой лестницы, что ведет к истине? А теперь ступеньку выбили — и вся лестница рассыпалась.

Кому здесь можно довериться?

Тате — потому что она сама доверилась кузине из Питера, иначе бы не передала альбом.

Шилу — он сотрудник правоохранительных органов.

Ростику — он производит впечатление спокойного и уравновешенного человека. Точно такое же впечатление производит и Никита.

Вот только Тата выскользнула из дома, и неизвестно, когда она объявится. Никита слишком озабочен несчастьем, приключившимся с его сестрой, а Ростик — несмотря на свое добродушие и основательность — слишком прост.

Остается Шило.

Улучив момент, когда Маш отвлеклась на очередную порцию коньяка, Полина ухватила Шило за локоть и прошептала ему на ухо:

— Нужно поговорить.

Вслух же громко добавила:

— Мы, пожалуй, сходим в Лёкину мастерскую.

— Я уже был. Там пусто, — сказал Ростик.

— Лёка может вернуться в любой момент. И не хотелось бы этот момент пропустить.

...Дождь закончился, выпустив на волю острый запах прелой листвы; а спустя минуту, когда Полина и Шило оказались в сумрачной мастерской, к лиственному запаху добавился еще один, гораздо более сложный. В нем причудливо соединились теплое дерево и холодный металл, и что-то еще, что поначалу испугало Полину. Из-за этого «что-то» воздух мастерской казался вязким, плотным и удушающим — при желании она могла бы коснуться его, зачерпнуть в ладонь, разрезать на толстые ломти.

— Что за черт? — пробормотал Шило. — Вонища, как в покойницкой!

Источник запаха обнаружился сразу, стоило Полине включить свет: на усыпанный стружками пол была свалена айва. Целые груды айвы, самые настоящие терриконы. Шило носком ботинка поддел выкатившийся из общей кучи плод и отфутболил его в угол, где стоял узкий, покрытый ковром топчан.

— Ну и зачем нам понадобилось уединяться?

— Хочу кое-что показать тебе.

— Нельзя было сделать это в доме?

— Слишком много свидетелей, — Полина поморщилась. — И... я не доверяю Маш.

— Но доверяешь мне? — Шило самодовольно улыбнулся.

— Скажем, мне нужна твоя помощь. Как профессионала. Вот, смотри.

Она вручила Шило альбом и, пока тот изучал его, прошлась по мастерской. Здесь почти ничего не изменилось за двадцать лет: те же верстаки, тот же маленький стол, зажатый между ними. Сейчас стол был накрыт куском холщового полотна, но ткань местами бугрилась и вздымалась: все жильцы часового столика пребывали на своих местах, их просто заботливо укрыли от посторонних глаз — только и всего. Кроме того, из-под полотна слышен стук множества механизмов — не сильный и очень деликатный. Что ж, со временем вещи становятся похожи на своих хозяев, ведь Лёка тоже всегда отличался деликатностью.

Осмотрев помещение полностью, Полина обнаружила нескольких переселенцев с Большой земли: во-первых, в мастерскую перекочевали напольные часы с боем (раньше они стояли в гостиной). Фотографии с морскими видами, некогда украшавшие стены дома, теперь висели над топчаном. Но было и нечто новенькое, не виденное ею прежде — ни в доме, ни где-либо поблизости от него:

Коллекция бабочек в большом коробе под стеклом.

Собственно, не только бабочек. Попадались и другие насекомые: богомол, пара стрекоз, почти слившихся с темным бархатом, кузнечик с красными жесткими подкрыльями. Короб был явно самодельным, а надписи на крохотных полосках под каждым экземпляром сделаны от руки. Но прочитать их не представлялось возможным: вся коллекция располагалась слишком высоко, над столом с часовыми механизмами.

— Что еще за фигня? — Шило даже присвистнул от удивления. — Откуда у тебя эти фотографии?

— Тата нашла их вчера вечером. У себя в комнате, в собственной кровати, под подушкой.

— И ничего нам об этом не сказала?

— Правильно сделала, я считаю. Есть вещи, которые нельзя вываливать на всеобщее обозрение без предварительной подготовки.

— Ну да... — подумав, согласился Шило. — Это ведь Аля? Там, на последнем снимке?

— Или кто-то похожий на нее. Только очень мертвый.

— Похожий? Да это ее сестра-близнец! Но мы ведь знаем, что сестры-близнеца у нее нет. Только пижон-брательник. Фотографии подбросили вчера?

— Да. Так, во всяком случае, утверждает Тата. Я думаю, что это чья-то дурацкая шутка. Такая же, как с этими нелепыми детскими сюрпризами.

Шило ухватил себя пятерней за нос и засопел:

— Такая же, да не такая!

— Ну... При известной доле воображения все можно выстроить в один ряд. Часы без стрелок, дохлую стрекозу...

— Дохлая стрекоза и покойник со странгуляционной бороздой на шее — совсем не одно и то же, так?

— С чем-чем?

— Профессиональный термин, — покровительственно улыбнулся Шило. — Вот эта темная полоса на шее и есть странгуляционная борозда. Жертва либо была задушена, либо повесилась. Если это и шутка, то довольно мрачная.

— И если рассуждать логически, — добавила Полина, — то без участия самой Али она бы ни за что не состоялась.

— Зришь в корень. Вот только сложно представить, чтобы молодая девушка согласилась участвовать в таком сомнительном мероприятии. Со смертью шутить нельзя — все знают.

— Как видишь, некоторых это не останавливает.

— Ты бы согласилась?

— Я — нет. Но... Аля актриса.

— Хочешь сказать, что и обморок был инсценирован? Зачем?

— Я не знаю.

Случайно возникшая мысль о том, что все происшедшее — лицедейство чистой воды, принесло Полине неожиданное успокоение. Она даже рассмеялась, чем вызвала у Шила гримасу неодобрения. Брови архангельского братца сошлись к переносице, а подбородок дернулся вверх.

— Что смешного-то? — сказал он.

— Ничего. Просто вспомнила, о чем говорила Маш. Каждый сам за себя. И цель пребывания здесь любого из нас никому не известна.

— Почему не известна? Очень даже известна. На днях огласят бабкино завещание, и все мы должны присутствовать.

— То есть все мы надеемся, что нам что-то перепадет?

Шило вдруг густо покраснел, как будто его застали за чем-то неприличным:

— Если уж бабка решила облагодетельствовать нас после смерти — глупо отказываться. Я так считаю. Можно подумать, ты считаешь иначе.

— Было и еще одно условие. Отсутствующий при оглашении завещания не получит ничего. Верно?

— Допустим. К чему ты клонишь?

— К тому, что чем меньше будет соискателей, тем больший кусок пирога получат остальные. Расчет на то, что приедут не все, не оправдался.

— Это точно.

Шило подобрался, как перед прыжком, его уже ставшая привычной мягкость куда-то исчезла, и Полина вдруг подумала, что он может оказаться решительным, расчетливым и безжалостным человеком. Качества отнюдь не лишние в его не самой романтической профессии. Сколько ни вспоминай о забавном маленьком лгунишке в майке-«рябчике» — эти воспоминания не имеют ничего общего с действительностью. Шило давно вырос, и каким он стал в процессе взросления — известно лишь ему самому. То же можно сказать обо всех остальных. Окружающие ее кузены и кузины — суть незнакомцы с неясными намерениями. Довериться кому-то из них, положившись на интуицию, — верх легкомыслия. Только в одном человеке она уверена абсолютно, но его-то как раз и нет. И неизвестно, когда появится и появится ли вообще.

— Меня не интересует бабкино наследство, — примирительно сказала Полина.

— Но ты приехала.

— И ты приехал.

— Хотелось увидеть всех вас — вот и явился.

— А раньше такого желания не возникало?

Шило вновь потер переносицу, на этот раз — от смущения:

— Возникало. Но не было уверенности, что столичные штучки типа тебя обрадуются провинциальным родственникам.

— Теперь уверенность появилась?

— Не то чтобы... Но здесь мы на равных. И... надо бы поговорить с Алей. Выяснить все насчет этой фотографии. И насчет остальных тоже. Мне они не нравятся.

— Что именно тебе не нравится?

— Не помню, чтобы меня кто-то снимал в тот день. Полтора года назад, в Таиланде, в отеле «Золотой дракон». У теннисного стола.

Полтора года, ну надо же! Приходится признать, что у Шила просто фотографическая память, если он в состоянии выудить из нее подробности давно минувших дней. Столь полезного качества Полина лишена напрочь, она порой забывает, что происходило с ней не то что полтора года — неделю назад.

К событиям двадцатилетней давности это не относится.

— Я тоже не помню, чтобы меня снимали. Хотя, судя по антуражу, это совсем недавний снимок. И Тата не смогла вспомнить. Она была удивлена. И, кажется, напугана.

— Смахивает на тотальную слежку. Нет?

— Не говори глупостей, — в голосе Полины послышалась неуверенность. — Кому понадобилось за нами следить?

— Наверное, тому, кто сунул под подушки всякую дрянь. Если отбросить эмоции и рассуждать логически.

— Мы уже пытались рассуждать логически. Оттого и оказались здесь, у Лёки. Он больше всех подходит на роль идиотского Деда Мороза.

— Может и так, — покачал головой Шило. — Вот только Лёка никогда не был в Таиланде. И вообще за границей. Все эти годы он крепко держался за бабкин подол. Так тут сиднем и просидел. С места не сдвинулся.

— Учитывая, что... — Полина на секунду задумалась, подбирая нужное слово. — Что он... особенный человек... В этом нет ничего удивительного.

— А меня тут все удивляет! И не могу сказать, что приятно. Я бы и дня в этом змеином гнезде не остался, если бы не... — Шило неожиданно замолчал, так и не закончив фразы.

— Если бы не... что? Бабкино завещание?

Он лишь махнул рукой, и это было вполне объяснимо. Но вот то, что произошло потом, объяснить себе Полина так и не смогла: Шило принялся в ярости пинать айву. Золотисто-желтые, неправильной формы мячи отскакивали от его ботинок и летели бог весть куда — в стены, в верстаки, в несчастный, покрытый ковром топчан. До сих пор Шило казался ей уравновешенным человеком — быть может, самым уравновешенным из вновь приобретенной родни. Но теперь от этой уравновешенности и следа не осталось, а сам он... неожиданно стал копией Маш. Но не той Маш, которая медленно надиралась сейчас в гостиной. А той, которая поклялась когда-то извести Асту. Должно быть, все они связаны между собой гораздо больше, чем кажется Полине: в их жилах течет одна и та же кровь, не исключено, что — дурная. Иначе как объяснить этот неконтролируемый приступ ярости? И — что хуже — как объяснить учиненный разгром Лёке, если летящие в разные стороны маленькие снаряды попадут в коллекцию совершенно невинных механизмов? В коллекцию бабочек на стене? Ничто не уцелеет, а и без того трещащий по швам привычный Лёкин мир обрушится окончательно.

— Успокойся! — крикнула Полина. — Успокойся, пожалуйста!

Наверное, не стоило срываться на ор: одного осуждающего слова было бы достаточно, одного вздоха. Шило замер и несколько раз ударил себя кулаком в скулу.

— Прости, — бесцветным голосом произнес он.

— Ничего.

Резко развернувшись, он пошел к двери и даже успел настежь распахнуть ее, впуская в помещение холод и сырость недавно прошедшего дождя.

— Знаешь, почему я приехал? Не из-за бабкиного наследства. Никогда не жил хорошо, и теперь начинать не стоит. И не из-за того, чтобы увидеть всех вас...

— Выходит, ты соврал?

— Э-э... Не только из-за того, чтобы увидеть всех вас. Так что соврал я самую малость.

— Из-за чего тогда?

— Хочу понять, что произошло здесь двадцать лет назад.

— Ты... знаешь, что произошло здесь двадцать лет назад, — слова давались Полине с трудом. — Все мы знаем.

— Не то, — Шило вдруг по-волчьи осклабился, обнажив зубы и бледные северные десны. — Я хочу понять, что произошло на самом деле.

— Как... профессионал?

— Возможно.

Снова пошел дождь. Самый настоящий ливень — и Шило, все еще топтавшийся на пороге, оказался в его власти. Свитер и волосы мгновенно потемнели от влаги, капли тонкими ручейками стекали по лицу, образуя где-то у подбородка некое подобие водопада, — но Шило, казалось, не замечал этого. Он мрачно смотрел на Полину... нет, он вглядывался так пристально, что ей на секунду показалось: это не Шило стоит сейчас под дождем — она сама. И от этого дождя нет спасения, он колотит по коже, легко просачивается сквозь нее, без труда впитываясь в чернозем самых дальних уголков души — туда, куда Полина давно приучила себя не заглядывать.

— Одна смерть и одно исчезновение, — прошептала она.

— Нет. Смерть точно была не одна. По всем законам — Божеским и человеческим — не одна.

— Да, да... Понимаю тебя. Если пропавший не находится в течение определенного количества лет, он автоматически признается умершим. Ты это имеешь в виду?

Шило поморщился и задрал вверх мокрый подбородок: это могло означать и «да», и «нет». А могло и вовсе ничего не означать, кроме того, что ему не нравится дождь.

— Ты ведь думала об этом?

— Не знаю. Да.

— И к чему пришла?

— К тому, что не стоить об этом думать. Все равно ничего не изменишь. Есть то, что есть. Самое разумное — жить дальше, не оглядываясь на прошлое.

— Получается?

— Не знаю. Нет.

— И у меня — нет.

...Шило пытается сказать ей то же самое, что говорила Тата, — пусть и другими словами. Шило пытается сказать ей то же самое, что она все эти годы говорила сама себе. Получается не очень складно, но виной всему не его провинциальное косноязычие, а самый обыкновенный страх: что произойдет, если истина вскроется?

Ничего хорошего, подсказывает ей опыт.

Уже сейчас ничего хорошего не происходит: едва познакомившись заново, они успели перессориться и обвинить друг друга в корысти. С Алей случился странный обморок, и объяснения Никиты тоже выглядят довольно странно. Странные подарки, преподнесенные неизвестно кем. Странные фотографии. Странно, что Полина вообще принялась обсуждать с посторонним для нее полицейским из Архангельска столь болезненные воспоминания. Только часть из них — общая, ведь когда-то Белке пришлось пережить то, что не переживал никто из детей их Большой Семьи.

Сережа в этой ситуации был бы намного уместнее, когда же он приедет?

...Шило давно ушел, а следом ушел и ливень: он истончился до легкой мороси, а потом и вовсе затих. А Полина все стояла и стояла в Лёкиной мастерской, не в силах покинуть ее. Всему виной приторный, дурманящий запах айвы, он забивается в ноздри, пропитывает каждую клетку тела, вяжет по рукам и ногам. Ничего удивительного — у айвы вяжущий вкус. А вот варенье из нее получается отменное.

Самое время вспомнить о варенье.

А еще о том, что айвы в саду Парвати не так уж много. Гораздо меньше, чем слив, алычи и даже черешни, — всего-то пара деревьев. Неужели эта парочка породила такую бездну плодов? Еще одна странность в дополнение ко всем остальным.

Из мастерской Лёки захотелось немедленно уйти, благо, ливень кончился. Но, покидая ее, Полина вдруг подумала: что-то важное, увиденное краем глаза, ускользнуло от нее. И в этом *что-то* тоже была странность, на этот раз — опасная. Разглядеть ее в подробностях Полина не смогла, а может, не захотела. Ну, ничего, вот приедет Сережа...

Сережа все поставит на свои места. Всё и всех, включая анархичные и беспорядочные ливни. Для него нет ничего невозможного.

Так, в сладких мыслях о Сереже, она вернулась в дом. Из гостиной раздавались голоса, и разговор шел явно на повышенных тонах. Солировала Маш:

— Ты подбросил эту мерзость?!

Вот оно что — пропавший Лёка нашелся!

Он и впрямь нашелся и теперь стоял посреди комнаты, переминаясь с ноги на ногу и втянув голову в плечи.

— Отвечай! Ты?

Маш бросила ему в лицо смятый платок, который совсем недавно демонстрировала всем остальным, но Лёка остался безучастным.

— Где ты его взял?

Молчание было ей ответом.

— Просто скажи, что это ты, — и покончим с этим. Ну?

Лёка отрицательно покачал головой, что вызвало в Маш новый приступ ярости.

— Если и дальше будешь играть в молчанку, я тебя урою, идиот! Сдам в богадельню сегодня же! Пожалеешь, что на свет родился. Так что выбирай: или ты все сейчас расскажешь, или богадельня.

— Прекрати! — не выдержала Полина. — Прекрати его запугивать. Неужели нельзя просто поговорить, не устраивая дурацких допросов?

— Вот и поговори, — неожиданно сдалась Маш. — Может, у тебя получится.

Лучше сделать это без свидетелей, решила про себя Полина, хотя свидетелей в гостиной было немного. Кроме Маш — только Миш и Ростик, сидевший в кресле перед телевизором с выключенным звуком. Полина ухватила Леку за рукав и подтолкнула его в сторону кухни.

— Не обращай внимания на Маш, — сказала она, плотно прикрыв за собой дверь. — Маш расстроена.

И снова Лёка никак не отреагировал на ее слова.

— Мы все немного расстроены. Так бывает, если подарок стал для тебя неожиданностью. И ты совершенно не знаешь, как к нему относиться.

— Подарок — всегда хорошо.

Лицо Лёки по-прежнему напоминает горное плато, вот только теперь на нем появилось множество дополнительных складок: тектонически плиты, из которых оно состоит, не теряли времени даром, они сходились и вновь расходились. Вот и возникли новые трещины, забитые невзрачным кустарником щетины. Когда-то пышные и прямые, как стрелы, ресницы поредели, и лишь глаза почти не изменились: от них веет безмятежностью звериной норы. Не стоит так уж пристально вглядываться в эту безмятежность, иначе упадешь в нее и неизвестно где окажешься. Так думала маленькая мудрая Белка, но взрослая Полина решила пренебречь этой детской мудростью.

— Не всегда, Лёка. Иногда такой подарок может напомнить о вещах, которые ты предпочел бы забыть. Это ведь ты спрятал под подушку стрекозу, часы и собаку? И тот платок? Ты хотел порадовать нас, преподнести сюрприз, так?

— Лёка должен был сделать всем подарки? Лёка не знал, что так нужно.

— Хотя, если честно... Мне понравилась стрекоза. Спасибо тебе.

Это была всего лишь уловка, мелкая лесть, на которую легко купился бы недалекий человек. И Лёка купился. Его губы разъехались в улыбке, а потом вытянулись в трубочку, как будто он хотел поцеловать воздух перед собой. Или кого-то невидимого, подсказавшего ему правильное решение.

— У Лёки есть подарок для всех! — торжественно провозгласил он.

— Ты его уже преподнес.

— Лёка ничего не преподносил. Только собирается.

— Ну, хорошо. Если ты хочешь из всего сделать тайну, пусть так и будет. И пусть это будет наша совместная тайна. Ты ведь мне доверяешь?

— Белка хорошая. Она добрая.

— И ей можно доверить любую тайну?

Давай, Лёка! Всего-то и нужно, что сказать «да». Крохотное слово из двух букв, а тебе подвластны и более сложные конструкции. Раз Белка такая хорошая и добрая, неужели нельзя порадовать ее коротеньким «да»? Давай!

Но Лёка молчал, и Полина вдруг подумала, что он вовсе не недалекий. Он просто другой. Иной. Из тех иных, кто никогда не купится на лесть. Из тех, кто никогда не будет лгать, потому что ложь предполагает умысел. А умысел — всегда стратегия, на которую Лёка, в силу особенностей интеллекта, не способен в принципе.

— У Лёки нет тайн для Белки, — наконец произнес он. — Но есть подарок. Для Белки и для всех остальных. Пойдем.

— Куда?

— Пойдем.

...Перед тем как покинуть гостиную, Полина успела обменяться несколькими красноречивыми жестами с Маш: «да-да, я помню, что должна сделать. Только не мешайте мне, и все устроится наилучшим образом».

А оказавшись вне стен дома, на садовой дорожке, она вдруг подумала о том, что сказал Лёка: у него нет тайн для Белки. Правильнее было бы — «от Белки», но трудно требовать от *иного* ясности языка... Да нет же, он выразился предельно ясно! То, что у него нет тайн для Белки, вовсе не означает, что тайн не имеется для кого-то другого. Того, с кем несчастный «даунито» может быть близок и кому доверяет. А таких людей лишь двое на всем белом свете: покойная Парвати да еще Сережа. Для них у Лёки было все, что угодно, — и любовь, и тайны. А посторонняя Белка, несмотря на свою хорошесть, ничего авансом не получит.

Как и следовало ожидать, Лёка снова привел ее к мастерской, но говорить о том, что уже была внутри, Полина вовсе не собиралась. И потому нацепила на лицо выражение живейшей заинтересованности, словно переступала порог Лёкиного жилища в первый раз.

— Ты все еще живешь здесь? — спросила она.

Лёка ничего не ответил, лишь втянул ноздрями пропахший айвой воздух.

— Что ты хотел мне показать?

Всему виной Шило. Его внезапный всплеск ярости, который оставил вполне материальные следы: холщовое полотно на верстаке смято, несколько плодов валяются на застеленном ковром топчане. Бока еще нескольких успели потемнеть от ударов тяжелого ботинка. На первый взгляд беспорядку, и без того царящему в мастерской, особый урон не нанесен, добавилось лишь несколько малозаметных штрихов.

Малозаметных для постороннего глаза.

Но для Лёки изменения существенны. Они свидетельствуют лишь об одном: кто-то вторгся на его территорию. И это привело деревенского дурачка в смятение. Ничем другим не объяснить нервное подрагивание рук, ссутулившуюся спину и прерывистое дыхание. В звериных норах глаз тоже не все спокойно: сполохи, что мелькают там, явно указывают на панику.

— Что-то не так, Лёка?

Губы Лёки раздвинулись, выпустив наружу странное, лишенное всякого смысла «Зимм-мам!». Неверной походкой он подошел к большим часам и зачем-то посмотрел на циферблат. А затем уперся ладонями в деревянный короб, скрывавший механизм. Полина почти физически ощущала, как напряжение покидает дурачка. Не оттого ли, что все его страхи оказались напрасными?

— Все в порядке?

— Белка хорошая и добрая. Она не сделает плохо Лёке.

Ну что ж, с некоторой натяжкой это можно считать ответом. Тем более что Лёка снова улыбается. Вернее, пытается улыбнуться.

— Конечно, нет. Значит, все хорошо?

— Хорошо.

Хорошо бы внимательнее осмотреть часы и даже заглянуть внутрь — недаром Лёка бросился именно к ним, как будто ожидал какого-то знака. И не получил его, и сразу успокоился. А может, наоборот, получил?

Правды от самого Лёки не дождешься, ведь неизвестно, что именно он считает правдой. Что он считает тайной. И кто в его глазах сама Полина и все остальные.

— Я очень изменилась, Лёка?

— Белка такая же, как раньше.

— Мы были друзьями, помнишь?

Никогда они не были друзьями. У маленькой Белки был только один друг — Сережа, но его-то как раз и нет.

— Белка и Лёка — друзья. Так?

— Так, — послушно повторил Лёка.

— Пока я рядом, тебе ничто не угрожает. Я всегда смогу тебя защитить. И не стоит бояться Маш...

Наконец-то ему удалось справиться с улыбкой, теперь она сияет на лице, кривоватая и небрежная, как вывеска придорожной харчевни.

— Лёка не боится Маш. Лёке не страшно. Страшно будет потом.

— О чем ты?

— Потом.

— И... кому будет страшно?

— Потом.

До сих пор Полина разговаривала с ним, как разговаривала бы с маленьким ребенком. Наверное, в этом была ее ошибка. Лёка — не ребенок, он взрослый мужчина, на голову выше своей хрупкой питерской кузины; крепкий, с длинными жилистыми руками и обладающий к тому же недюжинной физической силой. Еще секунду назад Лёка умилял Полину, но теперь... В его блуждающей улыбке сквозит безумие, и нужно быть полной идиоткой, чтобы добровольно ступить под своды этой кафешки при дороге, вдалеке от основных трасс. Черт его знает, кто притаился в дальней комнате и что скрывают многочисленные подвалы, подсобки и морозильные камеры.

— Обещай, что скажешь мне, когда наступит «потом».

— Белка умная. Она сама все поймет.

Вот что все это время ускользало от Полины: несмотря на общую скудость словарного запаса, Лёка ни разу не потерял нить беседы, его ответы, иррациональные на первый взгляд, всегда адекватны и подчинены особой внутренней логике. Он прекрасно понимает происходящее вокруг, и всегда понимал. Парвати доверяла ему не только встречу малолетних родственников, но и — что гораздо существеннее — поездки на рынок. Лёка закупал провиант и вполне рационально распоряжался деньгами — задача непосильная для дурачка и «даунито». Что, если он притворяется? Живет, как удобно ему, и внимательно вглядывается в окружающий мир из-за стен своей мнимой недоразвитости? Бойницы этих стен настолько узки, что невозможно разглядеть, опасен Лёка или нет.

Полине остается лишь надеяться на «нет», ведь в произнесенном Лёкой не чувствовалось угрозы, скорее — печальная констатация: *страшно будет потом.*

Лёка между тем взобрался на самый край верстака — осторожно, чтобы не потревожить механических жильцов под полотном. И... снял короб с насекомыми.

— Вот! — торжественно произнес он, спрыгнув на пол.

— Что это?

— Лёкин подарок для всех. Сюрприз.

Не стоит ждать никакого «потом»: страшно уже сейчас. Детский страх, смешанный с детским же любопытством, — именно это чувство испытала Полина, когда вгляделась в странную коллекцию. Пришпиленных булавкой насекомых было немного: два богомола (большой и маленький), жук-навозник, клоп-солдатик, бабочка-капустница, бабочка-огневка, кузнечик, стрекоза с ярко-голубыми пятнами на брюшке — *синее коромысло,* кажется, так она называется. «Синее коромысло» и богомолы (самец и самка), несомненно, являются украшением коллекции, остальные экземпляры не представляют никакого интереса.

Если отрешиться от надписей под ними.

Но надписи были: узкие полоски белой бумаги под каждым, обычно на них указывается название семейства, к которому принадлежат насекомые. Но вместо этого Полина увидела нечто другое: имена всех своих кузенов и кузин, написанные печатными буквами от руки.

М А Ш — самка богомола.

М И Ш — невзрачный богомол-самец.

Ш И Л О — жук-навозник.

Р О С Т И К — красно-черный клоп-солдатик.

Т А Т А — бабочка-капустница.

А Л Я — бабочка-огневка.

Л Ё К А — кузнечик с обломанными усиками.

Г У Л Ь К А — стрекоза «синее коромысло».

Не веря собственным глазам, Полина еще и еще раз перечитала надписи на полосках: так и есть, двоюродные братья и сестры перечислены. И не просто по именам — по своим *детским* именам и кличкам. Первый верхний ряд занимают МашМиш и Тата. Второй — архангельские Ростик и Шило. Третий — молодые киношники Аля и Гулька и примкнувший к ним Лёка. Но правильного квадрата все равно не получается, кое-что отсутствует. Вернее — кое-кто.

Сережа и она сама.

Хотя полоска с именем **Б Е Л К А** имеется. Во втором ряду, стык в стык с Шилом и Ростиком. Не нужно иметь семи пядей во лбу, чтобы предположить: подброшенная Полине «красотка-девушка» когда-то занимала место именно там. Вот что насторожило ее в первый визит: зияющие пустоты в коллекции. Но Полина во всяком случае хотя бы имеет представление о себе. А кем видится неизвестному коллекционеру Сережа? Тщательно выписанное имя, хотя оно и вынесено в четвертый — гипотетический — ряд, никаких справок не дает.

Или Сережа еще не пойман и не сыдентифицирован? Если так — слава богу, ведь короб с насекомыми под стеклом производит удручающее впечатление. Дурацкие булавки впились в высушенные, потерявшие первоначальный блеск и краски тела, — не вырваться, не шелохнуться. Во всем этом Полине чудятся отголоски древнего и опасного культа вуду, где вместо кукол задействованы живые существа. Когда-то живые.

— Белке нравится? — спросил Лёка.

— Ну... Скажем, я впечатлена. Ты сам собрал эту коллекцию?

Вместо ответа он растопырил пятерню и потряс ею перед Полиной:

— У Лёки толстые пальцы. Лёка бы не справился.

— Кто же тогда?

— Тайна.

— Тайна для Белки?

— Для Белки и для всех остальных.

— А для тебя... для Лёки — не тайна?

Лёкина ладонь немедленно сжалась в кулак, к одному кулаку прибавился второй, и дурачок поднес их к глазам. А потом ко рту, что должно было означать: если что-то видел и знаю — все равно не скажу. Так во всяком случае подумала Полина, но пойди разбери, что у Лёки на уме. И вряд ли из него удастся вытянуть какие-то дополнительные подробности. Разве что...

— Тот, кто собрал коллекцию, хорошо нас знает?

— Тот, кто собрал коллекцию, знает всё.

— Мы... знакомы с ним?

— Тайна.

— Лучше не спрашивать тебя?

— Не спрашивать.

— Тот, кто собрал коллекцию, Лёкин друг?

И снова Лёка поднес кулаки к глазам, а потом — к вискам, а потом неуклюже накрыл ими темя, как будто пытался защититься. И это напомнило Полине ее саму, совсем маленькую, когда достаточно было смежить веки, чтобы избавиться от мелких детских неприятностей: «не трогайте меня, я в домике!» Вот и Лёка воспользовался тем же немудреным приемом, и лучше не мучить его — все равно ничего не добьешься.

— Вот как мы поступим, Лёка. На время забудем о сюрпризе.

— Забудем?

— Да. Отложим для подходящего случая.

— Лёке хочется что-то сделать для Белки. Для остальных. Что-то приятное.

— У тебя еще будет возможность сделать что-то приятное, обещаю. А коллекцию лучше убрать от посторонних глаз.

— Убрать?

— Какой же это сюрприз, если кто-нибудь увидит его раньше времени? Я права?

— Да, — Лёкин голос прозвучал не слишком уверенно.

— Спрячем ее?

Лёка все еще колебался.

— Надеюсь, тот, кто собрал коллекцию, не рассердится? Если, конечно, он сейчас здесь... Он здесь?

Положительно, в Полине погиб великий психолог. Как лихо она прорубает русло, по которому должно устремиться утлое сознание дурачка, как ловко расставляет ловушки — в них мог попасться и более искушенный человек, чем Лёка. По неосторожности или от спеси, что неизбежно возникает, когда знаешь то, чего не знают другие.

— Он здесь?

Лёка зачем-то взглянул на циферблат часов и беззвучно зашевелил губами.

— Скоро появится? Дождемся его?

Лучше бы она этого не произносила. Лёкино лицо сморщилось, рот округлился и из него выползло уже знакомое Полине «Зимм-мам!».

— Не понимаю, о чем ты говоришь...

Неизвестно, чем закончился бы их разговор, если бы дверь в мастерскую не приоткрылась и в образовавшейся щели не показалась голова Ростика.

— Так и знал, что вы тут околачиваетесь! — воскликнул он и, не дожидаясь ответа, выпалил: — У нас несчастье. На Тату напали!

В первую секунду Полина даже не поняла смысл произнесенного корабельным механиком.

— Что значит — напали?

— Она жива, слава богу. Пойдемте быстрее.

За то время, что они шли к дому, Ростик успел вкратце рассказать о случившемся. Тату нашел Шило, отправившийся, по его словам, «прошвырнуться по окрестностям». И счастье, что ему пришло в голову сунуться на соседний участок. Расположенный справа от владений Парвати (если смотреть с дороги) участок был обнесен высоким глухим забором. Как там оказались оба — сначала Тата, а затем ее архангельский кузен, еще предстоит выяснить. А пока Ростик сообщил, что Тату ударили по затылку чем-то тяжелым и оставили возле небольшой, вырубленной в скале лестницы. Шило уже перенес пострадавшую в дом и успел оказать ей первую помощь.

— Она в сознании? — спросила Полина.

— В сознании, но очень слаба.

— Рана серьезная?

Ростик пожал плечами:

— Я не очень разбираюсь в таких вещах...

— Нужно вызвать врача, чтобы ее обследовать. И не только врача, но и полицию. Надеюсь, вы это уже сделали?

— Ну... Во-первых, у нас есть свой полицейский. А насчет врача... Тата сама сказала, что делать этого не стоит.

— Так и сказала?

— Да.

— Странно. А если рана серьезнее, чем она думает? И ситуация серьезнее, чем думаем мы все?

— Куда уж серьезнее, — после секундного молчания согласился Ростик. — И со связью лажа, с самого утра.

— Что ты имеешь в виду?

— Мобильный. Еще вчера все было нормально, а сегодня он перестал принимать сигнал. А у тебя все в порядке?

— Понятия не имею. Забыла свой в комнате. Вернемся — взгляну.

Конечно же, Полина вовсе не забыла его — оставила намеренно, чтобы хоть ненадолго отдохнуть от звонков: в иные дни телефон трезвонит едва ли не каждые пятнадцать минут. В конце концов, госпожа Кирсанова имеет право на десять дней отдыха, о чем и были оповещены ее работодатели. Все дедлайны отодвинуты на «после отпуска», а дела средней срочности можно решить и с помощью электронной почты. Примерно так думала Полина, справедливо рассудив, что Интернет проник даже в самое что ни на есть захолустье. А Южный берег Крыма по нынешним временам захолустьем не назовешь.

Но Интернета здесь не оказалось — она выяснила это еще вчера, по приезду. И не особенно расстроилась. Гораздо больше ее расстраивают события сегодняшнего дня. Сначала трудно объяснимый Алин припадок, теперь — нападение на Тату. Бабочка-капустница и бабочка-огневка не на шутку пострадали, и обе отказались от врачебной помощи, — ну что за видовое упрямство?

— Вообще-то телефоны не работают ни у кого, — добавил Ростик и кивнул в сторону террасы, где стояли, облокотившись на перила, МашМиш. — У них тоже. И у брата.

— А у тебя? — Полина обернулась к Лёке, вышагивающему сзади.

Вчера он разговаривал с Сережей, после чего сунул свою старенькую «Нокию» в чехол, прикрепленный к ремню, — Полина хорошо это запомнила. Но, вопреки ее ожиданиям, Лёка не потянулся к поясу: он остановился, склонил голову и переводил взгляд с Ростика на Полину и обратно. Быть может, он просто не понял вопроса?

— Где твой телефон, Лёка?

Ну, наконец-то! Дурачок приподнял свитер и расстегнул чехол: тот оказался пуст.

— Где твой телефон? Куда он подевался? — терпеливо повторила Полина.

— Телефон Лёке больше не нужен.

— То есть как это — «больше не нужен»? Он неисправен? Сломался, да?

— Больше не нужен.

— Раз он тебе не нужен — отдай его мне.

И снова Лёка ткнул пальцем в чехол, что должно было означать: *разве Белка ослепла и ничего не видит? Телефона нет, а на нет и суда нет.*

Обычно покладистый дурачок оказался строптивцем. Это вызвало у Полины приступ раздражения, и она решила прибегнуть к последнему — убийственному — аргументу:

— А если тебе вдруг позвонит Сережа? Что тогда?

Лёкино лицо сморщилось, как у резиновой куклы. Он дернул кадыком и медленно, с расстановкой, произнес:

— Сережа не позвонит. Сережа приедет. Сережа обещал.

— Сережа занятой человек. И обстоятельства у него могут измениться в любой момент.

— Сережа приедет, — строптивец продолжал стоять на своем. — Сережа обещал.

— Оставь его в покое, — посоветовал Ростик. — Если он что-то вбил себе в голову, этого и молотком не вышибешь.

— Хорошо, — нехотя согласилась Полина. — Мы еще вернемся к этому вопросу. Позже.

Это и впрямь был единственный выход из ситуации, тем более что вся троица уже приблизилась к террасе.

— Я ее и пальцем не трогала! — заявила Маш, как только Полина взбежала на крыльцо. — Я вообще никуда отсюда не отлучалась. Миккель может засвидетельствовать. И толстяк тоже. И вот он!

Кивок в сторону Ростика.

— Так и есть, — подтвердил корабельный механик. — Все мы были здесь.

— Что произошло?

— Понятия не имею. Тебе лучше узнать об этом из первых рук.

— Где Тата?

— Где же ей быть? У себя. И мент при ней. Должно быть, снимает показания.

Пройдя в дом и направившись к лестнице на второй этаж, Полина мельком взглянула на гостиную: стол с неубранной посудой и остатками еды, батарея бутылок у кресла. Одна из штор заляпана красным — скорее всего, вином; литографии и картины висят криво, как будто по комнате пронесся невидимый ветер, ящики комода кто-то выдвигал и не задвинул до конца. С тех пор как умерла Парвати, некому следить за порядком, а ее внуки — все до единого — ведут себя как дети. Дом стареет и приходит в запустение прямо на глазах, но детям на это наплевать.

Поднявшись на пролет, она едва не налетела на Шило, вид у парня был взъерошенный.

— Ростик тебе уже все рассказал? — вместо приветствия бросил он.

— В общих чертах. Но хотелось бы знать подробности.

— Мне бы тоже хотелось. Думаю, мы кое-что выясним, когда Тата придет в себя.

— Как она себя чувствует?

Шило хмыкнул:

— А как бы ты себя чувствовала, если бы кто-то оглоушил тебя по голове?

— Я сказала глупость. Прости. Поднимусь к ней.

— Не стоит.

— Еще одна глупость, — Полина пожала плечами. — Думаю, Тате будет легче, если кто-то побудет рядом...

То, что произошло секундой позже, изумило: Шило больно схватил ее за локоть и шепнул:

— Я сказал — не стоит.

— Почему ты мне указываешь, что делать? Кто ты вообще такой?

— Вообще-то я — полицейский. А уже потом все остальное.

— Ах да, — Полина попыталась вырваться из цепких пальцев Шила. — Я и забыла.

— Считай, что я напомнил тебе об этом. Я — полицейский. И сейчас занимаюсь тем, что провожу следственные действия.

— Отпусти меня. Иначе придется пожаловаться твоему начальству, что ты превысил полномочия. Не зачитал мне мои права, не дал совершить звонок адвокату... Ну и далее по списку.

— Увлекаешься американскими сериалами про копов? — буркнул Шило, но хватку все же ослабил.

— Нет, — Полина потерла локоть. — Просто пытаюсь понять, что произошло. Что вообще происходит.

— Тут мы с тобой совпали, детка.

Детка, ну надо же! Кем он себя вообразил, этот провинциальный недомерок? Мелкое воровство в супермаркетах и поножовщина на дискотеках в сельском клубе — его потолок, судя по простецкой физиономии. Это не Полина увлекается полицейскими сериалами — он сам, вот и решил изобразить из себя крутого.

— Наверное, тебе нужно выяснить, где я находилась в момент, когда было совершено нападение, —

Полина вложила в эту фразу всю иронию, на которую была способна, но Шило не почувствовал ее. Он достал из кармана маленький растрепанный блокнот и огрызок карандаша:

— Так где ты находилась в момент, когда было совершено нападение?

— Ты серьезно?

— Абсолютно.

— Ну, хорошо, — мрачная сосредоточенность недомерка забавляла Полину. — Все это время я была с Лёкой в его мастерской. А до этого — в гостиной, с остальными. А до этого — с тобой во всё той же мастерской. И из дома мы ушли вместе, если ты помнишь. Я даже в туалет не отлучалась, ни минуты не оставалась одна. Такие показания тебя устроят?

— Вполне, — на лице Шила мелькнула извинительная улыбка. Мелькнула — и тотчас же исчезла. — Но я ни в чем тебя не подозревал с самого начала. Это всего лишь формальность.

— Ну да.

— Я должен опросить всех. Такая у меня работа.

— Но сейчас ты не на работе, не так ли? И, кстати, где был ты сам? Почему ты вдруг оказался на том участке? Или мне не положено задавать подобные вопросы?

Шило мог бы рассмеяться в ответ — и тогда бы все свелось к невинной шутке. Но он неожиданно смутился и промямлил:

— Э-э... Я просто осматривал окрестности. Это не запрещено.

Конечно, не запрещено, *детка*. В прогулках у моря нет ничего противозаконного, ничего такого, что могло бы насторожить. Настораживает лишь неуместное для представителя правоохранительных органов смущение.

— Кажется, я говорил тебе, что собираюсь разведать обстановку, нет? И хорошо, что я там оказался. Иначе бог весть, что случилось бы с Татой.

— С ней уже что-то случилось, — резонно заметила Полина. — И я могла бы прояснить ситуацию быстрее, чем ты. Мне она доверяет.

— Когда это вы успели сблизиться? Может, вы не теряли друг друга из виду все эти годы? Ездили в гости, да? Висели часами в Инете, делились всякими женскими тайнами?

Шило уже преодолел возникшую было неловкость и теперь откровенно насмешничал. Это разозлило Полину, оттого она и сказала:

— Может быть.

— Мы оба знаем, что это не так.

— Ты волен думать все, что угодно. Но альбом с фотографиями она отдала мне. Никому другому.

— Сдаюсь. Ты сможешь поговорить с ней, только позже. А сейчас я собираюсь обследовать место происшествия. Составишь мне компанию?

Любопытство взяло верх, и Полина немедленно согласилась. А визит к Тате можно отложить и на потом, тем более что она находится здесь, в доме Парвати, в окружении пусть и не близких, но родственников. Следовательно, никакая опасность ей больше не грозит.

Через пять минут они оказались у высокого каменного забора метра в три высотой. Шило уверенно протрусил мимо железных ворот и калитки со впаянным в нее латунным украшением в виде женской руки — такие Полина видела в старых кварталах Барселоны и Валенсии. Что-то вроде импровизированного дверного молотка, функциональность которого в свете современных технологий стремится к нулю. Но смотрелась рука красиво — гораздо красивее, чем стандартное переговорное устройство справа от калитки, на уровне глаз.

— Чей это дом?

— Понятия не имею. Чей-то, — бросил неугомонный архангельский братец. И, прибавив шаг, скрылся в зарослях кустарника, растущего в самом конце стены.

Полина последовала за ним и спустя секунду пожалела, что вляпалась в довольно сомнительное предприятие: кустарник оказался колючим, под ногами чавкала грязь — того и гляди поскользнешься и рухнешь на землю.

— Я здесь! — раздался где-то неподалеку голос Шила. — Не отставай.

Спустя секунду она увидела небольшой пролом в казавшейся монолитной стене и мимоходом удивилась: как об этом злосчастном проеме могли пронюхать Шило, а до этого — Тата? Со стороны дороги его не разглядеть, мешают тесно переплетающиеся ветки с колючками едва ли не в два сантиметра длиной — надо бы в следующий раз сфотографировать заросли на общем и крупном плане, чтобы потом идентифицировать растение в Сети.

Еще одно бесполезное знание.

А о том, что привело сюда Шило, она сможет узнать уже сейчас. Если, конечно, тот захочет объясниться. Рассказать, что толкнуло его в объятья совсем недружелюбного кустарника.

За проломом в стене обнаружился сад, чем-то неуловимо напоминающий сад Парвати. Разве что не такой старый. Здесь отсутствовали лишь виноградник и грядки с помидорами, а кипарисовую аллею с успехом заменили два ряда молодых туй, высаженных вдоль дорожки, которая вела к воротам. Все остальное было в наличии — персики, сливы, айва. Имелся даже колодец, гораздо более презентабельный, чем колодец Парвати: вместо деревянного сруба — цементное основание, обложенное плиткой. Но главным украшением участка, несомненно, был дом. К его строительству приложил руку толковый архитектор, неплохо разбирающийся в средиземноморских виллах; собственно, дом и был копией такой виллы — массивной, но не лишенной изящества.

Очевидно, вилла появилась здесь в последнее десятилетие, вместе с каменной оградой и латунной женской кистью. Тогда же были высажены туи и разбиты цветники, окружавшие открытую террасу. Судя по антуражу, неизвестный Полине владелец виллы собирался жить здесь постоянно, но что-то не сложилось. Что-то пошло не так.

Ничем другим не объяснить едва уловимый дух запустения, который царил здесь. Цветочные клумбы утыканы рыжеватыми безжизненными стеблями, под деревьями валяются полусгнившие плоды. Дорожка между туями засыпана листвой. Широкие — в пол — окна первого этажа скрыты за броней железных жалюзи, а входная дверь потемнела и пошла трещинами от времени.

Не самое веселое место, да.

— Не самое веселое место, — задумчиво произнесла Полина.

Все ее попытки вспомнить, что было здесь, под боком у Парвати, двадцать лет назад, не увенчались успехом. Она во всех подробностях могла воспроизвести дорогу к морю. И улицу, ведущую в центр маленького поселка, — каждую ограду на ней и едва ли не каждую калитку. Но все, что касается этого места...

Сплошное черное пятно.

Шило между тем обогнул террасу и направился в дальний угол сада.

— Осторожнее, тут бассейн, — крикнул он. — Не свались!

Похвальная предупредительность, хотя Полина и сама уже увидела широкий прямоугольник бассейна, облицованный той же плиткой, что и колодец в противоположной стороне участка. Кое-где под воздействием солнца и дождей бортики его начали осыпаться, а на забросанном листьями дне стояли лужицы. Но ни листьям, ни лужам не под силу было скрыть рисунок —

огромная голова Медузы Горгоны.

Голова занимала центральную часть бассейна и выглядела до жути натуралистичной. Очевидно, плитку, которая пошла на ее создание, делали на заказ. И справились с заказом на твердую пятерку с плюсом: змеи, копошащиеся в волосах горгоны, пугали так, как будто были настоящими. Полина простояла у края едва ли не минуту, не в силах отвести глаз от перекошенного яростью и болью лица. Представить себе, что кто-то барахтается здесь, в воде, под леденящим душу взором героини античного мифа, — невозможно. Немыслимо.

У хозяина дома и бассейна, кем бы он ни был, все в порядке с нервами. Или — не все в порядке с головой.

— Ты это видел? — спросила Полина у Шила.

— Что именно?

— Медузу Горгону. Там, в бассейне.

— Тетка со змеями вместо волос?

— Да.

— А я не мог вспомнить, как ее зовут. Горгона, точно. Чистая ведьма.

— Странное место. Странный дом.

— Хочешь поговорить об этом?

— Хочу побыстрее отсюда убраться.

— Придется подождать.

— Но сначала объясни, что привело тебя сюда?

— Будем считать, что интуиция, — осклабился Шило.

— Я серьезно.

— И я.

Конечно же, он что-то недоговаривал. Темнил. И некому было сказать ему: «Ты врешь, прохиндей!» Право на это имела лишь Парвати, но Парвати умерла.

— Я не помню, что было здесь раньше. На месте этого дома. А ты?

— Ничего особенного тут не было, — Шило неопределенно пожал плечами. — Заброшенный участок с халупой посередине. А в халупе жил какой-то дедуган. Я пару раз сталкивался с ним, но без последствий.

— Лазал по чужим садам? — понимающе улыбнулась Полина.

— Можно сказать и так. Что еще делать малолетнему пацану?

— Ты уже давно вырос.

— Есть такое. Но вот... решил вспомнить детство.

— Поэтому заглянул сюда?

— Почти. Когда-то здесь был спуск к воде. Тропа. О ней я и подумал сегодня. Все остальное — дело техники.

— А... если бы не было этого пролома?

— Он есть, как видишь.

— И ты сразу нашел его?

— Почти. Говорю же — интуиция.

— Хозяин дома не обрадовался бы такому вторжению.

— Хозяина нет. Я такие вещи сразу просекаю. То есть... он, конечно, есть. Гипотетически. Окопался где-нибудь в Лондоне... Или в Монако.

— С чего ты взял?

— Богатый домишко. И построен с размахом. Человеку без достатка такое предприятие не осилить.

— Не вижу логики. Стоит ли выстраивать хоромы, чтобы потом бросить их на произвол судьбы?

— Можешь проконсультироваться у нашего миллионера, когда он приедет. Насчет логики и всего остального.

Конечно же, Шило имел в виду Сережу. Но имени двоюродного брата вслух не произнес. Да и говорил о нем со скрытым презрением, что совсем не понравилось Полине. Подобные недобрые чувства — следствие обычной зависти неудачника к успешному человеку. То же испытывала к Сереже и Маш, и наверняка все остальные. И лишь Лёка по-настоящему любил его. Но любовь деревенского дурачка ничего не стоит. И ее, Полинина, любовь не стоит. Иначе Сережа давно был бы здесь. Иначе он приехал бы в Питер десять лет назад, пятнадцать. Или написал бы ей ободряющее письмо и просто позвонил. Не исключено, что он платит своей многочисленной голоштанной родне той же монетой — презрением. Но, скорее всего, даже на это Сережа не затрачивается. Для него все они — насекомые. Бабочка-огневка, бабочка-капустница, пара богомолов и клопы-солдатики. Есть еще стрекоза *красотка-девушка,* но пожертвовать ею оказалось легче всего.

Кто же собрал ту проклятую коллекцию?

— ...Вот здесь я ее нашел.

Это была небольшая смотровая площадка, скрытая от посторонних глаз левым крылом дома. А сам дом застыл метрах в десяти от обрыва, откуда открывался потрясающий вид на море. Еще одна терраса — точная копия выходящей в сад — заканчивалась невысокой балюстрадой, но подойти к ней и заглянуть вниз у Полины не хватило духу. Как не хватило духу приблизиться к площадке, на которой стоял теперь Шило.

— Так что тут произошло? Ты примерно представляешь?

— Скорее всего, она смотрела на море. И кто-то приблизился к ней и ударил по затылку чем-то тяжелым. Вот только...

— Что?

— Не могу взять в толк, как ему удалось проделать все это незаметно.

— Не понимаю, о чем ты?

— Галька. Все дорожки здесь посыпаны галькой.

Полина взглянула себе под ноги: так и есть, галька повсюду. Каждый шаг приводит камешки в движение, они скрипят и трутся друг о друга. Не услышать этот шум невозможно.

— Ну-ка, пройдись! — скомандовал Шило, повернувшись к Полине спиной. — Только постарайся не шуметь.

— Мне пройтись на цыпочках?

— Валяй на цыпочках.

Полина в точности выполнила все указания брата, но после того, как она преодолела первые несколько метров, Шило воскликнул:

— Я все слышу!

— Слышишь, потому что хочешь услышать. Потому что знаешь — я захожу тебе в тыл.

— Даже если бы не хотел, все равно бы услышал.

— Может быть, Тата задумалась? — высказала предположение Полина. — Смотрела на море и думала о чем-то своем. Вот и не заметила, как приблизился... тот человек.

— Я не знаю, кем нужно быть, чтобы крепко задуматься, стоя под проливным дождем.

Дождь! Его-то Полина и не учла, а ведь он закончился не так давно. А до этого лил с разной степенью интенсивности весь вечер и всю ночь. И утру тоже досталось. Только сумасшедший сочтет такую погоду поводом для пешей прогулки — ведь речь идет не о теплом летнем дожде.

О муторном и неприкаянном осеннем.

Но разве эта сыплющаяся с неба неприкаянность могла остановить Тату? Вчера она тоже шлялась под дождем, и никаких неудобств это ей не доставило.

— ...Нужно быть Татой. Она странная. Не от мира сего.

— А другие определения у тебя есть? — неожиданно спросил Шило.

— Что ты имеешь в виду?

— Ну-у... Странный дом, и его хозяин тоже странный. Теперь и Тата странная.

— Что поделаешь, если странностей здесь хватает? — пожала плечами Полина.

— Тут ты права. А знаешь, какая странность главная?

— Просвети.

— Та скотина... которая напала на Тату... Она не оставила следов. Никаких. Иди-ка сюда.

Через мгновение Полина оказалась рядом со смотровой площадкой. Особо здесь не разгуляешься — всего-то метра три в длину и два в ширину. Еще около метра скрадывала мраморная скамья, идущая по всему периметру площадки. Дорожка заканчивалась прямо перед ней, и гальку сменили такие же мраморные, грязно-белые плиты. Они не были идеально ровными: кое-где в выбоинах скопилась дождевая вода. Кроме того, Полина заметила комки глины. И нечеткие отпечатки маленьких и больших подошв.

— Вот же они, следы!

— Да. Но это — не *те* следы. Те, что поменьше, — Татины.

— А вторые?

— Мои, — помявшись, тихо произнес Шило. — Пришлось нагадить, иначе ее было не вытащить. Но когда я подошел, когда увидел ее... никаких других следов не было. Можешь мне поверить. Память у меня фотографическая, фиксирует любые мелочи. А следы — не мелочь. О чем говорят нам Татины отпечатки?

— О чем?

— Она пришла сюда так же, как и мы, — через пролом. Глина — оттуда, из зарослей. Здесь, у края, она стояла. Довольно долго.

— Откуда ты знаешь?

— Окурки! Тата курит сигареты «Эссе Филд». Такие... тонкие.

— Ты и это заметил...

— Говорю же! Фотографическая память, —

Шило самодовольно улыбнулся, присел на корточки и достал из кармана маленький прозрачный пакет.

— Здесь их четыре. Все — от «Эссе Филд». Сколько нужно времени, чтобы выкурить четыре сигареты почти что до фильтра?

— Понятия не имею. Я некурящая.

— Допустим, около пяти минут, если не выпускать их изо рта. А если курить одну за другой, без всякого перерыва... Сколько получается?

— Двадцать.

— Что мы в таком случае имеем? — Шило один за другим поднял измочаленные окурки и сунул их в пакет. — Как минимум двадцать минут она стояла здесь под проливным дождем и дымила.

— Не очень представляю, как можно дымить под проливным дождем...

Где-то внизу шумело море, но шум его был монотонным и совсем неявным. Во всяком случае, он не солировал, а лишь оттенял скупую партитуру тишины. Изредка ее нарушало одинокое и робкое потрескивание веток в саду — никаких других звуков не было. Выходит, Шило прав: добраться до смотровой площадки незамеченным, *неуслышанным* — невозможно. Если только...

— Он мог прийти и не по дорожке. Тот, кто напал на Тату, — сказала Полина. — Подойти сюда справа или слева. Вот почему она не слышала шагов.

Шило, который высматривал что-то под скамьей, даже не обернулся:

— Исключено.

— Почему исключено?

— Посмотри внимательнее на участок. Что ты видишь?

— Ничего особенного. Дом. Террасу. Бассейн, — послушно принялась перечислять она. — Кусочек сада с деревьями...

— Вот! И между домом, бассейном и садом — открытое пространство. Земля влажная и глинистая. Кое-где она присыпана щебнем, но это мелочи. А теперь скажи, чего ты не видишь?

— Не понимаю тебя...

Полина и впрямь не понимала, чего добивается от нее архангельский Шерлок Холмс. Вот дом с плотно закрытыми жалюзи на окнах, вот терраса с несколькими — поставленными друг на друга — плетеными стульями. Вот несколько деревьев — они выглядывают из-за угла, таращатся на мир круглыми глазами переспевших, никому не нужных плодов. Вот прямоугольник бассейна. А между всем этим — прямые, как стрелы, галечные дорожки. Скукоженная листва на земле. Всё.

Ах да, еще огромные непросохшие лужи. И общее ощущение неухоженности. Если архитектор, построивший виллу, справился со своим заданием на отлично, то ландшафтный дизайнер явно подкачал. Не додумался даже до альпийской горки. Его хватило только на то, чтобы проложить дорожки и разбить цветники перед домом. А может, у него не было времени, чтобы устроить все по уму. Но вряд ли неугомонный провинциальный полицейский хотел обсудить с Полиной особенности ландшафта.

— Если бы тот, кто напал на Тату, подошел справа или слева, как ты предположила... не по дорожке... он обязательно оставил бы следы! — Шило торжествовал. — А никаких следов на земле нет. Теперь понимаешь?

— Их мог смыть дождь, — подумав, возразила Полина.

— Говорю же — земля слишком мягкая. Глинистая. Попробуй пройтись по раскисшей глине — сплошная морока! Увязнешь по самую щиколотку. Из-за дождя четких отпечатков может и не остаться, но их общие очертания все равно должны сохраниться. Я прав?

— Возможно.

Полина еще раз оглядела прилегающее к площадке пространство. Следы все же были — но птичьи: несколько цепочек шло от бассейна к ближайшим деревьям. Скорее всего, птицы появились здесь уже после дождя. И, кроме них, никто больше не тревожил размякшую от влаги землю.

— А Тата? Что она говорит?

— Она никого не видела. Не слышала, чтобы кто-то подходил к ней. Почувствовала только удар, страшную боль в затылке, а дальше — темнота.

— Не мог же нападавший материализоваться из воздуха? — Полина пожала плечами.

— Мне такие случаи неизвестны.

— Кому понадобилось нападать на невинного человека? Да еще средь бела дня. У нее... ничего не украли?

— А нечего было красть. Никто не берет с собой деньги и ценности, отправляясь на прогулку.

— Какая-то бессмыслица. Это место казалось мне самым тихим на свете. Самым спокойным. Рай на земле.

— Неужели? — Шило пристально взглянул на Полину. — Неужели ты все забыла?

Она выдержала взгляд и с горечью произнесла:

— У меня было гораздо больше поводов, чтобы забыть, чем у тебя. Чем у всех остальных.

— Прости.

— Ничего.

Снова начал накрапывать дождь, и Полине захотелось уйти отсюда. Вернуться в дом Парвати, а еще лучше — уехать прочь, первым поездом, первым самолетом, в такой понятный и безопасный Питер. Люди, которые окружают ее сейчас, — в сущности совершенно чужие, несмотря на номинальное родство. И, если бы не смерть бабушки, вряд ли все двоюродные братья и сестры собрались бы вместе. И вообще когда-нибудь увидели друг друга.

Стоп-стоп. Парвати и ее завещание. Имущество достанется лишь тому, кто будет присутствовать у нотариуса. Быть может, именно с этим связано нападение на Тату?

— Ты подумала о том же, что и я? — неожиданно спросил Шило.

— Я подумала о завещании.

— Да. Вывести из игры слабонервных дамочек. Сначала актрисуля, затем наш доморощенный экстрасенс, который всех здесь достал своими мутными откровениями... Возможно, пуганут кого-нибудь еще.

— Хорошенькое «пуганут». Человек едва жизни не лишился.

— Но ведь не лишился же! Да и я вовремя подоспел. Думаю, на Тату напали за несколько минут до этого.

— Не сходится, — покачала головой Полина.

— Что не сходится?

— Тот пролом в стене — единственный путь сюда?

— Других я не знаю.

— Ты говорил о спуске к морю. Вроде бы он был здесь...

— Теперь все изменилось. Мы стоим ровно на том месте, где он начинался. А теперь его нет. Новый хозяин дома все перестроил.

— В таком случае... Если речь идет о нескольких минутах... Ты не мог не встретиться с налетчиком. Возле пролома или на улице...

— Никого я не видел, — Шило досадливо поморщился. — Ни одной живой души. За эти три дня мне вообще никто на глаза не попадался, кроме драгоценных родственников.

— Тебе не кажется, что это странно? Сначала все эти сюрпризы под подушкой, потом Аля с ее обмороком, теперь вот Тата. И никаких концов не найти.

— Может, мы просто не там ищем?

— А сам-то ты знаешь, где искать?

— Пока размышляю над этим, — к Шилу вернулась его обычная самоуверенность. — Но на традиционный для следствия постулат «ищи, кому выгодно», вырисовывается довольно оригинальный ответ...

— Какой же?

— Выгодно всем нам.

— Чушь! — возмутилась Полина. — Как мне... или Ростику, или Гульке, или несчастному Лёке может быть выгодно несчастье с Татой?

— Что, если она, оклемавшись, захочет убраться отсюда? Не дожидаясь дележки имущества. Одним соискателем станет меньше, нет?

— Ты это серьезно?

— Шучу. Будем исходить из того, что все мы — благородные и совестливые люди, а не какие-нибудь охотники за дармовым наследством. И что все мы — худо-бедно — братья и сестры. Родная кровь. Но лучше нам держаться вместе. Приглядывать друг за другом. Чтобы не возникало лишних подозрений.

— Я никого не подозреваю.

И снова в глазах Шилу зажегся уже знакомый Полине недобрый огонек. И снова она подумала о том, что совершенно не знает этого молодого мужчину с бугристым лбом и крепкими кулаками. Если теория о том, что преступники и люди, которые их ловят, представляют собой один психологический тип, верна, то бежать от него нужно уже сейчас. По раскисшей глине, не разбирая дороги. И не в сторону дома Парвати — прямо в противоположную. Туда, где находятся вокзалы и аэропорты, и масса людей, среди которых можно затеряться. Вся история с внезапным нападением на Тату оставляет больше вопросов, чем ответов. И строится лишь на рассказе самого Шила, но что бы сказала Тата?

Именно Шило не пустил к ней Полину.

И о состоянии маленькой художницы известно лишь то, что ее жизни ничто не угрожает. Но ведь Шило не врач, и его наспех поставленный диагноз не стоит ровным счетом ничего. Когда Полина столкнулась с ним на лестнице, он выглядел не просто озабоченным, — взволнованным и немного суетливым, как человек, который явно пытается что-то скрыть.

— Я бы хотела вернуться к Тате.

— Да, — Шило все еще не сводил с кузины пристального взгляда.

— Ты останешься здесь или пойдешь со мной?

— Все, что мне нужно было увидеть, я увидел.

— Тогда возвращаемся?

Он кивнул и первым покинул смотровую площадку. Полина двинулась следом. По дешевой спортивной куртке Шила колотили дождевые капли, вспыхивая в неверном свете дня яркими точками. Ткань перестала походить на ткань — теперь она больше всего напоминала доспехи. Или — панцирь. Или... жесткие, сведенные вместе крылья.

Жук-навозник.

Жук-навозник из коллекции, впопыхах оставленной Полиной в мастерской. Кем бы ни возомнил себя Шило, кем бы ни считали себя все остальные, они — лишь насекомые, пригвожденные булавками к плотному картону. Они не представляют никакой опасности и не в состоянии сдвинуться с места до тех пор, пока владельцу коллекции не придет в голову снять их. Какой будет их дальнейшая судьба — неизвестно.

Мысль о таинственном коллекционере не покидала Полину. Лишь единожды она обернулась, чтобы взглянуть на виллу. И только теперь увидела ее название, выложенное испанской разноцветной плиткой прямо над входом:

MARIPOSA

Бабочка. Странное, безыскусное имя для такого большого и богатого дома. Интересно, какая бабочка имелась в виду? Бабочка-капустница, бабочка-огневка? Или что-нибудь экзотическое, с размахом крыльев в двадцать сантиметров?

У самого пролома Шило, словно вспомнив, что он не только полицейский, но и мужчина, галантно подал ей руку. Рука оказалась мягкой, почти безвольной. Едва продравшись сквозь кустарник и выйдя на дорогу, они нос к носу столкнулись с Ростиком.

Гонцом, от которого не приходится ждать хороших вестей.

Вот и на этот раз весть оказалась дурной:

— Где вы ходите? — крикнул Ростик. — Аля исчезла!..

Часть вторая
УБИЙЦЫ

Август. Белка

...Бухта оказалась странно пустынной в этот час. Метрах в трех от воды лежал баракан, находящийся в пользовании МашМиша, а их самих как ветром сдуло. Поначалу Белка подумала, что они купаются, но морская гладь была чиста. МашМиш — не такие уж классные пловцы, чтобы устроить заплыв на километр или два. Обычно они торчат у берега — там, где вода доходит им едва ли до плеч, и бестолково машут руками, имитируя стиль «баттерфляй». Изредка Миш подныривает под сестру, и тогда Маш визжит так, что слышно не только в окрестностях поселка, но даже в Турции. Но сейчас никто не сотрясает воздух криками. Одно из двух: либо МашМиш утонули, либо...

Скалы вокруг бухты здорово сужают обзор!

Если стоять наверху, у самого начала тропы, видно почти все побережье, а здесь — только линию горизонта, с двух сторон ограниченную нагромождением камней. Но Белка знает: за скалами слева берег чуть более пологий, там построены мостки, с которых ловят рыбу местные мальчишки и примкнувшие к ним Ростик и Шило. А скалы с правой стороны — лишь начало угрюмой гряды, самой настоящей «мертвой зоны» — ни пляжей, ни бухт в этой части нет. Разве что несколько гротов, вода из них не уходит никогда — так, по крайней мере, утверждает Шило, все здесь облазивший.

Чтобы чем-то занять себя, Белка решила поискать куриных богов — маленькие плоские камешки с дыркой. Если найти такой камешек и повесить себе на грудь — исполнение желаний обеспечено. Один камешек — одно желание, а у Белки их, как минимум, пять. Три из них связаны с Сережей, одно — с папиным врагом Муравичем (чтоб он под землю провалился!), еще одно — с Астой.

Возвращайся быстрее, Аста!

Нет-нет, отношение к русалке-оборотню у Белки не изменилось, но Сережа явно расстроен ее отсутствием. И Парвати расстроена, так что Асте лучше не задерживаться там, где она сейчас находится.

Девочка копалась в гальке довольно долго, но найти удалось всего лишь одного куриного бога не слишком впечатляющей внешности. Да и дырка в нем была едва ли не посередине, что существенно осложнит ношение камешка в будущем. Белка поднесла камень к глазам и посмотрела сквозь него на солнце и тихо произнесла: «Пусть Сережа уедет со мной в Ленинград».

Ах, почему она не сказала — «Пусть Аста вернется»?

Ничего бы это не изменило, но хотя бы ее не мучила совесть — потом, когда лето обернулось кошмаром. Но до кошмара оставалось еще немного времени, главное желание было загадано, и Белка с чистым сердцем переключилась на мелкие раковины, из них получаются восхитительные браслеты и ожерелья. В кармане ее платья уже лежало штук десять — одна к одной — ракушек, когда она увидела маленькую пластмассовую фигурку шахматного коня.

Такую маленькую, что найти ее можно было лишь случайно. Такую маленькую, что ее нельзя было не найти — потому что с этой минуты рок взял Белку за руку и потащил по дороге, на которую она ни за что не вступила бы сама. Но в тот момент Белка ничего не знала о роке, она просто подняла фигурку и удивилась: с каких это пор Лазарь стал разбрасываться шахматами?

Лазарь.

Вот та самая недостающая деталь в пейзаже с расщелиной! Есть немаленькая вероятность, что дурные слова об Асте в исполнении МашМиша слышала не только Белка, но и паучок-кругопряд, вечно возникающий ниоткуда. Белка почти уверена — так оно и было! В тот день она заметила Лазаря в самый последний момент, а МашМиш могли и вовсе не заметить.

Лазаря нужно немедленно найти!

Если шахматный конь у нее в руках, то и его владелец должен быть неподалеку. Хотя, конечно, все это странно: Лазарь не расстается со своими шахматами ни на минуту, как же он прошляпил коня? Потом Белка вдруг подумала о том, что Лазарь не попадался ей на глаза с прошлого вечера. К завтраку он не явился так же, как и Аста, но никто этого не заметил: все были озадачены отсутствием более яркого светила на семейном небосводе. Впрочем, это вполне объяснимо: о *не-пришей-кобыле-хвост* забывали и раньше, никуда он не денется — возникнет в самый последний момент и займет самое неудобное, самое неприметное место за столом.

Может быть, Белка что-то путает, и она видела Лазаря сегодня?

Нет.

— Эй, Лазарь, ты здесь? — громко позвала она.

Ответа не последовало. Но на подмогу к взятому в плен шахматному коню поспешила пара пешек. Первую Белка обнаружила неподалеку от коня, вторую — чуть дальше, на большом плоском камне. Одной своей половиной камень сидел в воде, и это была не самая приятная половина, обросшая длинной зеленой бородой. Белка встала на камень, пробуя его на прочность: камень даже не шелохнулся. Осмелев, она сделала шаг вперед и заглянула в воду: в бороде из тины запуталось еще несколько фигур, черных и белых вперемешку. Вода, словно гигантская линза, увеличила их в размерах — пусть и ненамного, но Белке они показались огромными: совсем как в недавнем сне о ковровой лавке. На секунду ей стало страшно, и она снова позвала Лазаря. Голос ее был слишком тих, чтобы Лазарь мог ее услышать, чтобы ее мог услышать хоть кто-нибудь.

Паучок-кругопряд просто потерял шахматы, — подумала она. И не захотел лезть в воду, чтобы собрать их, Лазарь — известный трусишка, а может, просто не умеет плавать. Он не умеет плавать — вот и объяснение, ведь Белка никогда не видела его купающимся. Сидящим на берегу, в тени обрыва, — видела, но в море он не суется. Он не ходит босиком, хотя все остальные с удовольствием сверкают голыми пятками в саду. У Лазаря — коричневые сандалии и немаркие носки. Он носит синие выцветшие шорты, которые иногда меняет на зеленые — такие же выцветшие. У Лазаря есть футболка со львенком и черепахой из мультфильма, а еще — с волком и зайцем «Ну, погоди!», а еще —

клетчатая рубашка, которую он надевает по вечерам; как много, оказывается, Белка знает о Лазаре! Но она не знает главного —

куда он подевался?

На всякий случай Белка повертела головой в поисках Львенка и Черепахи. И коричневых сандалий. Но кроме бабкиного баракана, темным крылом распластавшегося в левом конце бухты, никаких вещей не было. Значит, Лазарь не раздевался и в море не заходил. Можно, конечно, собрать шахматы и отправиться наверх, в дом. И, не поднимая лишнего шума, поискать Лазаря там. Можно рассказать обо всем Сереже... Хм-м... Обо всем — это о чем? Что она нашла шахматные фигурки на пляже? Сереже сейчас не до фигурок, Парвати — тоже, что же делать?..

Белка и сама не заметила, как перескочила с бородатого камня на другой, такой же бородатый и почти полностью погруженный в воду. Вода приятно холодила пальцы, а-а, вот и еще один конь! Девочка неожиданно почувствовала себя охотником, идущим по едва заметному следу. От того, насколько ловким и зорким будет охотник, зависит жизнь Львенка и Черепахи. Они попали в переплет, помощи ждать неоткуда, все надежда на смелого и ловкого следопыта, *держитесь, зулейки, помощь идет!*

История про Львенка и Черепаху так увлекла Белку, что она запрыгала по камням еще быстрее. Теперь уже ясно, что шахматное войско Лазаря разбрелось по всей бухте, и задача Белки — собрать всех. И солдат, и генералов, и их адъютантов — захватить в плен, а потом потребовать выкуп. Какой — Белка еще не придумала, да и шахматы совсем не главная задача, второстепенная...

Вот и очередная фигурка!

Их было уже девять, учитывая те, что она выцарапала из зеленой бороды. Сколько еще нужно собрать — десять, двадцать? Фигурки не хотят отпускать Белку, заманивают все дальше и дальше — в «мертвую зону», где нет ни пляжей, ни бухт, только камни, подпирающие отвесные скалы. Некоторые из них — большие, там может поместиться не только Белка, но и Сережа со своими книжками. Жаль, что расстояние между ними с каждый разом увеличивается, чтобы попасть с одного островка безопасности на другой, приходится идти по цепочке маленьких и не очень устойчивых камней. Некоторые из них вовсе не голыши, а самые настоящие губчатые ракушечники, и Белка всякий раз рискует порезать ступню, а то и вовсе свалиться в воду. Она такая прозрачная, что видны все камни и камешки, а самого дна — не видать. В воде Белкой были замечены несколько мальков, синюшная дохлая медуза и сланец на правую ногу. Судя по размеру, он принадлежал какому-то взрослому и не слишком аккуратному человеку —

ведь второго-то, на левую, нет!

Один раз Белка оступилась и шлепнулась в воду, больно ударившись коленкой. Куриный бог, раковины и несколько шахмат вывались из кармана и погрузились в глубину. Как зачарованная, Белка смотрела на это погружение. Первым исчез куриный бог — большая каменная семья приняла беглеца с распростертыми объятьями и поспешила укрыть от Белкиных глаз. С раковинами все тоже худо-бедно образовалось, и лишь фигурки из пластмассы остались неприкаянными. Наверное, их можно достать, но для этого придется поднырнуть под камни, что само по себе вещь неприятная — вдруг новоявленного следопыта утянет на дно? Или он расшибет себе голову о непрошенных защитников куриного бога?

Стесанного колена вполне достаточно.

Падение отрезвило Белку и заставило по-новому взглянуть на ситуацию. Несчастные Львенок и Черепаха существуют лишь в ее воображении, всех шахмат не соберешь, как ни старайся. Тем более что солнце давно ушло за скалы; сейчас оно освещает сад, яблони и кипарисовую аллею, приправленную лавром. А здесь лежит сумеречная тень, да еще море издает странные звуки, что-то вроде: *ууух-х, баам-м, буу-уль.*

Нужно возвращаться.

Белка взобралась на еще хранивший солнечное тепло валун, оглянулась назад и даже присвистнула: скала, за которой пряталась бухта, слишком далеко. Как она умудрилась проскакать по камням такое расстояние и не заметить этого? Колено болело, иссеченные ракушечником ноги мелко подрагивали, мокрое платье липло к телу и стесняло движения. Если она отправится в обратный путь, не передохнув, — точно не дойдет!

Больше всего Белке хотелось, чтобы за ней приплыл корабль — прямо сейчас, сию минуту. Но не тот, который взял на борт Деда и — возможно — Самого старшего и Самую младшую. Совсем другой — как в книжке про алые паруса. Впрочем, цвет парусов неважен, и их наличие тоже не имеет принципиального значения. Главное, что на носу корабля стоит Сережа, и зеленые кузнечики резвятся в его волосах. Корабль сопровождают веселые дельфины, резвящиеся не хуже кузнечиков, а Сережа протягивает к Белке сильные руки и улыбается...

Так, сладко мечтая о Сереже, Белка задремала. А когда очнулась — мир вокруг нее неуловимо изменился. Из камня, на котором она, свернувшись калачиком, лежала, ушло тепло. Платье так и не высохло до конца, колено ныло, а расстояние до заветной скалы как будто увеличилось вдвое. К тому же море, еще недавно тихое, взволновалось. Маленькие волны закипали у нижней кромки камня, волны побольше захлестывали его и злобно кусали Белкины голые ноги, — и спасения от них не было никакого. Видя такую природную несправедливость, Белка пару раз хлюпнула носом, а потом в голос зарыдала. Она рыдала до тех пор, пока не вспомнила мамино коронное «слезами горю не поможешь». Папа в таких случаях говорит: *нужно взять себя в руки и оценить обстановку.* А еще он говорит, что человек — намного сильнее, чем может показаться ему самому, намного выносливее. Главное — не паниковать.

Белка сделала два глубоких вдоха и два глубоких выдоха и снова повернула голову в сторону бухты. Цепочка из камней, по которым она добралась сюда, почти полностью исчезла, лишь кое-где среди белых пенных гребешков виднелись темные проплешины. Можно, конечно, прыгнуть в воду и по-собачьи (единственный, усвоенный Белкой стиль) доплыть до ближайшей из них. А потом...

Что будет потом?

Она наглотается воды — раз. Разобьется о камни — два. Пойдет ко дну — три. Лучше уж переждать морское волнение здесь, в относительной безопасности, не трогаясь с места. Что-то подобное однажды уже случалось с Белкой — в пустыне, в период короткого цветения саксаула. Она отправилась за красными веточками, чтобы подарить их маме, — и заблудилась. То есть это папа и Байрамгельды решили, что она заблудилась, и полдня искали ее. А Белка ни капельки не волновалась, перескакивала с бархана на бархан, показывала язык ящерицам и одиноким заполошным скорпионам и едва не поймала за хвост лисицу-корсака. А потом устроилась под саксаулами передохнуть — тут-то папа и нашел ее. Белка долго не могла понять, почему папа так обрадовался — как будто не видел ее полгода. Она правильно поступила, что не сунулась дальше в пустыню, а осталась под защитой саксаулов, сказал папа. И вообще — Белка молодец!

А сейчас она никакой не молодец.

Между Белкой времен цветения саксаула и нынешней — целая пропасть в пять с половиной лет. Та Белка не могла *оценить* обстановку, не видела опасностей, и пустыня была ей другом. А море — не друг, оно пугает девочку, *ууух-х, баам-м, буу-уль!*

Но и подсказывает путь к спасению тоже.

Для этого достаточно обернуться в сторону, прямо противоположную бухте: за валуном, на котором она сидит сейчас, скрывается еще один и еще — что-то вроде пологой лестницы, ведущей неизвестно куда. Почему бы не спуститься по ней?

Так Белка и поступила — и через минуту увидела темный провал в скальном монолите: наверное, это один из гротов, о котором рассказывал Шило. Ух ты!.. Если Шило побывал здесь, то почему бы Белке не повторить его путь? Тем более что каменные, плохо подогнанные ступени ведут именно туда.

Через минуту она оказалась под сводами грота, и это место не особо понравилось ей. Здесь было темно, почти как в расщелине скалы на пляже, и сильно пахло гниющими водорослями. Но ступать по ним было не в пример приятнее, чем по острым камням. И волны, так испугавшие Белку, потеряли свою силу. Они едва доходили до грота, защищенного толстыми подушками из тины. Зато звуков прибавилось, и они стали резкими и очень громкими. Белка немного попрыгала на тине, а затем сделала несколько шагов вглубь. И замерла от ужаса.

Прямо перед ней, зарывшись лицом в водоросли, лежал Лазарь.

Она сразу узнала его по сандалиям. Правый носок Лазаря сморщился и сполз с пятки, а шорты были мокрыми, так что сразу определить их цвет не получилось:

синий? зеленый?

синий? зеленый?

Белке почему-то очень важно знать цвет. Не синий, не зеленый — значит, это не Лазарь, хотя сандалии говорят об обратном. Кто из них лжет и притворяется? Наверняка сандалии, — это они пытаются выдать за Лазаря кого-то другого, никогда не игравшего в шахматы, не знающего, кто такой Вазургмихр. Море за Белкиной спиной утробно зарычало, и этот рык так испугал девочку, что она упала на колени — рядом с тем, кто никак не может быть Лазарем.

Плохо соображая, что делает, она затрясла *не-Лазаря* за плечи, но тот не откликнулся. А Лазарь — не такой, он очень вежливый и не стал бы демонстративно отворачиваться. Лазарь — аккуратный и ногти у него всегда чистые, а у *не-Лазаря* под ногтями песок и грязные разводы на локтях. Лазарь никогда не ходит взъерошенным, а у *не-Лазаря* в волосах запутались водоросли и мелкие морские блохи — дафнии. Руки и ноги *не-Лазаря* покрыты синяками, а ведь он никогда ни с кем не ссорится, не лазит по деревьям и не скачет по камням, как горные козлы Шило и Ростик.

Не-Лазарь никогда не станет Лазарем. Лазарь никогда не станет *не-Лазарем.* Если только...

Собрав волю в кулак, Белка перевернула тело — не так уж легко это сделать. Еще труднее — открыть глаза, которые она предусмотрительно и очень сильно зажмурила. Ну же, давай, Белка!..

Бедолаги Львенок и Черепаха так и не дождались помощи, и во всем виновата только она! На животе у Львенка зияет дыра, лапы перепачканы грязью и ржавчиной; черепаший панцирь выглядит не лучше. Чистюля Лазарь ни за что не надел бы такую ужасную футболку!

Но теперь, когда он стал *не-Лазарем,* ему все равно.

Лазарь проступает из *не-Лазаря* постепенно, как будто снимает рыцарский шлем. И Белка помогает ему: очищает лицо от налипших водорослей, от осколков раковин и мелких невесомых камней.

— Лазарь! — зовет девочка. — Скажи мне что-нибудь, пожалуйста! Пожалуйста! Пожалуйста!..

Но губы Лазаря плотно сжаты. Он не хочет разговаривать с Белкой, вот и сжал их. От предпринятых Лазарем усилий губы посинели, вытянулись в нитку; они вот-вот исчезнут, и Белка не знает, что сказать, чтобы выманить их из укрытия. Наверное, ей нужно уверить Лазаря в том, что он — замечательный парень и лучший шахматист в мире, а его шахматы обязательно найдутся, все до единой. Белка уже начала собирать их, вот они, лежат у нее в кармане, *посмотри, Лазарь!..*

— Все очень волнуются! Ищут тебя с самого утра, спрашивают — куда подевался Лазарь? Бабушка очень волнуется, и Сережа, и Тата... Вставай, Лазарь, вставай!

Может быть, рассказать Лазарю историю про Деда и про корабль, который подобрал его в открытом море? Лазарь удивится, как удивилась Белка; восхитится, как восхитилась Белка. Главное — не упустить ни одной подробности, но даже если и упустишь и в рассказе образуется провал — в него можно будет набросать ветки саксаула, *ты когда-нибудь видел, как цветет саксаул, Лазарь? Ты когда-нибудь был в пустыне? Пустыня — это такая штука... Та-акая...*

Кажется, Лазарь и впрямь удивлен.

И даже приоткрыл рот, но беда в том, что рот теперь находится совсем в другом месте — на правом виске. Две темно-красные полоски одинаковой длины, неровные, вспухшие, и дыра между ними: красно-черная, с белыми точками, как будто там действительно пустил корни очень маленький цветущий саксаул.

Но это не саксаул.

Это что-то совсем другое, очень страшное, непоправимое.

Белка плачет и тянет Лазаря за руки, а потом принимается кричать, хотя и понимает, что никто, никто не услышит этого крика. Они оба попали в ловушку — сначала Лазарь, а потом и Белка. Море каким-то невероятным обманом заманило к себе осторожного паучка-кругопряда, обыграло его в шахматы, а потом подбросило выигранные фигурки Белке. И теперь сделает все, чтобы Белка осталась здесь навсегда. Отделенная штормом и волнами от мамочки и папочки, от Сережи.

— Сережа! Сережа! Сережаааа!..

Белка выскочила из грота, но ветер и волны снова загнали ее обратно, к Лазарю. И подушки из тины больше не спасали — вода докатилась и сюда. Она была везде, эта проклятая вода; она затопила небо и уничтожила горизонт. А теперь принялась за скалы. Будет откусывать их по кусочку, сплевывая тину, а уж проглотить Белку и Лазаря ей не составит труда. Вот каким, оказывается, может быть море — бессердечным и жестоким.

Его не разжалобишь.

На корабль-спаситель тоже нет никакой надежды, во время шторма все суда уходят в море, чтобы не разбиться о прибрежные камни. Но даже если корабль не подчиняется этим законам, он все равно не придет. Или придет только за Лазарем.

Ведь Лазарь мертв.

Это и есть — *непоправимое.*

В гроте стало совсем темно, и Белка почувствовала облегчение, пусть и ненадолго: лучше так, чем ежесекундно видеть перед собой рану на Лазаревом виске. Не смотреть на нее Белка не может, словно между ее глазами и проломленным виском тянется паутина — последний привет от кругопряда. Обессилев от слез, девочка впадает в забытье и снова приходит в себя: ничего не изменилось. Только иногда ей кажется, что руки и ноги Лазаря пришли в движение, но это всего лишь волны, они давно добрались и до сандалий, и до футболки. И этот спущенный носок... Нужно немедленно его поправить!

Кожа паучка-кругопряда холодна как лед. Белкины руки ненамного теплее, и нужно прикладывать усилия, чтобы поднять их, заставить пальцы шевелиться. Но теперь порядок восстановлен, носок сидит на своем месте, аккуратист Лазарь может быть спокоен.

Он и так больше не беспокоится. Ни о чем. Он мертв, мертв, мертв! А скоро умрет и Белка. В тот самый момент, когда вода полностью зальет каменную нору. Белка ощущает дыхание небытия так остро, что снова начинает рыдать и снова впадает в странное состояние — не сон и не явь. Сквозь рев моря она слышит пароходный гудок, он приближается, становится все громче:

— Белка! — басит гудок. — Белка!

Корабль-спаситель! Корабль-спаситель, которому наплевать на все законы взаимодействия ветра и скал. Но почему он зовет именно Белку?

Потому что о Лазаре забывают все и всегда — так почему корабль должен быть исключением? *Потому что*, сказал бы Сережа. Сережа! Белка рада кораблю, и лишь одно огорчает ее: встречу с Сережей придется отложить на неопределенное время. Конечно, на этом корабле у нее имеется родственник — Дед. Но Дед никогда не видел Белку, а Белка его — лишь на фотографии в гостиной. Вдруг он изменился за то время, что скитается по морям, как они узнают друг друга?

— Бельч!..

Лишь Сережа называет ее так! Значит, он где-то рядом?

— Сережа! Сережа!!!

Белке только кажется, что она кричит, но на самом деле голос давно потерян, и никто не смог бы услышать ее. Никто, кроме Повелителя кузнечиков. Преодолевая сопротивление волн, Белка ползет к выходу и падает на руки Сережи.

— Нашлась! — обращается он к кому-то, кого Белка не в состоянии разглядеть. — Она нашлась!..

— Там... Лазарь, — шепчет она и проваливается в черноту.

...Это самое длинное путешествие в ее жизни — на самом длинном поезде. Местность, которую проезжает и никак не может проехать поезд, — гористая. Ничем иным нельзя объяснить такое количество туннелей на пути следования. Между туннелями иногда возникают станции, похожие друг на друга, как близнецы. Всякий раз Белка ждет, что уж эта станция окажется последней, и поезд, наконец, остановится. Но нет, он просто сбавляет ход, и тогда можно рассмотреть подробности станционной жизни. Вот цветы в горшках (начальник станции любит цветы?); вот комод и стулья (кто-то переезжает?); вот широкое вокзальное окно. За таким окном обычно сидит грустный кассир — на разных станциях они разные. Но всегда знакомые. Белка уже видела все эти лица, но вспомнить, где именно, все равно не успевает: поезд ныряет в очередной туннель.

Теперь они не такие утомительно долгие, как были вначале, остается выяснить — в начале чего? Но подсказки ждать неоткуда. Никто не заходит в Белкино купе, и она не может никуда выйти, она даже не в состоянии пошевелить рукой. Еще одна станция с комодом, стульями и горшками в цветах; теперь к ним прибавились часы, которые Белка ошибочно приняла за колонну, — такие они большие, такие высокие.

Ба-ам, ба-ам, ба-ам, бьют часы.

Означает ли это отправление? Или, наоборот, прибытие?

Если прибытие — то почему Белка не видит встречающих? Значит, отправление! Быть может, теперь к ней кто-нибудь заглянет?

Сережа!..

Он сидит на одном из перронных стульев и не отрываясь смотрит на Белку. Она пытается помахать рукой, чтобы привлечь его внимание, но гадкий поезд уносит ее от станции в уже знакомую черноту.

...Сережа был первым, кого увидела Белка, когда сознание вернулось к ней окончательно.

— Привет! — сказал он. — Ты здорово нас всех напугала. Как себя чувствуешь?

— Не знаю.

— Что-нибудь помнишь?

— Не знаю.

— Ты болела. Но теперь дело идет на поправку.

— А... чем я болела?

— У тебя был жар, — Сережа пристально посмотрел на Белку. — Температура не спадала два дня. Так ты совсем ничего не помнишь?

Шахматные фигурки, они опускаются в бездну. Лазарь ловит их запекшимися губами, которые почему-то переместились на висок... Лазарь! Белка нашла Лазаря, а потом начался шторм, и она ждала корабль, но вместо корабля появился Сережа и спас ее.

— Лазарь... — Белкины глаза наполнились слезами.

— Выходит, помнишь.

— Лазарь умер?

— Случилось несчастье, — Сережа вздохнул. — И он погиб. Утонул. Тебе много пришлось пережить, но ты ведь справишься?

Она справится, да. Но пока этого не произошло, Белка стучит пальцами по правому виску. Стучит и не может остановиться. Этот жест не остается незамеченным.

— Успокойся, Бельчонок. Там, у камней, не очень глубоко. И Лазарь бы спасся, если бы не ударился головой о железный прут. Это несчастный случай. Никто не виноват.

Всхлипывая, Белка протянула руки к Повелителю кузнечиков. Сережа как будто ждал этого. Он крепко обнял девочку, прижал к себе и принялся баюкать, словно маленькую:

— Белка сильная?

Она зарыдала еще горше и зарылась носом в Сережину рубашку.

— Белка сильная, — сам себе ответил он. — Она вела себя очень мужественно. Я горжусь своей сестренкой.

— А как ты узнал, где нас искать?

— Просто знал и все.

— А Лазарь? Ты мог бы его спасти?

— Уже ничего не изменишь, Бельч.

— Лазарь очень хороший.

— Да.

— Он добрый. Он обещал научить меня играть в шахматы...

— Мне жаль. Мы еще поговорим с тобой, обещаю. А пока мне надо идти.

Сережа осторожно поцеловал Белку в лоб и поднялся. Вот теперь память вернулась к ней окончательно, паучок-кругопряд отступил в сырую тень грота, а его место заняла русалка-оборотень.

— Скажи, Сережа... Аста нашлась?

Аста так и не нашлась. Она не вернулась в дом Парвати, а ее поиски в поселке и окрестностях ни к чему не привели. Об этом Белке рассказал вездесущий Шило, и от него же девочка узнала, что в дом приходили милиционеры во главе с участковым по фамилии Карпенко. «Лейтенант Карр-рпенкоу», — вот как он представлялся. Розыскная собака не представилась никак, но от ее сопровождающего Шило узнал кличку — Султан, *здорово, правда? Когда мне купят овчарку, тоже назову ее Султаном.* Шило постоянно отвлекался на мелочи, вроде лейтенантского пистолета («мне обещали дать стрельнуть!») и собачьей инспекции участка — об этом он говорил с особым энтузиазмом.

— Прикинь, дали ему понюхать Астины туфли и еще платье. Так сначала он по участку носился, как ненормальный — от дома к беседке и обратно. А потом на улицу выскочил, чуть с поводка не сорвался. И заскулил, заскулил, завертелся на месте...

— А потом?

— Потом — все. Карр-рпенкоу говорит, что так обычно и бывает. На улице много запахов, собака теряется. Зато мне разрешили его погладить.

— Кого?

— Да Султана же! Теперь вот все ждут, когда тебе станет лучше.

— Мне?

— Ага. Карр-рпенкоу хочет с тобой побалакать, так он сказал. Это называется допрос, — в голосе Шила послышались мечтательные нотки.

— Допрос? — испугалась Белка.

— Ну да. Меня уже тоже... того... допросили! Было здорово. Я, наверное, стану милиционером. У меня будет собака и пистолет. Даже покупать не придется — сами выдадут. Бесплатно.

— И про что у тебя спрашивали? — Белка попыталась вернуть разговор в конструктивное русло.

— Когда я видел Асту в последний раз. С кем я ее видел. Ну и про то, собиралась она уехать или нет. Спрашивали еще про Машку.

— И что ты сказал?

— Что они собачились. Это все знают. Еще про ухажера ее вопросы задавали. Московского.

— Он ведь уехал.

— То-то и оно! Я думаю, она рванула в Турцию, — неожиданно заявил Шило.

— Аста?

— Ага. Лично я бы уплыл. Если ты попадаешь в Турцию — считай, что мир у тебя в кармане. И до Африки недалеко, и до Индии. В Индию вот тоже можно. Там все пантеры ручные, как в мультике.

— Каком еще мультике?

— Ну, ты даешь! — Шило презрительно свистнул. — Про Маугли. Здорово быть Маугли и подружиться с пантерой. Пантера — это даже лучше, чем собака. Ты как думаешь?

— Никак, — разозлилась Белка.

— Чего задаешься? Думаешь, если ты нашла утопленника, то круче всех?

«Нашла утопленника» — конечно же, Шило имеет в виду Лазаря. Воспоминание о гроте причиняет Белке боль. А еще то, что ее малолетний идиот-брат говорит о Лазаре, как о постороннем. Как будто он никогда не был знаком с паучком, не сидел за одним столом, не болтал о всяких пустяках. Впрочем, Белка ни разу не видела, чтобы Шило и Лазарь разговаривали. Все дело в Лазаре — в его застенчивости, которую все принимали за надменность. Но и Шило тоже хорош: чувство, которое владеет им сейчас, — не что иное, как зависть. Да-да, Шило завидует Белке: обнаружив тело, она оказалась в центре внимания, а это то, чего так не хватает малолетнему идиоту — быть в центре внимания!

— Не смей так говорить про Лазаря, дурак!

— Как — так?

— Не смей говорить, что он утопленник.

— А кто же он? — искренне удивился Шило. — Утонул — значит утопленник. Если бы он повесился — то был бы висельник. А если бы разбился на самолете, то был бы... был бы жертвой катастрофы, вот! Здорово быть жертвой катастрофы.

— Здорово? — теперь уже изумилась Белка.

— Конечно. Все только о тебе и говорят. Все тебя жалеют. И переживают, что не купили новый велосипед.

Как есть дурачок!..

— Стал бы я жертвой катастрофы, — фантазия Шила не знала границ. — Так мне бы сразу его выкатили, велосипед. И не какой-нибудь, а «Орленок».

— Но ты ведь жертва катастрофы. Ты умер, — напомнила Белка, удивляясь тому, что принимает участие в столь бессмысленном разговоре. — Как же ты им воспользуешься?

— Придумаю что-нибудь... А Лазаря в город отвезли, специальная машина приезжала.

— Зачем отвезли?

— Э-ээ... На вскрытие, вот. Хотя Карр-рпенкоу говорит, что это все мартышкин труд. И так ясно, что он утоп. Но по закону положено.

За те два дня, что Белка пролежала с температурой, дом Парвати неуловимо изменился. И не только потому, что зарядили дожди и временами налетал шквалистый холодный ветер. Исчезновение Асты и смерть Лазаря не могли не повлиять на настроение обитателей дома, даже самых маленьких. Аля, Тата и Гулька мало что понимали в происшедшем, но Белка больше не слышала их голосов и топота ног. Большую часть времени они проводили в своей комнате, играя в куклы. Трехлетняя Аля часто плакала, хотя (по мнению Белки) плакать должна была Тата. Это ее брат утонул, не справившись с приливом, это она знала Лазаря дольше всех, с самого своего рождения.

Тата — очень интересная девочка, несмотря на то, что ей лишь недавно исполнилось пять. Она старше Гульки всего-то на пару месяцев, но разница между ней и толстячком — колоссальная. От Гульки легко отмахнуться, сунув ему в пасть кусок пирога и потрепав по загривку; разбираться в его взглядах на окружающий мир никому и в голову не придет — просто потому, что никаких особенных взглядов у Гульки нет. Живых существ меньше себя толстячок не жалует, Белка не раз ловила его за отрыванием крыльев у бабочек и стрекоз. Читать ему лекции бесполезно, все равно ничего не поймет. «А если бы тебе оторвали руки?» тоже не срабатывает, Гулька начисто лишен воображения. Из-за этого он всегда оказывается проигравшим в любимой игре малышей «Вы поедете на бал?»

Барыня прислала сто рублей и коробочку соплей,
Велела не смеяться,
«Да» и «нет» не говорить, черное-белое не носить,
«Р» не выговаривать.

Лишь по одному из пунктов Гулька является безусловным лидером — он картавит, и буква «р» попросту отсутствует в его речи. Но до «р» дело обычно не доходит, и после первого, максимум — второго вопроса он вылетает из игры.

Тата — совсем другое дело. В этой игре ей нет равных, она умело обходит все подводные камни, загнать ее в угол невозможно. Даже МашМишу не удалось, хотя они старались! То была настоящая битва титанов, Белке казалось, что хитрая Маш вот-вот одержит верх над Татой, — но нет! После получаса игры Маш вынуждена была сдаться, последней каплей стал вопрос о Парвати.

— Наша бабка — старая дура? — без тени смущения спросила Маш.

— Она — Моби Дик, — ответила Тата.

У всех, кто присутствовал при этой сцене, глаза на лоб полезли: что это еще за Моби Дик такой? Всеобщее изумление выразил Миш, бросив в пространство:

— Моби Дик... Что за фигня?

— Кит.

— Ты видела кита живьем? — Маш стремительно удалялась от бальной коробочки с соплями.

— Я видела Моби Дика, — уклончиво ответила Тата.

— Как же он может быть похож на бабку? Бабка — человек. И она не толстая. Скорее, Гулька — кит.

— Моби Дик — особенный.

— Он белый?

— Какой захочет.

Какой захочет. Уж не в этом ли состоит особенность таинственного Моби Дика и Парвати заодно? Рассмотреть Моби Дика пристальнее Белке так и не удалось, — Маш надоела игра, и они с Мишем, со скрипом признав поражение, отправились по своим делам. А Тата вернулась к куклам, что несколько успокоило Белку. Тата — обычная девочка, хотя и говорит иногда странные вещи. Будь она постарше, Белка обязательно бы с ней подружилась. При условии, что сама Тата предложила бы Белке дружбу. Но Тата вовсе не нуждается в общении с Белкой, ей вполне хватает кукольного общества, слегка разбавленного младшими внуками Парвати. Несколько раз Белка видела Тату с Лазарем, в этом нет ничего удивительного, ведь Лазарь — ее родной брат. Почти родной. Тата и Лазарь сидели на краешке старого колодца, сосредоточенно глядя перед собой. Потом Лазарь что-то сказал Тате, а Тата улыбнулась, и в этот момент

Белка страшно пожалела, что у нее нет родного брата старшего или младшего — неважно.

Зато у нее есть Сережа.

Сережа — тоже брат, а дурацкое уточнение «двоюродный» можно не принимать во внимание. Тем более что Повелитель кузнечиков относится к ней иначе, чем ко всем остальным своим родственникам. Это можно назвать симпатией, а можно — любовью, о, если бы это было так! *Это так и есть*, твердит себе Белка; именно Сережа вырвал ее из лап рассвирепевшего моря, именно его она обнаружила у своей постели, когда пришла в себя. Другие подробности (Сережа отправился на поиски не один, а вместе с Лёкой и несколькими дачниками, да и искали они вовсе не ее, а Асту) Белку не интересуют. Ее не особенно интересует состояние Парвати, хотя бабка явно сдала после исчезновения русалки-оборотня и нелепой смерти паучка-кругопряда. Она больше не многорукое божество, а самая обыкновенная старуха в поношенном платье и теплой шали, накинутой на плечи. На улице похолодало, но не настолько, чтобы кутаться в шаль, — что скрывает под ней Парвати?

Остатки своего прежнего могущества.

Белка почти не сомневается: лишние руки усохли и продолжают усыхать, эта картина не для слабонервных. Но можно сконцентрироваться на оставшихся двух, они маленькие и не очень-то красивые, с широкими запястьями и темными узловатыми пальцами. Ни дать ни взять — ветки старого саксаула, забывшего расцвести по весне.

Во время болезни Белка не видела Парвати, но как только постельный режим был отменен, Сережа отвел ее на бабкину половину дома. В другое время это стало бы настоящим потрясением, но после всего пережитого Белка отнеслась к визиту спокойно. Без особого интереса она рассматривала комнату, именуемую «кабинетом»: небольшая конторка в углу, несколько моделей парусников, несколько картин с морскими видами и одна — с панорамой какого-то города, больше всего похожего на декорации к Белкиному любимому фильму — «Волшебная лампа Аладдина». Рядом с конторкой стоял книжный шкаф, а в простенке между окнами висела застекленная фотография — девушка с черными, как смоль, волосами и молодой моряк в форменке и бескозырке с надписью «Машук». Трехстворчатая ширма отделяла «кабинет» от спальни, и на ней Белка снова увидела сказочный город с куполами и минаретами. Было еще множество других деталей — фотографии помельче (прямо под «Машуком», а также справа и слева от него), сухие цветы в вазах, старинный барометр, чучело броненосца, японские веера, которые Белка ошибочно приняла за китайские, фигуры каких-то божков, вязаные салфетки — целое море вязаных салфеток!

Парвати сидела в глубоком кресле и вязала крючком очередную бледно-кремовую салфетку. Мельком взглянув на Белку, она вернулась к вязанию. И лишь спустя минуту спросила:

— Ну, как себя чувствуешь?

— Спасибо, — ответила Белка. — Нормально.

— Хорошо. Расскажи-ка мне...

Наверное, она хочет узнать про Лазаря. Она хочет услышать, как Белка нашла паучка, как пыталась привести в чувство, как едва не погибла в шторм.

— Расскажи-ка мне то, что ты рассказала Сереже.

— Про Лазаря?

Белкины глаза наполнились слезами, но вовсе не о Лазаре хотела услышать Парвати.

— Нет. Про Машку с Мишкой. Они вроде бы что-то замышляли...

Белка растерянно оглянулась на Сережу. Разве уговор больше не действует? Разве они не пообещали друг другу держать рот на замке? Белка свое обещание выполнила, а как насчет Повелителя кузнечиков?

— Расскажи, Бельч, — Сережа приобнял Белку за плечи. — Расскажи, это важно.

— Но... — все еще колебалась она.

— Ничего не бойся. Просто расскажи, как было дело. И постарайся ничего не упустить.

Ну что ж, если Сережа решил предать огласке их тайну — значит, это правильно. Значит, он верит Белке и не считает, что дурные мысли МашМиша лишь плод ее воображения. Он сумел убедить в этом Парвати, иначе Белка не стояла бы здесь, под сенью облупившихся минаретов. Вернуться в темную расщелину не составит особого труда, сложнее было бы вернуться в грот, приютивший мертвого Лазаря, почему никто не вспоминает о паучке-кругопряде? Это несправедливо, несправедливо! — по отношению к нему, по отношению к маленькой Тате и ее Моби Дику, по отношению к беззащитным пластмассовым шахматам. Они лежат на дне, у покрытых тиной камней, никому не нужные.

И Лазарь никому не нужен. И его хохолок на затылке, и его коричневые сандалии. Белка заплакала, но даже чуткий Повелитель кузнечиков, который знает все на свете, не понял причину ее слез. Он лишь крепче обхватил девочку за плечи и шепнул на ухо:

— Я с тобой. Вспомни хорошенько, что они говорили.

— Они говорили, — послушно начала Белка. — Что Аста плохой человек. Что она... она... тварь.

Крючок в пальцах Парвати замелькал быстрее.

— А потом?

— Потом Машка сказала, что хочет убить Асту. И спросила у Миши: «Ты со мной?»

— Так и сказала? — переспросила бабка.

— Да.

— А потом?

— Потом они начали прикидывать, как бы от нее избавиться.

— И что порешили?

Обычная страстность покинула Парвати, ее голос совершенно бесцветен, как будто речь идет не о собственных внуках, а о ком-то постороннем, не имеющем к дому никакого отношения. На секунду Белке становится жалко МашМиша, оказавшихся такими же брошенными, как и Лазарь, никому не нужными.

— Миш был против. Он не хотел, чтобы с Астой что-то случилось.

— Вот как? Что же он сделал, чтобы переубедить чертову зулейку?

— Ничего, — выдохнула Белка. — Это она его переубедила.

— Долго пришлось переубеждать?

Парвати задает Белке странные вопросы — совсем не те, которые можно было ожидать. Словно обе они стоят на пороге темной комнаты, не решаясь войти в нее.

— Н-не очень.

— Слизняк, — бросила в пространство Парвати. — Подкаблучник. Что еще ты слышала?

— Маш сказала... Хорошо бы Асте исчезнуть. И тогда все проблемы решатся сами собой.

— Проблемы... Они еще не знают, что такое проблемы. Я им устрою проблемы!

Белка даже не заметила, как исчез Сережа. Еще секунду назад стоял у нее за спиной, а теперь там образовалась пустота и веют сквозняки. Белка не заметила, когда он исчез. Может быть, в тот момент, когда Парвати дернула подбородком. Белка не слышала ни удаляющихся шагов, ни скрипа двери — уж не постигла ли Сережу участь маленького кузнечика, растворившегося в воздухе?

— Ты слишком мала, чтобы придумать такое.

— Я не маленькая, — голос Белки задрожал. — И я никогда не вру.

— Как и твой отец, — подтвердила Парвати. И почему-то добавила: — От осинки не родятся апельсинки... Никто больше этого не слышал?

Лазарь! Лазарь мог подслушать опасные мысли МашМиша. Но Лазарь мертв и не может подтвердить слова Белки или опровергнуть их. Лучше молчать о Лазаре, но Белка не может молчать, хохолок на его затылке чуть слышно щекочет сердце: «Не забывай про меня, Белка, не забывай!»

— Лазарь. На пляже я видела Лазаря...

— С ним случилось несчастье. Ему не помочь.

«И он не поможет тебе», — вот что хотела сказать Парвати.

— А Аста? Она вернется?

— Надеюсь. А сейчас ступай за ширму.

— Зачем? — удивилась Белка.

— Посидишь там. И выйдешь, когда я позову.

Не зря Парвати кутается в шаль — в комнате прохладно, и с каждой минутой становится все холоднее. Вязаные салфетки теперь напоминают льдины — чуть подтаявшие, ноздреватые. Железные божки и вазы с бессмертником едва держатся на них, больше всего Белка волнуется за вазы: если они упадут, то обязательно разобьются.

— Ступай. И сиди тихо.

За ширмой Белка обнаружила не сказочный Багдад, на что втайне надеялась, а одинокий венский стул и приоткрытую дверь в спальню. В темноте смутно белела постель с ворохом (мал мала меньше) подушек; постель так широка, что полностью окинуть ее взором не получается, мешает дверной косяк со множеством зарубок. Почти против каждой стоит имя:

ПЕТР
ПАВЕЛ
ЧЕСЛАВ

Есть и еще одно — затертое настолько, что прочитать его невозможно. Это — почти несуществующее — имя возвышается над всеми остальными. Ни Петр, ни Павел, ни Чеслав так и не смогли до него дотянуться, хотя и старались, предпринимали несколько попыток: все их тщетные усилия отражены на косяке.

Если бы не обстоятельства, при которых Белка попала за ширму, она бы обязательно рассмотрела зарубки поближе, но Парвати велела ей сесть на стул и вести себя тихо. А сидеть тихо означает не издавать лишних звуков и не производить лишних движений. Не делать ничего, что нарушило бы тишину обледеневшего «кабинета».

Впрочем, тишина сохранялась недолго, всего-то несколько минут. А затем Белка услышала скрип двери и короткое Сережино:

— Привел.

— Хочу поговорить с тобой, Мария, — на этот раз Парвати обошлась без обычной «зулейки». — Догадываешься о чем?

— Понятия не имею.

— Твоя сестра.

— У меня нет сестры, — в голосе Маш послышался вызов. — Только брат.

— О твоей двоюродной сестре.

— Она сбежала. Что о ней говорить. Всплывет в какой-нибудь Москве через пару дней. То-то мы посмеемся.

Почти тут же раздалось короткое «ха-ха», — и Белка сразу узнала Миша. А потом подумала, что «всплывет» — не самое удачное слово. Зловещее. Наверное, похожие мысли возникли и в голове у Парвати, оттого она и переспросила:

— Всплывет?

— В смысле — отыщется, — тут же поправилась Маш.

— Хорошо бы.

— Она сбежала со своим парнем. Что тут думать?

— Когда ты видела ее в последний раз?

— Вообще-то, об этом нас с Мишкой уже спрашивали. Участковый. Вы при этом присутствовали, — МашМиш, в отличие от Сережи, Лёки и младших детей, обращались к бабке на «вы». — Ничего нового я сказать не могу.

— А ты подумай хорошенько.

— Даже напрягаться не стану, —

веселая дерзость Маш вызвала у Белки восхищение, смешанное со страхом, и она так крепко ухватилась за стул, что побелели костяшки пальцев.

— Ты, я смотрю, не особенно расстроена.

— Другие тоже не убиваются. И вас я с носовым платком не видела.

— Придержи язык, а то...

— А то — что?

— Раз ты ничего нового сказать не хочешь, придется это сделать мне. Ну-ка, расскажи, о чем вы с братом говорили на пляже?

— Мы много о чем говорим на пляже, — на этот раз голос Маш звучал не так уверенно, как раньше.

— Может, ты мне скажешь, Михаил?

— Мы много о чем говорим... — эхом откликнулся Миш.

— И что же вы говорили об Асте?

В комнате повисла тишина, такая оглушительная, что было слышно, как поскрипывает нитка под крючком Парвати.

— Н-ничего особенного.

— И не высказывались в том духе, что она м-мм... не самый лучший человек? Что хорошо бы ей исчезнуть с лица земли. А, Михаил?

Первой не выдержала Маш:

— Я ее терпеть не могу, это правда. Никакой не секрет. Ну и что?

— Я спросила у твоего брата.

Парвати знает, куда бить. Она целится не в бронебойную Маш, а в слабака Миша, если истребитель не выдержит и сорвется в штопор — во всем будет виноват именно Миш, никто другой.

— Ну?

— Мы не ссорились с Астой, — заныл горе-летчик.

— Я и не утверждаю, что вы ссорились. Вы просто решили избавиться от нее.

— Нет!!!

Неясно, кто произнес это — Маш или Миш, голос совершенно бесплотен, ничто не может спасти маленький истребитель от гибели. Ничто, кроме чуда.

— Твой брат, понятное дело, был против, — продолжала напирать Парвати. — Ведь так?

— Я... Я...

— Заткнись, Миккель, — отрывисто бросила Маш.

— Пусть говорит.

— Ему нечего сказать. Потому что все это неправда.

— Что именно?

— Что... что мы хотели избавиться.

— Кое-кто слышал ваш разговор. В подробностях.

— Там же никого не было... — простодушный Миш прокололся первым.

— Заткнись!

— Говори.

Радиоспектакль за ширмой набирает обороты, два голоса — Маш и Парвати — мутузят друг друга, как боксеры на ринге. Маш явно проигрывает бабке, ее жестким, как наждак, интонациям. Странно, но Белка испытывает ту же боль, какую испытала совсем недавно, прыгая по камням; только теперь эта боль переместилась с беззащитных пяток куда-то в грудную клетку, в сердце. Парвати не должна вести себя так, как будто МашМиш — посторонние, они ведь ее внуки!..

— Нет ничего тайного, что не стало бы явным.

— Тоже мне, открытие месяца, — огрызнулась Маш.

— Если вы совершили это, — Парвати сделала упор на «это». — Если вы совершили...

— Нет. Мы ее и пальцем не тронули.

— Михаил?

— Мы ее и пальцем не тронули...

Жалкий, жалкий Миш! Он способен лишь воспроизвести сконструированные Маш фразы, но в его исполнении они выглядят куцыми, съежившимися. Лишенными всякого смысла. Добиваться правды от Миша — все равно что добиваться правды от гамака в беседке. Скажи сейчас Маш: «Да, мы совершили ужасное», Миш повторит все сказанное сестрой; но в этом признании не будет ни раскаяния, ни сожаления, лишь пустая оболочка. Никчемная шкурка, которую змеи сбрасывают во время линьки.

— Я бы хотела взглянуть на него, — сказала Маш.

— На кого?

— На того человека, который... который все это придумал.

— Такое не придумаешь, — заметила Парвати.

— Предъявите мне этого человека, и мы посмотрим друг другу в глаза.

Что, если Парвати решит представить МашМишу единственного свидетеля их дурных намерений прямо сейчас? От страха Белка сползла со стула и прижалась носом к ширме: изнанка Багдада оказалась изъеденной жучком-древоточцем, от самого дерева пахло затхлостью и еще чем-то, не очень приятным, — кажется, тиной. Той самой, которая со всех сторон окружала Лазаря в гроте. И Белке вдруг захотелось оказаться на его месте — там, где бессильны гнев и мстительность Маш, и холодная отстраненность Парвати, которая никого, никого не любит! Разве что Сережу, — но на Белку ей точно наплевать. Один кивок подбородка, — и Сережа отодвинет ширму, и Белка предстанет перед МашМишем! И никто ее не защитит. Даже Повелитель кузнечиков.

— Этот человек соврал, — продолжила Маш. — Не знаю, зачем он это сделал. Наверное, ненавидит нас с Миккелем, вот и придумал историю. У него больная фантазия.

— Такое не придумаешь, — снова повторила Парвати, но теперь ее голос звучал не так уверенно, как раньше.

— Придумать можно все, что угодно. Или услышать то, что хочешь услышать. Я готова поговорить с ним. Миккель, я думаю, тоже будет не против. Правда?

— Э-э...

— *Чем вороненок нехорош? Он черен телом и душой*, —

нараспев произнесла Маш, как будто издеваясь над всеми, присутствующими в комнате. Быть может, эта фраза имела тайный смысл, и даже скорее всего. И адресована она была единственному посвященному — Мишу. Тот приободрился:

— Я не против.

— Давайте его сюда, и я в два счета докажу, что он врунишка, —

В голосе Маш было столько торжества и пренебрежения одновременно, как будто она знала, кто противостоит ей: не Парвати и не Сережа, единственные взрослые и достойные соперники. Кто-то другой, совершенно ничтожный, маленький — как морская блоха дафния, как стрекоза. Оборвать ей крылья хватало сил даже у четырехлетнего Гульки, что уж говорить о Маш? Маш владеет таинственным и страшным *бэнг-бэнг-бэнг*, и то, что Белка до сих пор не упала бездыханной, с дыркой во лбу, — всего лишь случайность. Или добрая воля кузенов из Саранска. Но ветер в любой момент может перемениться, и добрая воля станет злой.

— Пожалуйста, пожалуйста, пожалуйста! — беззвучно шептала Белка, впившись ногтями в ребро ширмы. — Не выдавай меня, Сережа!..

Маш не могла услышать этой мольбы, и никто не мог, но в проницательности и хитрости ей не было равных.

— Он здесь?

— Кто? — наконец-то проявил себя Сережа.

— Врунишка. Он здесь, в этой комнате?

У Белки потемнело в глазах. Ей не справиться с Маш! Все, что она бы ни сказала, обернется против нее. «Мое слово против слова Муравича» — так обычно говорит папа. И добавляет: «Ничего не стоит». Разве не то же самое может произойти с Белкой? — не зря Парвати утверждала, что она похожа на отца. И ее слово разобьется о слова МашМиша, как разбивается об пол фарфоровая чашка. И ничего от него не останется, ничего!..

Не выдавай меня, Сережа!..

— Никого здесь нет, — сказал Повелитель кузнечиков.

— Жаль.

— Убирайтесь отсюда, — поддержала Парвати старшего внука. — Оба. И молите Бога, чтобы Аста нашлась живой.

— Вообще-то я — атеистка и молиться не собираюсь. У нас с Миккелем есть дела поинтереснее... — начала было Маш, но старуха перебила ее:

— Ты не поняла. Убирайтесь — это значит убирайтесь совсем. Складывайте вещи, а Лёка отвезет вас в Ялту. Часа на сборы вам хватит?

— Такая срочность, что нельзя подождать до утра? — Маш ни на секунду не потеряла присутствия духа. — Куда это мы поедем на ночь глядя?

— Хорошо. Но только до утра, — смягчилась Парвати. — А вашей матери я напишу сама. Потом.

— Можете себя не утруждать.

— А уж это не твое дело. Больше я вас не задерживаю.

На Белку навалилась слабость, перед глазами плыл какой-то туман. И, чтобы снова забраться на стул, находящийся всего в полуметре от нее, пришлось затратить неимоверное количество усилий. Хлопнула дверь — это ушли МашМиш. А Сережа? Куда подевался Сережа? Неужели он не спасет ее из багдадского заточения?

Повелитель кузнечиков как сквозь землю провалился, равномерные постукивания крючка не затихали ни на минуту, а Белка все гадала: почему Парвати не зовет ее? Ведь МашМиша больше нет в комнате, и пребывание за ширмой совершенно бессмысленно.

О Белке забыли?

Что, если забывчивость продлится сто лет? И Белка успеет вырасти здесь, в обществе невидимых древоточцев? В обществе Петра, Павла и Чеслава, истончившихся до зарубок на дверном косяке. Она вырастет и состарится, станет такой же морщинистой, как Парвати, но страх перед Маш никуда не денется. Он будет вечным ее спутником, и даже в трюме корабля «Не тронь меня!» от него не скроешься. От жалости к себе Белка заплакала. Сначала тихо, а потом — когда по-явился Сережа и подхватил ее на руки — во весь голос.

— Ну, успокойся, — сказал он. — Я с тобой.

— Я не врунишка!

— Я знаю.

Парвати, при виде Сережи и вцепившейся в его плечи Белки, неодобрительно покачала головой.

— Плохая идея, — сказала она.

Неизвестно, к чему это относилось: возможно, к тому, что Белка — не Аля и не Тата, чтобы носить ее на руках. Или к тому, что очная ставка с самого начала была обречена на провал. Или к тому, что Парвати не нравится, что Сережа уделяет внимание кому-то еще, а не только ей.

— Куда уж хуже, — откликнулся Сережа. — Хуже и быть не может.

— Мне снился Аркадий, я говорила тебе? — Парвати пожевала губами. — Еще в апреле, сразу после оползня. Он сказал, что лето не кончится добром.

— Во сне?

— Да.

— Вот оно и не кончилось.

— Я грешила совсем на другое, а вот поди ж ты...

— Не начинай, ба.

— Начинай не начинай, а мальчишка умер. И неизвестно, что случилось со второй...

— Будем надеяться на лучшее, — Сережа вздохнул. — Иначе это будет слишком, даже для такого плохого лета.

Кто такой Аркадий? Человек в бескозырке «Машук» с фотографии, Белкин дед, ведь папу зовут Петр Аркадьевич!.. Несмотря на то, что Аркадий давно уже обитает на корабле, который никогда не причаливает к берегу, он сумел установить связь со своей женой. Берет после вахты увольнительную и навещает свой дом во сне. Белке почему-то кажется, что сны Парвати мало отличаются от изнанки багдадской ширмы: такие же облупленные, изъеденные жуками. Жуки успевают сожрать часть информации до того, как она попадет к тому, кому предназначена. И до Парвати доходят лишь отголоски пророчеств, а их можно трактовать как угодно.

Жаль, что они не друзья.

Жаль, что Парвати никогда не расскажет Белке и сотую часть того, что обычно рассказывает Сереже, наверное, возраст играет здесь не последнюю роль. Белка — слишком маленькая, а Парвати — слишком старая, неужели все дело в этом?

Нет.

Выборгская бабушка совсем другая, у Белки голова идет кругом от бесконечных, леденящих душу историй. Она всем-всем делится с внучкой, так что маме иногда приходится ее осаживать за излишнюю откровенность. «Зачем ребенку знать о твоих отношениях с ЖЭКом, мама? Зачем ей выслушивать бредни о твоих соседях-алкоголиках? И о том, что певица Людмила Сенчина подарила тебе гэдээровские босоножки?» Но Людмила Сенчина и соседи-алкоголики — лишь верхушка айсберга, а сам айсберг покоится на мощном основании в виде летающей тарелки.

Да-да, выборгская бабушка верит в инопланетян!

Признаться в этом собственной дочери она не решается, а Белке — пожалуйста. Белка благодарный слушатель, хотя и относится к НЛО скептически. А все потому, что она дочь ученых, а ученые никогда не принимают на веру утверждения, если они не подкреплены фактами. Факты, изложенные в лекциях уфолога В.Г. Ажажи (бабушка читает их Белке на ночь вместо сказок), тоже не убеждают девочку. Вот если бы они собственными глазами увидели тарелку в небе над Выборгом — пусть и самую завалящую! Вот тогда бы Белка поверила в инопланетян и в то, что председатель бабушкиного ЖЭКа был похищен ими, а по возвращении изменился не в лучшую сторону. Но пока этого не произошло, остается довольствоваться тем, что у них с выборгской бабушкой есть своя маленькая тайна.

У Парвати тоже есть тайны, Белка ни секунды в этом не сомневается. Они связаны не только с Самым старшим и Самой младшей, но и со множеством других вещей. Небольшая часть этих вещей находится в «кабинете», одни только фигурки божков чего стоят! И веера, и неуклюжий мрачный гарпун, который висит на стене...

Даже маленькая Тата знает больше, чем Белка!

Она утверждала, что Парвати — кит, а что есть гарпун, как не большой крючок для кита? Китовая версия не хуже и не лучше, чем версия о многоруком божестве, но доподлинно узнать, кто такая Парвати, все равно не удастся.

Она ведет себя, как человек, а вовсе не как кит или божество. Реальность последних дней ей не по душе, и она не знает, как примириться с ней, — это все, что можно сказать о Парвати. Она не плачет, как Аля, и не смотрит в одну точку, как Тата. Она не пребывает в нервном возбуждении, как Шило. Или в раздумьях, как Сережа.

Она просто вяжет салфетки.

Почему она делает это именно сейчас, когда исчезла Аста, когда погиб Лазарь, — самая большая тайна.

...В коридоре Сережа опустил Белку на пол и приложил палец к губам. Белка кивнула, и в полном молчании они добрались до шкиперской.

— Почему она их выгнала, Парвати?

— Она их не выгоняла, — нехотя ответил Сережа. — Просто предложила уехать. Лето все равно кончается.

— Она была зла на них.

— Она просто расстроена. Мы все расстроены.

— А то, что я рассказала...

— Да. Об этом надо поговорить.

— Я не врунишка, Сережа.

— Я знаю, знаю. Помнишь наш уговор? Никому ни слова?

— Да. Но...

— Знаю, знаю... Я сам рассказал обо всем Парвати. Так что теперь нас трое. Но больше никто не должен знать о том, что ты слышала у скалы.

— Не должен?

— Никто, — подтвердил Сережа. — Наверное, в ближайшие дни тебя навестит участковый...

— Это будет допрос? — вспомнив о Шиле, спросила Белка.

— Ну-у... Не совсем так. Он просто поговорит с тобой об Асте.

— Я должна соврать, что МашМиш ничего страшного не замышляли?

Впервые за время их знакомства Белка увидела совсем другого Сережу — больше похожего на Маш, чем на себя самого. Та же кинжальная улыбка и холодный взгляд, от которого ей снова захотелось плакать. Если Повелитель кузнечиков скажет сейчас *бэнг-бэнг-бэнг*, Белка нисколько не удивится, просто сразу же умрет, как несчастный Лазарь. Но наваждение длилось не дольше секунды, Сережа стряхнул с лица злую улыбку, заменив ее другой — растерянной и нежной.

— Ты веришь мне, Бельч?

— Да.

— Ты меня любишь?

— Да, — Белкино сердце забилось часто-часто. — Больше всех на свете.

— И я люблю тебя, — Сережа приблизил свое лицо к Белкиному и осторожно поцеловал ее в щеку. — Мы вместе, да?

— Да.

— И всегда будем вместе. Потому что мы — семья. Родные люди.

— МашМиш ведь тоже семья? — спросила Белка.

— Можно сказать и так. Просто в любой большой семье кто-то больше привязан друг к другу, а кто-то меньше.

— Я к ним не привязана. Совсем.

— Знаю. Я тоже не испытываю к ним особых чувств. Это просто данность. Именно они зачем-то посланы именно нам.

— Зачем?

— Наверное, чтобы лучше понять самих себя.

Белка не знает, как вести себя в подобной ситуации. Спорить с Сережей она не умеет, соглашаться — не очень хочется. Без МашМиша она была намного счастливее, а мир состоял из тех, кто любит ее, и из тех, кто относится к ней с симпатией. Это был очень хороший, очень правильный мир, где никто не совершал дурных поступков и Белка их тоже не совершала. Но с появлением МашМиша все изменилось, теперь она знает, что чувства не исчерпываются любовью и симпатией, что есть еще равнодушие, неприязнь, презрение и ненависть. И есть *бэнг-бэнг-бэнг.* Именно он прострелил замок на двери, отделяющий идеальный Белкин мир от мира реального. Подлая дверь с готовностью распахнулась, и в оберегаемое Белкой пространство хлынули уродливые мрачные тени: на саксауле — вместо краснобелых нежных цветов — наросли водоросли, а там, где еще вчера лежал мелкий ласковый песок, появились камни с острыми краями.

Картинка получилась отвратительной, но и сама Белка отлично в нее вписывается. Ненавидя Маш, Белка пыталась стравить с ней Асту из-за пришлого москвича — и потому наушничала в беседке. Она подслушивала чужие разговоры, хотя приличный человек никогда бы так не поступил. И она — трус. Ничто не мешало ей выйти из-за крепостных багдадских стен и сказать Маш: я все знаю и принимаю бой. Но она испугалась, она чуть с ума не сошла от страха. А к правде всегда должно прилагаться бесстрашие, тогда правда становится особенно ценной, — так утверждает папа. Так, должно быть, считает и Сережа, а Белка — трус, трус!

— ...Аста их тоже терпеть не может. МашМиша.

— Надеюсь, когда она вернется, все будет немного по-другому.

— Она ведь вернется, да?

— Конечно, — голос Сережи прозвучал не слишком уверенно. — И поэтому тебе нужно забыть тот разговор на пляже.

— Как это — забыть?

— Вот так! —

Сережа положил ладонь на Белкин лоб и тихонько сжал виски; Сережины пальцы — настоящие магниты, вот это да! Не то чтобы воспоминания о расщелине прилипли к ним и покинули черепную коробку, но Белке стало намного легче. В конце концов, не ее вина, что она так и осталась за ширмой, *из соображений высшего порядка*, — так всегда говорит мама, когда не может найти объяснения какому-то поступку (к поступкам Муравича это не относится). Так решила Парвати, так решил Сережа, они — взрослые и умные, им виднее. А Белка — маленькая девочка, которая в состоянии разглядеть лишь шахматные фигурки, затерявшиеся между камней.

— Я постараюсь, Сережа.

— Этого мало. Ты должна пообещать.

— Я обещаю.

— Это не потому, что я так хочу.

— Ты делаешь это из соображений высшего порядка?

— Именно! — Сережа рассмеялся, как показалось Белке, с облегчением. — Ты очень умная девочка, Бельч.

— А что такое «соображения высшего порядка»?

— Ты не знаешь?

— Ну-у...

— Достаточно того, что уже произошло, Белка. И мы разберемся сами...

— Мы?

— Мы, семья.

— Все те, кто сейчас здесь?

— Не все.

Наверное, Сережа имеет в виду себя и Парвати. Хотя есть еще Лёка и малыши, но пользы от них немного.

— А я?

— И ты, Бельч. Только помни, о чем я тебя попросил.

...Сережа давно ушел, сославшись на то, что должен отправиться в город вместе с Лёкой — встречать родителей Таты и Лазаря. Расспрашивать его подробнее Белка не решилась — это означало бы снова вернуться в грот, к мертвому телу. Но она живо представила себе собственных маму и папу: вот их будит ночной звонок, и чей-то чужой голос сообщает, что с их дочерью Белкой случилось несчастье. Связь не очень хорошая, чужой голос то и дело прерывается, ясно лишь одно: нужно немедленно брать билеты на самолет и вылетать навстречу несчастью. Всю дорогу до аэропорта и в самолете мама убеждает папу, что несчастье имеет множество личин, что оно может быть неокончательным, и все еще поправимо, они прилетят и разберутся на месте. Возможно, Чужой Голос что-то напутал, и несчастье произошло не с Белкой, а с другой девочкой, или мальчиком, или близким родственником Муравича, — и папа впервые жалеет Муравича и думает о том, что никому-никому не пожелал бы беды, даже своему врагу. А мама все говорит и говорит, ни на секунду не останавливаясь, и вертит в руках коробку с овсяным печеньем — Белка так любит овсяное печенье!.. Полет кажется маме с папой вечностью, но к приземлению они оказываются не готовы, — ведь с минуты на минуту проступят контуры несчастья. На трапе маме становится плохо с сердцем, и, если бы не папа, она обязательно упала бы. Чужой Голос встречает их с написанным от руки маленьким плакатом: там указана Белкина фамилия. Мама и папа бросаются к плакату, смотрят только на него и стараются не заглядывать в глаза Чужому Голосу. То есть это папа старается не заглядывать, мама же, напротив, цепляется за взгляд. В этом взгляде нет ничего ободряющего, только печаль. Чужой Голос прерывается, как будто бы телефонный разговор с помехами все еще не окончен. Но он должен быть окончен, прямо сейчас, мука безвестности не может длиться вечно.

Произошел несчастный случай. Ужасный несчастный случай. Ваша дочь Белка умерла.

Мама не понимает смысла сказанного, она кричит, чтобы заглушить Чужой Голос, чтобы заставить его замолчать. А потом бессильно повисает на папиных руках, уронив коробку никому теперь не нужного овсяного печенья.

Именно на овсяном печенье Белкино воображение забуксовало, и она расплакалась — так жалко ей стало маму и папу, и маму и отчима Лазаря заодно. Ведь это они летят сейчас в самолете и пытаются убедить себя, что произошла какая-то ошибка, а ошибку всегда можно исправить. Они еще не столкнулись с правдой, с которой столкнулась Белка: свитер, который они везут Лазарю, ему больше не понадобится.

При чем здесь свитер?

Все очень просто — погода испортилась окончательно, в саду не утихает дождь, он начался еще тогда, когда Белка лежала с температурой, и позабыл закончиться, в Крыму еще не было такого беспросветно дождливого августа. Откуда она знает это? От Сережи? От Лёки? Или до нее доносились обрывки чьих-то разговоров во время болезни? — ведь на крошечных железнодорожных станциях из ее видений всегда кто-то находился.

«Анжелика"!

Как она могла забыть о книге, которую Аста — намеренно или случайно — оставила в гамаке? Толстенный том тоже являлся ей, он — непременный участник перронной жизни; он лежал на лавочке, был выставлен в окне вокзальной кассы, его страницами обклеивали колонну, впоследствии обернувшуюся часами. И кажется, за этими часами-колонной стояла сама Анжелика, похожая на Асту и Маш одновременно. Затем обе кузины отлепились друг от друга. Улыбка Маш заняла место на циферблате — сцепленные воедино губы-стрелки: пятнадцать минут четвертого или без пятнадцати девять, не так уж важно для поезда, который никогда не останавливается. А хвост русалки-оборотня Асты языком повис внутри станционного колокола. Молчаливый рыбий хвост сводит всю деятельность колокола к нулю, но это не так уж важно для поезда, который никогда не останавливается.

А Анжелика растаяла в воздухе.

Или просто вернулась в беседку — что, если она до сих пор прячется там от дождя, никому не нужная? Белка должна немедленно спасти Анжелику!..

Наверное, дело было вовсе не в книжке, а в том, что оставаться одной в шкиперской невыносимо. По дороге в сад Белка может встретить маленькую Тату и порасспросить ее о Моби Дике. Или поболтать с Шилом — несмотря на внезапно вспыхнувшую страсть к содержимому кобуры участкового Карр-рпенкоу, он — забавный мальчишка. Смешной.

Белка выскользнула из шкиперской, спустилась по лестнице и ненадолго задержалась в гостиной: дверь на половину Парвати была плотно прикрыта, а по стенам струились тени от дождевых нитей — они сплетались и расплетались, и от этого казалось, что вся комната пришла в движение. Белка даже почувствовала легкий приступ тошноты, которая случается при морской болезни. И на секунду представила себя пленницей корабля, идущего неведомо куда.

Но она не пленница, нет!

Сейчас она выйдет на веранду, пробежит по вымощенной камнями тропинке прямиком к гамаку и...

— Привет! — сказал Миш.

— Привет! — сказала Маш. — Привет, врунишка!

Спасительная входная дверь, до которой еще секунду назад было рукой подать, отдалилась на множество морских миль: покрыть их можно лишь с помощью дельфинов или кита по имени Моби Дик. Спасительная лестница воздушным змеем взмыла куда-то в небо, — а все потому, что воздушным змеем управлял Миш, а дельфинами и Моби Диком — Маш, это они отрезали Белке все пути к бегству. И теперь подталкивали ее к сумрачной кухне, в дальнем углу которой находился еще более сумрачный вход в подвал. Именно о подвале подумала сейчас Белка: но не как о месте, где хранятся совершенно безобидные банки с вареньем и вино «Изабелла», а как о месте, где есть множество укромных уголков, готовых сожрать ее с потрохами. Они — вечно голодные, эти уголки, они рады любому угощению и переваривают свою жертву годами — вплоть до того момента, когда она из девочки не превратится в сморщенный стручок красного перца. И займет свое место в связке на стене. А Парвати рано или поздно снимет стручок, бывший когда-то ее не самой любимой внучкой. И, так ничего и не заподозрив, бросит в суп, — и Белка исчезнет окончательно.

— Это ведь она, Миккель, — улыбка Маш не предвещала ничего хорошего.

— Точно, — осклабился Миш.

— Ты ведь узнал ее?

— Ага.

— И как же ты узнал ее?

— Ну... Это было несложно.

— Сандалики, да? — подсказала Маш.

— Они.

— Вот эти дурацкие красные сандалики, — Маш ткнула указательным пальцем на ноги Белки. — Кое-кто думает, что он умнее всех. И даже прячется за ширмой. А ширма-то не доходит до пола. Вот мы и вычислили врунишку.

— Легко.

— Легче легкого! — подтвердила Маш слова брата. — Ты попалась.

Попалась, попалась! Стоит посреди пустынной кухни. Обычно кухня полна самых соблазнительных ароматов, но сейчас до Белки доносится лишь запах сырости и прелых водорослей, как тогда, в расщелине.

— Вы дураки! — в отчаянии крикнула она.

— Неужели?

— Я позову бабушку! Я все ей расскажу!

— Валяй, зови. Только никто тебя не услышит. Старая карга уехала со своими недоделанными любимчиками. И мы здесь одни.

— Совершенно одни, — подтвердил Миш.

— Запри дверь, Миккель.

Миш, окончательно смирившийся со своим новым эстонским именем, кивнул головой, зашарил пальцами по дверному полотну и зачем-то подергал ручку.

— Вот черт! Нет здесь никакого замка!..

Но Маш не собиралась сдаваться.

— Придвинь что-нибудь тяжелое. Воспользуйся стулом, мать твою!.. Только не стой, как идиот!

Примерившись, Миш воткнул в железную скобу ножку стула и отошел, явно любуясь своей работой.

— Теперь никто не войдет, — сказал он.

— Никто нам не помешает, — подхватила Маш. — Разобраться с врунишкой. Значит, ты слышала наш разговор на пляже?

Белка отступила еще на шаг, уткнулась спиной в плиту и заплакала. Но ее слезы нисколько не смутили саранскую кузину, наоборот — вызвали новый приступ злости.

— Разве мама не учила тебя, что подслушивать нехорошо? Она же такая... интеллигентная женщина! И твой папахен произвел на нас хорошее впечатление, правда, Миккель?

— Он классный чувак, что и говорить, — подтвердил Миш.

— И как произошло, что у таких замечательных родителей вылупилась такая дрянная девчонка?

— Загадка природы.

— Никакая не загадка, братец. Они заняты наукой. Потрошат всякую живность, надеясь добраться до сути мироздания. А собственное дитя прошляпили. Ну, ничего. Мы поможем им в благородном деле воспитания. Ведь поможем?

— Куда денемся!

— Только кажется мне, мы немножко опоздали.

— Опоздали? — Миш дурашливо приподнял брови.

— Что выросло — то выросло. Теперь не переделаешь. Горбатого могила исправит.

— Ты серьезно?

— Серьезнее не бывает. Осталось только найти подходящую могилу. Как думаешь, братец, справимся?

Слезы застилают Белкины глаза, из-за этого лицо Маш расплывается, распадается сразу на несколько лиц, ни одно из которых не знакомо девочке. Тот, кто соорудил их для Маш, не слишком заморачивался с исходным материалом, — совсем, как папа, сочиняющий карнавальные маски за минуту. Для того чтобы маска получилась, достаточно взять кусок цветной бумаги (газетная тоже подойдет), сложить его вдвое и сделать прорези для глаз, носа и рта. Маш достались сразу три похожие маски, но их автор позабыл о прорезях: кое-где не хватает глаз, а за теми, что есть, скрывается мрак. Одна из масок усеяна иероглифами, они сплетаются и расплетаются, как дождевые нити на стенах гостиной, — и Белка снова чувствует тошноту. Еще одна маска сделана из ноздреватого серого картона с красными симметричными пятнами — как будто там, за картоном, горит огонь. Еще одна — из папиросной бумаги, такой тонкой, что проступают капилляры; их много, они похожи на мертвые веточки саксаула. Или на растрескавшуюся землю в преддверии барханов — такыр. Ничего хорошего ни дождь из иероглифов, ни огонь, ни такыр не несут. Ничего хорошего не приходится ждать от Маш. Она сделает то, что задумала. Она всегда добивается своего.

В отчаянии Белка упала на колени и закрыла руками лицо. Но заслониться от огня не получилось — подошва теннисной туфли кузины уперлась ей прямо в лоб.

— Смотри на меня, дрянь! — прошипела Маш. — Смотри на меня!..

Ноги Маш покрыты ровным золотистым загаром, они возвышаются над Белкой, как два столба, как две гигантские, ставшие на хвост змеи.

— Смотри мне в глаза, ничтожество!

Выполнить такой приказ гораздо труднее, чем отдать, — ведь глаза Маш слишком высоко, выше кипарисов в саду, выше солнца и луны, выше звезд. Они парят где-то в безвоздушном пространстве, в абсолютном холоде, абсолютной черноте. Они сами и есть холод и чернота.

— Значит, ты всем наплела, что мы убили Асту?

— Я...

— Смотри в глаза!

— Я ничего не плела.

— А что ты сказала? Что?!

— Что вы с ней... ссорились... Вот и все.

— Вранье! И ты, и я, и Миккель... Мы трое знаем о чем был *тот разговор*. Мы с Миккелем хотели избавиться от чертовой эстонской задаваки. Уничтожить ее. Утопить в море. Пробить камнем башку. Закопать живьем — так, чтобы никто ее не нашел. Разве нет?

— Нет...

Подошва переместилась ниже и теперь поддавливает шею Белки. Не сильно — девочка все еще может дышать. А кто-то другой внутри нее отстраненно удивляется: и как это Маш, нисколько не напрягаясь, умудряется стоять на одной ноге? Тот, другой, большой выдумщик, ему ничего не стоит сравнить теннисную туфлю с самолетом без крыльев или с космическим кораблем. Тем самым, что вот-вот доставит Белку в безвоздушное пространство.

— Значит, мы этого не говорили? Ничего не замышляли?

— Нет...

— Значит, ты соврала? Ну?!!

Вот ты и попалась, Белка!

Попалась, попалась! Космический корабль без всяких задержек вынес ее за орбиту, а Маш, оставшейся за старшего в центре управления полетами, совершенно наплевать, что у Белки вот-вот закончится запас кислорода.

— Я... соврала...

— Ты ее сейчас задушишь, черт!..

Миш, подоспевший в самый последний момент, оттащил сестру от Белки и крепко схватил за руки.

Белка судорожно втянула в себя воздух: он вошел в горло со свистом, а вместе с ним вошла боль — несильная, но ощутимая, как от прикосновения к синяку или затянувшейся ране на коленке. Той самой, которая покрыта коркой; разве это не любимое Белкино занятие — снимать корочки с затянувшихся ран?

Теперь — нет.

— Пусти меня, Миккель!

— Сначала успокойся.

— Я спокойна.

Маш и впрямь выглядела спокойной, о недавнем приступе ярости напоминала лишь неестественная бледность ее лица, проступившая сквозь загар. Да еще раздутые, как у Саладина, ноздри.

— Чуть не угробила эту шмакодявку, — Миш попытался улыбнуться. — Только этого нам не хватало.

— Одной больше, одной меньше — какая разница? Мы же все равно убийцы, как утверждает эта дрянь.

Ничего еще не кончилось, с ужасом поняла Белка. Она лишь получила небольшую передышку, но ничего не кончилось. И Миша тоже нельзя считать союзником: как бы он ни сопротивлялся решениям Маш, в конечном итоге все равно принимает ее сторону. Их связь — это связь детей, которым даже знакомиться не пришлось, они были друг у друга всегда. Сквозь прозрачные перегородки в материнском чреве они наблюдали друг за другом подобием глаз. Старались прикоснуться друг к другу подобием рук, сплести подобия ног. Они видели себя разными — набором нейронов, земноводными, едва оформившимися млекопитающими. Их ничем не удивишь, у них нет тайн друг от друга. Они вместе выбрались наружу — Маш чуть раньше, как самая смелая из двоих, самая отчаянная; но и Миш, прикрывавший тылы, особо не задержался. Никому не дано вклиниться между ними и разорвать эту нутряную связь, эту зависимость. Тут бессильны даже боги, даже кузнечики, что уж говорить о Белке?..

— Давай сделаем это! — снова воззвала к брату Маш. — Нам ведь не привыкать! Убьем и здесь зароем.

— Здесь? —

Миш обвел кухню взглядом, словно прикидывая, где можно разместить маленькое Белкино тело. Вскрыть пол и сунуть его туда не получится — все доски крепкие, плотно подогнанные. Есть еще множество шкафов, резной буфет, разделочный стол, покрытая дерюгой лежанка, — их твердые поверхности никогда не примут Белку, откажутся от нее в самый последний момент. Маш придется придумать что-то еще.

— Затащим ее в подвал. И...

Маш, как и Белке, хорошо известно: пол в подвале земляной, хотя и хорошо утрамбованный. Но для осуществления плана двойняшкам все равно понадобятся инструменты — лопата или кирка. А все инструменты хранятся в сарайчике у Лёки, и придется идти за ними. А это усложняет план, делает его уязвимым — вдруг кто-то увидит, что МашМиш тащат в дом лопату?..

— Ты серьезно? — в который уже раз спросил Миш.

— Отправляйся за лопатой.

— Да что на тебя нашло?!

— На нас! — парировала Маш. — Она же объявила убийцами нас двоих, ты разве забыл?

Белка снова начала рыдать — так горько, что Маш не выдержала:

— Заткни ее!

— Интересно, каким образом?

— Не знаю. Заткни и все.

Но Миш не сделал ни одного шага в их сторону. Он стоял посреди кухни и все твердые поверхности кружились вокруг него — лежанка, шкафы, резной буфет. А может, это у Белки закружилась голова — ровно за секунду до того, как она потеряла сознание.

Очнувшись, она обнаружила себя цепляющейся за ноги Маш. Она прижималась всем лицом к их змеиной пупырчатой поверхности и шептала:

— Машенька, пожалуйста, пожалуйста...

Змеи — скользкие существа. Чтобы совладать с ними, нужна сила, которой Белка не обладает. Но ей хватает мудрости понять: отделять себя от змей нельзя ни в коем случае. Пока они с Маш составляют единое целое, никто не посмеет уничтожить ее.

А Миш оказался слабаком.

В тот самый момент, когда Белка обвивала руками ноги его сестры, он схватился за голову; качнулся вперед, откинулся назад. А потом попятился к двери, загрохотал стулом, вырывая его из железной ручки. Его вынесло из кухни невидимой взрывной волной, идущей от ноздрей Маш, от ее рта, распяленного в беззвучном крике. Где-то совсем рядом хлопнула еще одна дверь, и в кухню ворвались запахи мокрой листвы, размягченной земли и звуки дождя: он никак не мог закончиться. От сквозняка само собой распахнулось кухонное окно, и рамы, подталкивая друг друга, снесли с подоконника несколько цветочных горшков. От неожиданности Маш не удержала равновесие и рухнула на пол: ее опрокинутое лицо оказалось рядом с Белкиным. Союз человека и двух ядовитых змей распался так же внезапно, как и возник, но Белка не воспользовалась ситуацией. Она не могла отвести взгляда от Маш — такой жалкой она была.

— Я и пальцем ее не касалась, — прошептала Маш. — Ты мне веришь?

— Да, — так же шепотом ответила Белка.

— Врешь! Ты не веришь, нет! Ни одному моему слову.

— Я верю, верю...

— Я не трогала ее. И Миккель тоже. Мы были злы на нее, вот и несли вздор. Я несла... Никто не хотел, чтобы с ней что-то случилось... Вот черт! Мы хотели. Но никогда бы не сделали ничего из того, о чем говорили...

Что это?

Кажется, Маш плачет. Эти слезы едва ли не горше Белкиных. Непрерывным потоком они льются по лицу с застывшей на нем улыбкой. Той самой — кинжальной, которая совсем недавно поражала беспечные человеческие особи в самое сердце. Но сейчас, от обилия влаги, кинжал проржавел до основания, ткни в него — и он рассыплется в прах. От былого могущества Маш тоже ничего не осталось.

— Уходи.

— Я... Я хотела сказать, что верю тебе, Маш, — Белка даже не ожидала от себя такого великодушия.

— Убирайся, иначе я вправду убью тебя...

Шорох, смутно заворочавшийся у двери, заставил их обернуться. На пороге кухни, вцепившись пальцами в дверной косяк, стояла Тата.

— А что это вы тут делаете? На полу?

— Ничего, — Маш провела ладонью по лицу, стирая с него слезы. — Разговариваем.

— Разговариваете и ничего не знаете, — в голосе Таты зазвучало легкое превосходство. — Шило нашел там та-акое...

— Такое?

— Мертвое. Вот какое!..

Ноябрь. Полина

...Внезапное исчезновение — хуже, чем история с покушением на Тату. Оно снова возвращает Полину на двадцать лет назад, в август, когда пропала русалка-оборотень. Те же декорации, те же спецэффекты в виде дождя, та же зыбкая неопределенность. Смерть Лазаря — безусловна, Полина была ее свидетельницей. Смерть Парвати — безусловна, об этом ей сообщил телеграммой Лёка. И лишь Асту она до сих пор не решалась причислить к лику умерших. Русалка-оборотень разделила судьбу сотен тысяч когда-либо и где-либо исчезнувших, она затерялась в сумеречной зоне, в слепой полосе, одинаково не видной с обоих берегов. С того, где находится сейчас сама Полина, и простак Шило, и МашМиш с Ростиком. И с того, который облюбовали Лазарь, Парвати, ее родители, родители Таты... Впрочем, может быть, их зрение устроено по-другому? Может, они знают такое, что еще недоступно живым?

Спросить не у кого.

И лишь Шило, напрочь лишенный рефлексий, забрасывает брата вопросами:

— Что значит — исчезла?

— То и значит. В ее комнате пусто. Плащ как висел на вешалке в прихожей, так и висит. Не могла же она уйти без плаща в такую погоду. И босиком... Гулька первым забил тревогу. Мы облазили дом, даже в подвал заглянули. Поднялись в башню. Обшарили бывшую конюшню и сеновал. Аля как сквозь землю провалилась.

— Вы с Гулькой, понятно. А остальные?

— Маш напилась в стельку и спит в гостиной. Миш сказал, что его это не касается. Разбирайтесь, мол, сами со своими припадочными родственниками.

— А даунито?

— Сидит на террасе и смотрит в одну точку.

— Тату не беспокоили?

— Ты же сказал — не беспокоить. Но... Гулька все равно сунулся. Сам понимаешь, такое дело.

— И?

— Дверь у нее почему-то заперта.

— Это я запер, — после недолгой паузы сказал Шило. — Чтобы всякие деятели не беспокоили раненого человека.

— Предупреждать надо, — в голосе Ростика не слышалось никакой обиды.

— По-моему, это не очень правильно, — вклинилась Полина. — Запирать девушку в таком состоянии. Вдруг ей понадобится помощь? Или просто захочется выйти...

— Не захочется. Именно в таком состоянии и не захочется. В таком состоянии нужно отлежаться. В идеале — денек-другой. Тем более что отсутствовали мы... — Тут Шило отогнул рукав куртки и взглянул на часы. — Э-э... всего лишь полчаса. Тридцать семь минут, если быть совсем точным. За это время ничего из ряда вон выходящего произойти не могло.

— То есть исчезновение Али — это совсем не из ряда вон? Учитывая ее нервный срыв?

Шило шмыгнул носом:

— Пока я не вижу повода для паники.

— Это твоя интуиция тебе нашептывает?

— Далась тебе моя интуиция...

— После всего происшедшего... особенно с Татой... я бы задумалась.

— В любом случае, дальше поселка актрисуля не уйдет. Побродит под дождем и вернется. Всего делов.

Поселок. Все они привыкли называть место обитания Парвати поселком, хотя это всего лишь одна улица с двумя десятками домов и небольшой площадью в самом начале улицы. В прежние времена на площади находился маленький магазинчик и кафешка при нем: пара столиков, шашлык, домашнее вино. В магазинчике торговали хлебом и концентратами горохового супа и клубничного киселя. Что еще из ассортимента запомнила Полина? Рыбацкие сапоги с отворотами, удочки, китайские термосы, байковые халаты, с десяток книг кишиневского издательства «Лумина», жестянки с монпансье, жестянки с тушенкой, трехлитровые бутыли с томатным соком, надувная резиновая лодка. Лица хозяев — мужчины и женщины — напрочь стерлись из памяти. Кажется, они были смуглыми — армяне, крымские татары? Не суть важно, тем более что магазинчик и кафе больше не работают. Полина мельком видела площадь из окна такси, когда приехала сюда: на дверях висит большой ржавый замок, окна заколочены досками. Вот что еще было неотъемлемой частью маленькой площади — телефонная будка! Теперь будка исчезла, но появился экскаватор. Должно быть, его пригнали, чтобы снести никому не нужный более магазинчик. Пригнали, поставили на прикол, да так и забыли.

Рейсовые автобусы никогда не заглядывали сюда, ближайшая остановка находится километрах в трех, на шоссе. А к поселку ведет усыпанная мелким гравием и довольно живописная дорога через сосняк. Поселок не выглядит оторванным от Большой земли — даже если идти пешком, изредка отвлекаясь на природные красоты, до шоссе можно добраться за полчаса. На велосипеде (помнится, многие здесь разъезжали на велосипедах) — и вовсе за десять — пятнадцать минут. У кого-то из соседей были машины и мотоциклы с коляской, ну а у Лёки с Парвати — рабочая лошадка Саладин. Именно на Саладине Лёка встречал МашМиша и Белку, и всех остальных. На нем он ездил на рынок по воскресеньям. Теперь, когда Саладина нет, когда маленький магазинчик у площади закрылся, — каким образом Лёка закупает продукты?

Машины, мотоцикла и даже велосипеда Полина на участке не заметила. Выходит, что замены Саладину не нашлось. И добродушному Дружку — тоже. Но в небытие канул не только Лёкин пес — остальные собаки. А ведь улица время от времени оглашалась лаем — Полина хорошо это помнит: едва ли не в каждом дворе имелся свой четвероногий охранник.

Теперь же здесь царит тишина.

О чем совсем недавно говорил Шило? О том, что за все время ни одна живая душа не попадалась ему на глаза. Кроме тех, кто обосновался в доме Парвати.

Это, по меньшей мере, странно.

Поселок, или «хутор Роза Ветров» (именно это название значилось на конвертах с письмами, которые изредка приходили от Парвати), — вовсе не летний лагерь, пустующий зимой, люди живут здесь круглый год.

Так куда же они подевались?

Объяснение, которое лежит на поверхности: кто-то скупил все эти земли, отселил жителей, — и только Парвати с Лёкой не захотели покинуть родовое гнездо. Как выкуривают упрямцев Полине хорошо известно, но с бабкой эта схема не сработала: за ее спиной стоял Сережа, Сережины деньги, Сережино влияние. Почти безграничное, как подсказывал Полине опыт. Единственное, что удивляет, — неизменность быта Парвати. Ее дом не стал богаче, в нем так и не появилось примет нового времени — хотя бы кухонного комбайна, плазменного телевизора или Интернета. Сережа мог себе позволить полностью перестроить дом, и даже снабдить его вертолетной площадкой, и соорудить пирс, и подогнать к нему яхту, есть ли у Сережи яхта?

Все может быть.

Он мог прислать сюда обслугу или забрать бабушку к себе, так, во всяком случае, поступил бы... Вот черт, Полина не имеет права судить его. Она и сама была не слишком хорошей внучкой. Отвратительной, если быть совсем уж честной с собой. За все эти годы ей и в голову не пришло навестить старуху. То же можно сказать и обо всех остальных. Зато теперь они оперативно собрались здесь, чтобы поделить имущество.

Правильнее было бы отказаться от дележки, уехать прямо сейчас. Так она и поступит.

Так она и поступила бы, если бы не ждала Сережу!

Сережа вот-вот приедет и все объяснит, хотя и без объяснений понятно: стоило Парвати лишь заикнуться, лишь пальцем пошевелить — и здесь была бы и обслуга, и пирс, и вертолетная площадка. А она просто не хотела менять существующего положения вещей, она всегда была упрямой, суровой и несгибаемой. Она всегда была хозяйкой — своего собственного дома и своей жизни, и такой осталась до самого конца. Кто из ее внуков может похвастаться тем же?

Никто.

Все они — неудачники, так ничего и не добившиеся, по большому счету. Мент, корабельный механик, парочка риелторов, художница, чьих работ не сыщешь ни в одной галерее, помощник звукооператора, таскающий по площадке микрофон, актриса-эпизодница. Есть еще деревенский дурачок, с которого все взятки гладки. И она — *гламурная писака*, колумнистка модного журнала, о существовании которого люди забывают, едва перевернув последнюю страницу. Пользы от ее умствований — ноль. Смысла в них — примерно столько же. Исчезни она завтра — никто и не почешется. Никто не спросит, куда же пропала Полина Кирсанова? Единственное, что может хоть ненадолго возбудить общественное внимание — ее смерть, желательно насильственная. Сообщение об этой трагической смерти появится в соцсетях, и — если повезет — в поисковой системе Яндекса, пятой строкой, сразу после сообщения о победе «Зенита» над «Галатасараем», или что-то вроде того.

В одном можно быть уверенной — Сережа обязательно пришлет своих людей, своих *кузнечиков*, и они проводят ее в последний путь с максимальной учтивостью и таким же максимальным насекомым равнодушием.

Почему вдруг Полина подумала о смерти? Трагической и — паче того — насильственной?

Все в этом, почти отрезанном от мира месте дышит тревогой. Она и суток здесь не провела, а уже случилась масса необъяснимых, неприятных и пугающих вещей. От некоторых из них можно отмахнуться, но от собственных страхов не отмахнешься. Все чаще она ловит себя на том, что прошлое вернулось. Оно неумолимо надвигается, и не в чем искать защиты от него. Не в ком. Они как будто снова стали детьми, слишком глупыми, слишком слабыми, чтобы противостоять злу. Кого привлечь в союзники? Восьмилетнего мальчика в «рябчике», его шестилетнего брата? Мелюзгу от трех до пяти? Но и от тех, кто постарше, мало проку. Универсальная мантра *бэнг-бэнг-бэнг* не сработает. В любых других случаях сработала бы, но не в этом.

Полина вернулась ровно в то место и в то время, что отравили всю ее жизнь, от этого яда — в костях, в крови, в луковицах волос — так и не удалось избавиться. А вернувшись, увидела тот же ландшафт, те же интерьеры и тех же детей, которые только делают вид, что они — взрослые.

Вы поедете на бал?

Отказаться от предложения невозможно.

* * *

...Темная человеческая фигура возникла перед ними так внезапно, что Полина вздрогнула — и лишь потом нервно рассмеялась.

Никита.

— Ну что? — спросил Ростик. — Так и не нашлась?

— Нет.

— Может быть, она решила уехать?

— И не сказала об этом мне? Исключено.

— Иногда люди совершают поступки, которые от них совсем не ждешь, — Ростик проявил удивительную для простого корабельного механика философичность. — Как-то была у меня девушка... Ты должен ее помнить, Шило.

Шило наморщил лоб:

— Э-э...

— Сашенька. Вспоминай! Тебе она еще не очень нравилась...

— Та, которая работала на рыбозаводе?

— Она.

— Ха! Не нравилась — мягко сказано. Я терпеть ее не мог. Хитросклепанная шлюха.

— Нет, Сашенька была хорошая... — Ростик нисколько не обиделся на выпад брата, только немного погрустнел. — И не ее вина...

— Такая хорошая, что бросила тебя за два дня до свадьбы? — взвился Шило. — Умотала с залетным норвежцем и даже не нашла нужным объясниться.

— Зачем ты так? Тем более что она объяснилась.

— Прислать эсэмэску «Полюбила другого, уезжаю, прости и не ищи меня» ты считаешь объяснением? Она даже не смогла сказать это тебе в лицо.

Шило все-таки чрезвычайно импульсивный человек. Переживает случившееся с братом так, как будто это ему нанесено оскорбление. Ему, а вовсе не Ростику. Он даже запомнил содержание эсэмэски от женщины, которую ненавидел. Надо же, какой пример истинной братской любви!

— Я мог бы найти ее в два счета! — Шило никак не мог успокоиться. — Но ты сам не захотел этого!

— Наверное, ей неприятно было видеть меня... Если ей хорошо с кем-то другим — пусть. А мешать женщине, которую ты любишь, быть счастливой — последнее дело.

— Ты всегда был размазней, брат.

— Вся эта история умиляет, — пожал плечами Никита. — Неясно только, какое отношение она имеет к пропаже моей сестры.

— Прости, — увалень Ростик, оказавшийся на поверку нежным и чувствительным человеком, осторожно коснулся его руки. — Это к тому, что люди... женщины... часто поступают совсем не так, как мы думаем.

— Неправильный тезис. Аля — не такая, как все остальные. И я знаю, что происходит с ней... после нервных срывов. Забьется в уголок и пережидает. Переживает в одиночестве.

— Вот она и забилась, — Шило (совсем не такой деликатный, как его брат) хмыкнул. — Только не в тот уголок.

— Не в тот? — озадачился Никита.

— В другой. Здесь их, судя по всему, предостаточно. Вообще, мне нужно кое-что перетереть с тобой.

— Я слушаю.

— Не сейчас и не здесь. Доберемся до дома — объясню.

— Я не собираюсь возвращаться. Я не вернусь, пока не найду Алю.

— А вдруг она уже дома?

— Я уверен, что она дома, — поддержал брата Ростик.

Никита застыл в раздумье. Видно было, что ему очень хочется поверить Ростику, что дождь, нескончаемыми потоками льющийся с неба, раздражает его и что он не хочет оставаться один. Интересно, о чем Шило собирается расспросить его?

Альбом с фотографиями!

Вздохнув и бросив взгляд на пустынную улицу, Никита направился к дому Парвати вместе с остальными. А Полина, улучив минуту, ухватила Шило за рукав и шепнула:

— Хочешь показать ему фото?

— Допустим, — ушел от прямого ответа тот. — Не нравятся мне все эти исчезновения и нервные припадки на ровном месте.

— Ты же говорил, что ничего страшного нет.

— Ничего страшного нет. Но кто-то... э-э-мм... нагнетает обстановку.

— Кто?

— Это я и хочу выяснить.

...Первым, на кого они наткнулись, подойдя к крыльцу, был Лёка. Он сидел на дощатом полу террасы, вытянув ноги и устремив в пространство невидящий взгляд. Прохудившуюся крышу давно не ремонтировали, оттого дождь проникал на террасу почти беспрепятственно. Свитер и штаны Лёки вымокли до нитки, капли со звоном отскакивали от носков его ботинок и стекали по подбородку — но он, казалось, совсем не замечал этого. И почти никак не отреагировал на приблизившуюся к дому делегацию. Члены делегации тоже сделали вид, что промокшего дурачка не существует. И лишь Полина, замыкавшая шествие, на секунду задержалась возле него:

— Иди в дом, — сказала она. — Простудишься.

Вместо ответа Лёка приложил палец к губам и улыбнулся. Что это должно было означать? Что он помнит уговор относительно коллекции насекомых? Скорее всего. На всякий случай Полина послала дурачку такую же неопределенную улыбку и толкнула входную дверь.

И только оказавшись внутри, в разомлевшей от тепла прихожей, почувствовала, как устала. Мокрая одежда липла к телу, в ботинках хлюпала вода — немедленно переодеваться, немедленно. А до этого — принять душ, и тогда к ней вернется ее обычный оптимизм.

...Через пять минут Полина уже стояла перед дверью ванной комнаты с полотенцем в руках. Но — и это была первая неприятность — она оказалась закрытой изнутри. Второй неприятностью оказались звуки — Полина прекрасно знала, что они означают: кому-то плохо, очень плохо. И выворачивает наизнанку. Невнятица голосов за дверью сменилась вполне определенным:

— Да пошел ты!..

Маш, ну конечно же. А второй голос — бубнящий и маловразумительный — принадлежит Мишу. Ничего удивительного, Маш сверх всякой меры набралась, а Миш отирается рядом, пытаясь облегчить участь сестры. Миш — он такой, не оставляет родного человека ни в горе, ни в радости, второй раз за последние пятнадцать минут Полине явлены образцы братской любви. В ее лучах лишь сильнее ощущается собственное одиночество.

Когда же приедет Сережа?

— Вы там надолго? — громко спросила Полина. — Мне нужна ванная.

Дверной замок щелкнул, дверь приоткрылась, и в нее протиснулась голова Миша:

— Придется немного подождать, — смущенно сообщил он. — Девушке плохо.

— Мне тоже... не очень хорошо.

— Думаю, не так, как ей.

— Гони всех в шею, — раздался из недр ванной повелительный голос Маш.

— Извини.

Дверь захлопнулась, после чего снова щелкнул замок, на этот раз — издевательски-громко. Кем там виделся Миш неизвестному коллекционеру, которого Полина (для краткости) решила назвать про себя зимм-мам?

Богомолом.

Зимм-мам ошибся. Или не слишком силен в психологии. Или совсем не знает Миша. Миш — улитка, вечно прячущаяся в домик по имени Маш. Хуже того — садовый слизень. Безвольный и пугливый, как и положено слизню. В мокрой дорожке, которую он оставляет после себя на виноградном листе жизни, — ноль информации. Миш способен лишь транслировать волю своей сестры. Иногда он прибегает к дипломатии, чтобы высказывания и поступки Маш не выглядели слишком уж одиозно. Но и дипломатия не спасает: Маш остается сукой, а сам Миш — жалким подкаблучником.

Что ж, приходится в очередной раз констатировать, что сука и подкаблучник победили. Хотя бы в борьбе за ванную.

Полина направилась к себе в башню, на ходу вытирая полотенцем мокрые волосы. У комнаты Таты она на секунду остановилась и приложила ухо к двери: внутри было тихо. Стучать, чтобы выяснить, что на самом деле произошло с Татой и что происходит в данный конкретный момент, бессмысленно, ключ-то у Шила! И все же она решилась и через дверь позвала кузину:

— Тата, это я, Полина. Как ты себя чувствуешь?

— Я в порядке, — раздался спокойный голос Таты. Слишком спокойный, учитывая то, что ей пришлось пережить.

— Я... могу войти?

— Волноваться не о чем.

Это значит — да? Это значит — нет? Это значит — да, но не сейчас? Как будто Тата не в курсе, что архангельский братец запер ее! А может, действительно не в курсе?

— Навещу тебя попозже, — только и смогла сказать Полина.

— Хорошо.

...После всех неудач с комнатами, в которые ей так и не удалось попасть, светелка в башне выглядела надежным убежищем, едва ли не райским уголком. Полина наскоро переоделась в сухое и прилегла на кровать. За окном шумел дождь, но сквозь шум пробивался еще один звук — легкое металлическое позвякивание. Обнаружить источник звука не составило особого труда: маленькая дверная щеколда. Щеколда чуть выдвинута, оттого ее кончик и бьется о железную скобу, вмонтированную в косяк. Ничего удивительного, по шкиперской и раньше гуляли сквозняки, особенно — в ветреную погоду. Но сейчас никакого ветра нет! И ключа, чтобы запереть дверь, тоже нет. Можно лишь закрыться изнутри с помощью щеколды, а если покинешь шкиперскую — комната так и останется стоять открытой: заходи кто хочет!

Этот факт почему-то взволновал Полину, хотя поводов для беспокойства не было никаких. В конце концов, она окружена родственниками, а не какими-нибудь пришлыми нищебродами, способными покуситься на чужое добро. Да и ничего особо ценного в ее багаже нет: белье, джемпер, шерстяное платье для похода к нотариусу, пара футболок, запасные джинсы... И ноутбук. Ах да, еще читалка с закачанным перед отъездом Умберто Эко. Но вряд ли кто-то польстится на читалку — двоюродные братья и сестры Полины вовсе не производят впечатление интеллектуалов.

Монотонность дождя усыпляла, и Полина смежила веки, готовая вот-вот погрузиться в сон. Но в самый последний момент заметила в окружающей обстановке нечто такое, что не оставило следа от усталости и расслабленности:

КОЛЛЕКЦИЯ НАСЕКОМЫХ.

Позабытая ею в мастерской, коллекция вновь вернулась к Полине. Теперь она стояла на одной из полок, с двух сторон зажатая для верности книгами. И прямо-таки лезла в глаза: даже удивительно, что Полина не обнаружила ее раньше. Короб с насекомыми принес, конечно же, Лёка (милый, безотказный и внимательный Лёка!) — больше некому.

Впрочем, умиление сразу же прошло, уступив место неясной тревоге: всему виной таблички с именами, конечно же! Но... не только это. Что-то неуловимо изменилось в самих насекомых. Это было лишь внутреннее ощущение, которое требовало немедленной проверки. Покопавшись в сумке, Полина извлекла из нее маленькую складную лупу и, вооружившись ею, двинулась к коробу.

Так и есть! Крошечная головка бабочки-капустницы («Тата») утопала в красном — несколько капель пролилось даже на картон. А голова бабочки-огневки («Аля») отсутствовала вовсе! Бегло осмотрев остальные экземпляры коллекции, Полина не нашла в них какихлибо видимых повреждений, но безотчетное чувство тревоги никуда не делось — только усилилось. Проще всего было бы отмахнуться от увиденного, сунуть проклятый короб за брезентовые скатки, заставить лоциями или вообще выбросить: с глаз долой — из сердца вон! Но проблемы это не решит и от тревоги не избавит. Таинственный коллекционер либо следовал за событиями, либо... сам инициировал их. Ничем другим не объяснишь красные точки (краска? кровь?), обсевшие капустницу, — ведь на Тату напали, разбили ей затылок! Но что может означать оторванная голова огневки?

Об этом лучше не думать.

Но думать все равно придется — как и о том, куда подевалась Аля, не бабочка — девушка. Полина вела себя глупо: вместо того чтобы дожать Лёку, она сделала вид, что принимает его путаные объяснения насчет неведомого энтомолога-любителя. Впрочем, у нее есть оправдание: тогда, в мастерской, это виделось шуткой. Пусть и жестокой, но шуткой, не более.

Теперь все изменилось. Нужно немедленно показать насекомую коллекцию Шилу. Единственному среди них полицейскому и вообще — человеку трезвого ума. Пускай он решает, что делать со всеми этими мелкими тварями — или не делать вовсе. А Полина больше не намерена сушить голову над тем, что выше ее понимания.

На секунду испытав облегчение, она сняла короб с полки и прямо за ним увидела плотный потрепанный конверт, до поры до времени прикрытый богомолами, клопами-солдатиками и стрекозами «синее коромысло».

СОВСЕМ СЕКРЕТНО — было выведено на нем, в правом верхнем углу. И — чуть ниже, ровно посередине:

БЕЛКЕ

Конверт явно подписывал ребенок: неровные печатные буквы заваливались друг на друга. «К» в слове «секретно» смотрела в противоположную сторону, а «н» так далеко отстояла от «т», что получалось что-то вроде **секрет но**.

Нет здесь никаких детей.

Все здесь дети.

И конверт мог подписать любой, кто знал, что Полину зовут Белка. И Шило, и Ростик, и МашМиш прекрасно об этом осведомлены. А Тата с самого начала вернулась к Полининому детскому прозвищу. Прошлым вечером это умиляло, теперь же...

Полине потребовалось немало мужества, чтобы прикоснуться к конверту: руки ходили ходуном, а сердце готово было вот-вот выпрыгнуть из груди. Что-то подсказывало ей: если она вскроет послание, жизнь ее никогда не будет прежней. Впрочем, не стоит жалеть о прежней жизни, хорошего в ней было не так уж много: страх, скорбь, одиночество, желание позабыть о том, что случилось с Лазарем и Астой, — и невозможность забыть. И вечное ожидание Сережи.

У нее оставался еще один выход: не вскрывать конверт или, по крайней мере, не заглядывать в него здесь. Спуститься вниз, найти Шило и всех остальных — пусть делают с детским письмом что хотят. Тем более что на конверте имеется подсказка — **секрет но**. Секрет-то секрет, но Белка может поделиться им с кем угодно.

Так и есть: она снова прячет голову в песок, пытается уйти от решения проблемы. Разве не этим она занималась всегда? Резкие движения, глобальные перемены — не ее стиль, Полина лишь безвольно плывет по течению в тайной надежде, что высшая сила (Бог, Сережа) направит ее, вынесет на безопасное место, укажет путь к спасительному берегу. Последний раз она была храброй двадцать лет назад — когда пошла за шахматными фигурками навстречу шторму. И обнаружила в гроте мертвого Лазаря. И провела с ним... Сколько же времени она с ним провела? Полчаса, час, день, вечность? Любой из временны́х отрезков будет правдой. И неправдой одновременно.

Полина склоняется к вечности.

С тех пор, со времен вечности, мужество навсегда покинуло ее. Но теперь появился шанс все изменить, и никто для этого не нужен — ни Шило, ни МашМиш, ни даже Тата. Разве что Сережа, но он не желает вернуться к ней, не хочет увидеть и обнять — как тогда, в детстве. Что она сделала не так? В чем ошиблась, почему оказалась недостойной его внимания?

Неожиданно она почувствовала едва ли не ненависть к Сереже, к его изматывающему *не*присутствию в ее жизни. Нельзя же считать присутствием те подачки, те крохи, что время от времени перепадают Полине.

Если она будет храброй — что-то изменится? Вдруг — изменится?

Как и положено документам подобного рода, секретная депеша с обратной стороны была заклеена сургучом. И это снова отбросило Полину в детство, в ту его часть, где находилась пустыня Кызылкум и цветущие красным саксаулы. Отцу частенько приходили заказные письма и бандероли с Большой земли, с такими вот сургучными печатями. Сургуч страшно нравился маленькой Белке, особенно если растопить его в консервной банке на открытом огне. А потом осторожно вылить на кусок картона и придавить самодельной печатью. В качестве печати Белка использовала колечко, подаренное Байрамгельды. Это было удивительное колечко — очень старое, очень ценное: Байрамгельды утверждал, что его носила одна из жен Тамерлана, — при одном упоминании этого имени Белке надлежало закатить глаза, поцокать языком и издать возглас восхищения. Но она не особенно разбиралась в истории, хотя самому кольцу была искренне рада — такое оно было красивое. Серебряное, с красновато-коричневым камнем-ониксом и с крошечным колокольчиком, припаянным к нижнему краю. Или — к верхнему краю. Единственный недостаток кольца — оно слишком большое, не держится даже на большом пальце, не говоря уже о безымянном и указательном. Оттого Белка и носила его на шее, на шнурке, — в ожидании, пока пальцы вырастут настолько, чтобы кольцо заняло полагающееся ему место. И, чтобы скрасить ожидание, время от времени топила оникс в сургуче: оттиск получался необыкновенно привлекательным, узорным — за счет серебряных лапок, которые цепко держали камень.

Куда делось кольцо впоследствии — Полина не помнит. Быть может, просто потерялось или было украдено духом Байрамгельды, так и не простившим маленькой девочке равнодушия к судьбе великого и ужасного Тамерлана. И всех его жен заодно.

Сломав сургуч, она осторожно приоткрыла конверт и двумя пальцами вытащила... открытку. И несколько минут разглядывала ее, потрясенная.

WOULD YOU SAIL WITH ME?

Надпись, сделанная от руки, — она нисколько не потускнела, и теперь поднаторевшая в английском Полина может свободно перевести ее: «Ты отправишься в плаванье со мной?» Маленький якорь на ленте языком свешивается из открыточной пасти — стоит потянуть его, как открытка тотчас раскроется. Но и без того Полина отлично знает, что таится внутри:

— кораблик,

— маяк,

— три ряда волн,

— чайки — две галочки на открыточном небе.

И у кораблика ровно два паруса: один — полосатый, напоминающий тельняшку, вместо второго вывешено сердечко, *ты отправишься в плаванье со мной?*

Когда-то это звучало как признание в любви. Вот черт, это всегда звучит как признание в любви. Как страстное желание и робкая надежда не расставаться никогда-никогда, чем ответила Аста на обращенный к ней призыв?

Она исчезла.

Между невинно-мультяшной открыткой и загадочным исчезновением нет прямой связи. Нет свидетельств того, что Аста пропала, потому что приняла предложение к путешествию. Но Полина не торопится развернуть открытку. Что, если пейзаж внутри поменялся?

Не трогай ее!

Давай, прикоснись!

Не трогай!

Давай, трусюндель!..

Все было бы проще, если бы лента, на которой болтался картонный якорь, не обзавелась еще одним якорем — металлическим.

Ключ.

Самый обыкновенный маленький ключ от английского замка — что он открывает?

Давай, прикоснись!

Давай, трусюндель!..

Давай, ты же только что дала себе слово быть храброй (это понравилось бы Сереже), решительной (это понравилось бы Сереже). Немного авантюризма (это понравилось бы Сереже) тоже не помешает: отправиться в плавание за тридевять земель — всегда авантюра.

Нет-нет, в открыточном пейзаже ровным счетом ничего не изменилось, чайки и волны оказались на своих местах. Зато безымянный кораблик получил название. «MARIPOSA» было выведено на нем — теми же печатными детскими буквами. Полина уже видела где-то это сочетание букв — и совсем недавно.

Вилла с бассейном и смотровой площадкой!

Означает ли это, что вилла открывается ключом, который прикреплен к нейлоновой ленте? Все может быть. Не проверишь — не узнаешь! Неожиданно в Полине проснулось острое любопытство, навсегда, казалось бы, потерянное после трагедии с Лазарем. Теперь же оно триумфально возвращалось, неся с собой сладкий, с привкусом овсяного печенья, страх. И такую же сладкую уверенность, что все в конечном счете закончится хорошо. Это всего лишь игра, придуманная детьми и для детей, ничего опасного в ней нет: мнимые раны сочатся клюквенным соком, из пластмассовых пистолетов вылетают не пули, а бумажные флажки с надписью «бэнг-бэнг-бэнг». А если случится неприятность, и флажок каким-то образом заклинит, «бэнг-бэнг-бэнг» всегда можно продублировать голосом.

У Маш это получалось отменно.

Решено, Полина отправится на виллу «Mariposa» немедленно. Ведь тот, кто оставил конверт в шкиперской, хотел этого. И знал, какой любопытной и любознательной девочкой была маленькая Белка. И — отважной. И — умеющей хранить секреты. Справедливости ради — иногда она трусила, как трусит любой ребенок, впервые столкнувшись с малопонятным взрослым миром, но... Поцелуй в щеку прогонял любые страхи, скреплял любые клятвы и обещания посильнее хрупкого сургуча. Двумя пальцами его не переломишь.

Сережин поцелуй.

Ты любишь меня, Белка? Если да — ты должна молчать. Врать и изворачиваться, если нужно. Быть стойкой, если нужно. Если нужно — сказать правду, какой бы горькой она ни была.

Сердце Полины бьется часто-часто, его стрекозиные крылья потрескивают и трепещут, — а все из-за пронзившей ее мысли: письмо оставил Сережа, никто иной. Конечно, он действовал через посредников (во всем, что касается Полины, он всегда действует через посредников). На этот раз передаточным звеном был Лёка, никто иной. Лёка предан Сереже так же, как был предан Парвати, он выполнит любую Сережину просьбу — о том, чтобы молчать, если нужно. Или сказать правду, если нужно. Не понадобится даже скреплять обещание поцелуем. Достаточно будет одного повелительного взгляда и пальца, приложенного к губам, — *тс-сс.* Вот только врать и изворачиваться простодушный дурачок не умеет, но и Сережа никогда не потребует от брата невозможного. Он всегда знает, чего следует ожидать от того или иного человека.

И Белка — его Белка! — не должна его подвести.

Она не подведет.

Еще минуту назад мысль о том, что за письмом с сургучной печатью стоит Сережа, казалась невозможным, немыслимым допущением. И рождала массу неудобных вопросов: каким образом в его руках оказалась открытка, принадлежавшая Асте и исчезнувшая вместе с ней много лет назад? Почему письмо идет в связке со зловещей коллекцией насекомых? Зачем прибегать к сложностям, иносказаниям и детскому почерку, вместо того чтобы просто позвонить? Просто появиться здесь, в доме Парвати, на который Повелитель кузнечиков имеет гораздо больше прав, чем все остальные? Ведь бабушка по-настоящему любила только своего старшего внука и ждала лишь его. Остальные были досадной помехой, обузой, мелким злом, источником ненужных хлопот и треволнений. А Сережа мог в любой момент вернуться...

Он и вернулся!

И купил дом по соседству, ничтожной части его состояния хватило бы на десяток таких домов, если не на сотню. И Парвати знала об этом, но не захотела переезжать в новострой из своего родового гнезда. Возможно, о покупке дома Сережей догадывался кто-то еще: Тата (в силу своей природной чуткости и умения видеть то, что скрыто от глаз), Шило (в силу своей профессии и доступа к самым разнообразным электронным базам), — недаром они оказались на территории виллы «Mariposa» почти одновременно! Вот только смелая скаутская вылазка закончилась для Таты пробитой головой; кто это сделал — еще один неудобный вопрос.

Не Сережа же в самом деле!

Плевать на все неудобные вопросы! — Полина надежно защищена от них двадцатилетней давности Сережиным поцелуем в щеку. В этом поцелуе были только добро и свет и обещание братской поддержки на десятилетия вперед. На столетия.

Странное возбуждение не покидало Полину ни на секунду. Она лихорадочно переоделась, зачем-то полезла в косметичку, достала зеркальце и тушь, мазнула ею по ресницам и тут же устыдилась этого спонтанного жеста. Кому она хочет понравиться? Сереже. Но неизвестно, чего ждет Сережа и — главное — кого?

Свою Белку.

Ведь секретное письмо адресовано именно Белке, одиннадцатилетней девочке, а вовсе не тридцатитрехлетней женщине. Одиннадцатилетняя девочка не красила ресниц, зато читала «Идиота» и верила в то, что Сережа управляет не только кузнечиками, но и кораблями — земными и небесными, и всем миром в придачу. Заляпанные тушью ресницы несовместимы с нежным братским поцелуем. И накрашенные губы — тоже, и пафосное платье, купленное прошлой зимой в мадридском магазине «Пурификасьон Гарсия». Такие платья годятся только для нотариусов, а на встречу с Сережей она оденется попроще. Как оделась бы напрочь лишенная кокетства маленькая Белка. С поправкой на возраст, разумеется.

И никакой косметики.

Через три минуты она уже спускалась по лестнице. На втором этаже было тихо: громогласные МашМиш покинули ванную и отправились... Куда? Теперь это волновало Полину меньше всего. Как и судьба всеми оставленной и, возможно, нуждающейся в помощи и участии Таты. Наверное, она поступает не очень хорошо. Но если бы пришлось выбирать: быть хорошей для Сережи и плохой для всех остальных... Она выбрала бы Сережу!

От осознания этого у нее вдруг закружилась голова. Такое уже было когда-то. В самый разгар ее романа с Эмином — врачом-реаниматологом из стамбульского госпиталя. Это он засвидетельствовал смерть ее родителей, это он сообщил ей подробности смерти. В тот момент ей не на кого было опереться (Сережины кузнечики при исполнении — не в счет), а Эмин... Он подставил плечо, протянул к ней руки, крепко обнял и долго-долго не размыкал объятий. И в какой-то момент ей показалось, что роман может вылиться в нечто большее. И что она останется с Эмином навсегда. Искушение было велико, особенно когда молодой турок предложил Полине стать его женой. Тогда она ответила «может быть».

— Это ближе к «нет» или «да»?

— Это где-то ровно посередине.

Посередине. Вот слово, определявшее суть их отношений с Эмином. Полина всегда была посередине. На полпути между Старым городом и Аэропортом. На полпути между Стамбулом и Питером. На полпути между привязанностью и нежностью. Всякий раз, когда она уезжала, Эмина охватывал неподдельный страх.

— Я буду ждать тебя.

— Лучше не ждать, а просто жить.

— Я буду ждать тебя. Сколько бы времени ни прошло.

— Потрать это время на что-нибудь другое.

Кажется, Эмин о чем-то говорил ей: о пользе ожидания, которое ввергает человека в подобие анабиоза. И, лишенный возможности тесного взаимодействия с внешним миром, он начинает задумываться о действительно важных вещах.

— И что же ты считаешь важными вещами?

— Любовь.

— А еще?

— Любовь.

— И все?

— Нет. Еще — любовь.

Эмин все время рассуждал о любви — чуть цветасто, как и положено восточному человеку. Любовь Эмина легко раскладывается на составляющие: нежность, страсть, привязанность, ответственность. Химическая формула любви, которой до сих пор пользовалась Полина, ровно вдвое короче, она, как и раньше, состоит из привязанности и нежности.

Тех самых чувств, которые подпадают под определение «по-дружески».

Но по-дружески можно пить кофе и болтать о всяких пустяках, а потом разойтись в разные стороны: дежурный поцелуй в щеку, рассеянная улыбка, обещание *не пропадать,* всем этим обещаниям — грош цена.

«По-дружески» — совсем недостаточно, чтобы навсегда связать свою жизнь с Эмином. Секс с ним меланхоличен, за то время, пока Эмин пытается доставить ей удовольствие, Полина успевает подумать о множестве вещей. В основном, это приятные вещи, потому что и сами прикосновения Эмина осторожны, деликатны, нежны. Запах, идущий от его тела, тоже не лишен приятности: смесь мыла, дезодоранта и туалетной воды, — никаких раздражающих примесей. Где-то на полпути между полночью и рассветом, между подбородком Эмина и его плоским животом, Полина (не ко времени, не к месту!) вспоминает о Сереже. У нее нет ни одной Сережиной фотографии. Ни одного письма не было написано им, ни одной телеграммы не послано, хотя при расставании он клятвенно заверил маленькую Белку, что даст знать о себе. Единственный подарок — старинную монету на шнурке — постигла участь кольца Байрамгельды. Она исчезла едва ли не на второй день после возвращения в Питер. Быть может, монета исчезла еще раньше — в поезде или в такси, которое везло их с папой до Симферополя: воспоминаний о бегстве из дома Парвати почти не сохранилось. Обнаружив пропажу, Белка так горько плакала, так убивалась, что родители стали всерьез опасаться за ее душевное здоровье. Вот только связывали они это вовсе не с монетой, а с тем, что пережила их дочь. Слава богу, до неврологического диспансера дело не дошло, но от занятий в школе ее освободили на целый месяц.

Когда Белка выкинула из головы монету?

Когда не пришло первое письмо, а потом — второе, и третье, и десятое, и все сроки ожидания вышли. Она все еще настаивала, чтобы папа связался с Парвати и напомнил ей: в Питере ждут Сережу, *он должен приехать немедленно, иначе Белка умрет*. Затем «немедленно» сменилось на «Новый год», а «умрет» на «скучает». А потом, после Нового года, и «скучает» кануло в небытие, к вящей радости папы. А мама так и вовсе была уверена, что все образуется: *дети быстро забывают свои привязанности и о том, без чего не могли жить вчера, назавтра и не вспомнят*.

Это — правда и неправда одновременно.

Белка вовсе не забыла Сережу, она просто заперла его в темном чулане, где-то на полпути между головой и сердцем. Пусть посидит там, подумает над своим дурным поведением. Сидеть в чулане — не сахар, не всякий выдержит это испытание. Там нет света, так что все Сережины книжки, все словари — бесполезны. Их можно пощупать, но ни строчки не прочтешь. Да и щупать ничего не рекомендуется, как не рекомендуется размахивать руками — того и гляди наткнешься на остальных чуланных постояльцев: мертвого Лазаря (его легко спутать с шахматной фигуркой, такая гладкая у него кожа), открытку с якорем на нейлоновой ленте и надписью:

WOULD YOU SAIL WITH ME?

Впрочем, надпись тоже не видна в темноте.

И Сережа — не виден.

По мере того как проходили годы, его образ стирался в Белкином сознании, черта за чертой; дольше всех продержались глаза, волосы и ложбинка между ключицами, но и они со временем исчезли. К моменту возникновения в ее жизни Эмина Сережа и вовсе стал фантомом. Значит, и боль, которую она испытывает, — фантомная, со временем она обязательно пройдет. Она и проходила, и почти полностью прошла. Чтобы вернуться в самый неподходящий момент, на старой лестнице старого стамбульского дома, где жил Эмин. Тогда Полина стояла так же, как стоит сейчас, ровно посередине между вторым и первым этажами, *на полпути.*

Ничего не закончилось.

Умный Сережа нашел выход из воображаемого чулана, куда заперло его Белкино воображение. Но даже не подумал уйти — напротив, приблизился до невозможности. Глаза, волосы, ложбинка между ключицами — Полина снова видит их в мельчайших подробностях. И даже различает иероглифы татуировки, что тянется от плеча к локтю:

午後の曳航

Подобные вещи помнят лишь безнадежно влюбленные. Она и была влюблена в Сережу, когда ей было одиннадцать. Теперь, став взрослой, Полина может себе в этом признаться. Ничем другим не объяснишь ее желание оказаться поблизости от водопада, увитого плющом, — того самого, где исчезают кузнечики. Ее сердце неистово колотилось при одном приближении Сережи, и то единственное лето, проведенное рядом с ним, можно было бы считать самым счастливым в жизни, если бы... Если бы не смерть Лазаря и исчезновение Асты.

Но, стоя на стамбульской лестнице, она думала вовсе не о них. Вот если бы Сережа увидел ее взрослой! И он бы... Что? Восхитился тому, как она расцвела? И взглянул бы на нее, как на женщину? Мысли, роившиеся в голове, пугали Полину, лучше остановиться. Прямо сейчас. Иначе можно додуматься черт знает до чего!.. Ведь Сережа — ее брат, пусть и двоюродный, влечение к нему — патологично по своей сути.

Нет никакого влечения.

Нет.

Нет.

Полина повторяла это «нет» на разные лады, опустившись на ступеньки и прислонясь лбом к перилам. Она должна немедленно выбраться из этих дебрей, из этих хлябей! Из этой трясины, поглотившей не одну сотню кузнечиков. В конце концов, есть и другое объяснение, оно вполне может устроить любого психоаналитика. Полина благодарна своему брату за помощь; деликатность этой помощи зачаровывает, к тому же детскую привязанность никто не отменял.

То стамбульское возвращение Сережи имело и печальные последствия: она бестрепетно рассталась с несчастным Эмином и больше не искала Большой любви. Романы — да, чтобы не чувствовать себя совсем уж одинокой. Но на все предложения о замужестве следовало не уклончивое «может быть», — только «нет».

Нет.

Нет.

Теперь, стоя на лестнице дома Парвати, она чувствует, что время для «нет» закончилось. На любой из Сережиных вопросов (*ты скучала по мне? ты думала обо мне? ты отправишься в плавание со мной?*) она ответит — да!

В гостиной звучали приглушенные голоса. Один точно принадлежал Шилу, а второй... Должно быть, это Никита. Стараясь не выдать себя, Полина спустилась еще на несколько ступенек: теперь ей был виден край стола и кресло, которое раньше занимала Маш. Теперь в нем сидел Никита с фотоальбомом на коленях.

— Откуда у тебя эти фотографии? Эта... фотография?

— Неважно. Что ты можешь сказать по существу снимка? Он тебе знаком?

Все ясно: невидимый Полине Шило с упоением играет роль детектива — умного и прозорливого.

— Я не уверен... Но, кажется, это первая Алина роль...

— Роль?

— Ну да... Совсем крошечная. В милицейском сериале она играла жертву преступления. Всего-то пара минут экранного времени.

— И кто же ее сфотографировал?

— Понятия не имею. Возможно, фотограф съемочной группы. По ее просьбе.

— Ты это серьезно?

— Насчет фотографа?

— Насчет просьбы.

— Э-э... — голос Никиты прозвучал неуверенно. — Скажем, я не исключаю такой возможности. Все-таки — первое появление на экране.

— Значит, этот снимок не единственный? Есть похожие?

— Не знаю.

— А раньше ты видел его?

— Нет. Никогда.

— Но тем не менее сразу вспомнил, что это роль, а не что-нибудь другое.

Никита бросил альбом на стол. Вернее, отшвырнул его, как будто это был не кусок картона в обложке, а ядовитая змея.

— О чем ты? Что значит — другое? Я сам позвал ее в этот дурацкий сериал, потому что работал на нем. А Але очень хотелось засветиться в телевизоре.

— Даже в таком виде?

Никита пожал плечами:

— Она актриса.

— И это все объясняет?

— Не все, но многое.

Наконец-то в поле зрения Полины появился Шило. Он больше не задавал вопросов и даже не смотрел в сторону бородача, лишь беспокойно хлопал себя по карманам. И растерянно глядел по сторонам.

— Ты что-то потерял? — поинтересовался Никита.

— Ничего. Пустяки.

Полина и секунды здесь не задержится, ведь ее ждет Сережа! Возникшее подозрение, что письмо мог написать именно Сережа, удивительным образом переросло в уверенность. Если она поторопится, то увидит его через десять минут, и ничто не сможет ее остановить: ни дождь, ни колючий кустарник. Ни даже то, что визит на виллу «Mariposa» печально закончился для маленькой художницы Таты. Стараясь не привлекать к себе внимания, Полина на цыпочках преодолела оставшиеся ступеньки и проскользнула в прихожую. Сняла с вешалки первый попавшийся дождевик (шум дождя снаружи не утихал) и так же неслышно приоткрыла входную дверь. Больше всего она боялась, что кто-то из двоюродных братьев окликнет ее, и тогда придется потратить пару лишних минут на объяснения. И это отдалит — пусть и ненадолго — встречу с Сережей. Конечно, она вовсе не собиралась рассказывать Шилу или кому-нибудь еще, куда направляется, но сама мысль о том, что придется лгать и изворачиваться (*решила взглянуть на море, решила поискать Алю, решила прогуляться по поселку*), — претила ей. А как быть, если кто-нибудь (такой вариант вовсе не исключен) решит увязаться следом?..

Но все обошлось, никто не заметил маневра и не отреагировал на скрип открываемой двери. Оказавшись на террасе, Полина перевела дух и осмотрелась: Лёка, каменным истуканом сидевший у стены еще полчаса назад, куда-то исчез. Пусть его. Больше, чем сказал, он уже не скажет, да и понять аллегории и иносказания *иного* невозможно. Как невозможно решиться нырнуть в серую пелену ливня. Он так силен, что полностью заслонил собой сад, даже очертания самых ближних к террасе клумб с отцветшей маттиолой едва просматриваются. Что уж говорить о деревьях и винограднике! Ей бы и в голову не пришло отправиться в столь недружелюбную погоду бог весть куда, если бы не Сережа. Ради него Полина готова еще не на такие жертвы!

А... на какие?

Об этом она подумает позже.

А сейчас нужно решить, как добраться до соседней виллы: на сад уже опускаются сумерки. Подталкиваемые ливнем, они пришли заметно раньше положенного времени. Сколько сейчас? — три, четыре часа пополудни? А может, все семь? Время в доме Парвати движется по своим законам, то сжимаясь, то, наоборот, растягиваясь. Интересно, распространяется ли это правило на «Mariposa»? Не проверишь — не узнаешь.

Давай, трусюндель!

Непросохший до конца дождевик моментально вымок снова и чуть заметно отяжелел. Основная тяжесть почему-то пришлась на правый карман. И когда Полина опустила в него руку, то сразу нащупала что-то вроде маленькой книжки или блокнота. Раскрывать ее под проливным дождем было откровенной нелепостью, но любопытство взяло верх, и Полина бегло пролистала первые несколько страниц.

Рисунки.

Быстрые наброски, заштрихованные плоскости, тонкий — в одно касание карандаша — абрис фигур. Подобный блокнот или, скорее, альбом для скетчей с карандашом в кожаном кольце мог принадлежать только художнику. Вернее, художнице — Тате. Именно в ее дождевике Полина сейчас спешит на встречу к Сереже. В любое другое время тема с дождевиком была бы рассмотрена с разных сторон: мистической — является ли знаком то, что он оказался на Полине? криминальной — не в этом ли самом дождевике была Тата, когда получила удар по затылку? Но сейчас на рассмотрение не было времени, как и на знакомство с творчеством Таты.

Ее ждет Сережа!

Полина переложила блокнот в сумку, где уже лежали открытка с ключом и телефон. Телефон был взят не только из-за призрачной надежды, что исчезнувшая Сеть волшебным образом возникнет снова. Все дело в функции «фонарик», которую поддерживает ее модный смартфон. Учитывая скорое наступление сумерек и дикие заросли у пролома, фонарик — вещь небесполезная.

Впрочем, она втайне надеялась, что плутать в зарослях не придется, и Сережа, пригласивший ее в свой новый дом, позаботился о достойной встрече. Приоткрытой калитки было бы достаточно, но ничего похожего Полина не увидела: калитка, так же, как и в предыдущий раз, оказалась запертой наглухо. Лишь на секунды ее кольнуло чувство досады, а потом она вспомнила о надписи на конверте — **«совсем секретно»**. Сережа ничем не хочет выдать себя, оттого и предлагает своей Белке обходные пути.

Прежде чем углубиться в кустарник, она обернулась и посмотрела по сторонам: никого. Впрочем, даже если бы кто-то находился поблизости, его невозможно было бы разглядеть за сплошной стеной дождя. *Решил испытать меня на прочность?* — подумала Полина. — *Ну что ж, вызов принят!*

Через минуту она была уже возле пролома, а еще через две — у входных дверей в дом. Сумерки сгустились окончательно, и, чтобы обнаружить замочную скважину, Полине пришлось прибегнуть к помощи фонарика. Железные врата в рай по имени Сережа выглядели капитально, да и замков в нее было врезано несколько. Найти нужный не составило труда, провернуть ключ — еще проще, оставалось лишь толкнуть легко поддавшуюся дверь. Но Полина медлила. Она почему-то вспомнила, как стояла в детстве у другой двери, не решаясь войти, не имея права войти. Это случилось в те дни, когда к Белке в Питер приехала мать Асты. Вернее, она приезжала к своему брату, Белкиному отцу, но целью ее приезда была именно Белка. Мать Асты — худенькая невысокая женщина по имени Вера. Тетя Вера, да!.. В тете Вере не было ничего от эстонской надменности Асты, наоборот, она оказалась чрезвычайно доброй и даже привезла гостинцы: вязаные носки, домотканую скатерть с дюжиной салфеток, имбирное печенье и плюшевого мишку. Печенье понравилось Белке, оно было ничуть не хуже ее любимого овсяного. А вот мишка — не очень, хотя он выглядел самым настоящим симпатягой: аккуратный, ладненький, в смешном бело-синем комбинезоне. Его портили только глаза — не круглые, как у всех остальных мишек (плюшевых и не очень), —

с вертикальными зрачками, совсем как у Асты.

Зачем мишке змеиные Астины глаза? Чтобы следить за Белкой. Справедливости ради, змеиные глаза пялятся на нее не постоянно — лишь под определенным углом освещения, лишь несколько минут в сутки. Но и этого вполне достаточно, чтобы постараться отделаться от подарка. Лишнее напоминание о пропавшей — вот что он такое, куда бы засунуть это напоминание? На дно ящика с принадлежностями для рисования? На полку со старыми куклами? Под кровать, на антресоли? До антресолей Белке ни за что не дотянуться, под кроватью он будет найден мамой максимум через два дня, во время плановой уборки. Остается ящик с кисточками, красками и пластилином.

Туда Белка и отправила плюшевого малыша, накрыв его для верности целой стопкой акварельной бумаги.

— А куда ты дела Верин подарок? — спросил у Белки папа перед сном.

— Он для детей, а я уже не ребенок, — ответила Белка.

— Еще какой ребенок... Пожалуйста, будь хорошей с Верой. Ей и так... — не договорив, папа лишь махнул рукой.

Быть хорошей — не так уж сложно, особенно если тебя оберегают от близких контактов с тетей из Таллина. А то, что родители оберегали Белку, было видно невооруженным взглядом. Ни разу Белка и тетя Вера не остались наедине, а нежелательные с точки зрения папы и мамы вопросы пресекались в зародыше. Еще бы — слишком тяжело далось им произошедшее с Белкой и в доме у Парвати, и потом, в Питере. И лишь однажды, стоя перед неплотно прикрытой дверью, Белке удалось подслушать разговор — между папой и его сестрой, и это был трудный разговор.

— Если бы это случилось с твоей дочерью, — сказала тетя Вера, — ты вел бы себя точно так же, Петя.

— С моей дочерью тоже кое-что случилось.

— Я понимаю. Но она, во всяком случае, с тобой. С вами. Жива и здорова. А моей девочки нет...

Тут тетя Вера заплакала, а Белкин папа схватился за голову своими огромными руками и негромко застонал. И тетя Вера принялась гладить его по голове и по рукам, и папа вдруг показался Белке маленьким — ничуть не больше подаренного плюшевого медведя.

— Нам пришло письмо. Там было написано... Вот... — она вынула из кармана платья сложенный вчетверо помятый листок и передала папе.

Несколько секунд папа изучал его, а потом растерянно взглянул на тетю Веру:

— Ничего не понимаю. Я знаю Машу и ее брата, они приезжали к нам. Очень милые, воспитанные ребята. Ничего не понимаю. Это какая-то ошибка.

— Может быть...

— Кто это написал?

— Понятия не имею. Наверное, тот, кто был в курсе всего, что произошло.

— Ты разговаривала с мамой? — конечно же, папа имел в виду их с тетей Верой маму — Парвати.

— Да. Она говорит, что это бредовая идея, на которую не стоит обращать внимания.

— Вот! — почему-то обрадовался папа. — Именно так! Бредовая идея!

— Но это письмо почему-то появилось... Дыма без огня не бывает, Петруша. И... здесь упоминается твоя дочь. Она что-то знает.

— Все, что она знала, уже рассказала нам. А я рассказал тебе.

— Ты же понимаешь, психика ребенка — очень тонкая вещь. Она могла с чем-то не справиться и попросту поставить блок... Вы не консультировались со специалистами? У меня есть старинная подруга в Таллине, она практикующий психолог, прекрасный знаток своего дела. Существуют новые методики, и мы могли бы...

— Не могли, — обычно мягкий и податливый папа проявил неожиданную твердость. — Я не потащу ребенка в Таллин. Не позволю, чтобы с ней проводили всякие эксперименты.

— Но...

— Я не вижу в них смысла, прости. Потому что надеюсь, что ничего страшного с твоей девочкой не произошло. Да нет, — тут папа принялся рубить воздух ребром ладони. — Я верю в это. И ты верь! Аста обязательно объявится, и все объяснит сама. И вы еще приедете к нам, а я уж вам такую экскурсию устрою! Покажу волшебные места, которых вы никогда не видели...

— Если хочешь, моя подруга приедет сюда. Она дала предварительное согласие.

Папин энтузиазм мгновенно съежился и угас, и все неувиденные волшебные места растаяли в воздухе:

— Вспомни себя в шестнадцать лет, Верочка! Разве тебе не хотелось сбежать из дому — так, чтобы тебя не нашли. Полностью изменить свою жизнь...

— Никогда. Тем более что я знаю, чем заканчиваются такие побеги. Инга...

При упоминании о таинственной Инге, папа снова схватился руками за голову:

— Пожалуйста, не надо.

— Ах да. Совсем забыла, что мама строго-настрого запретила нам вспоминать о ней. Запретила думать.

— Запретить думать нельзя!

— Еще как можно. Тем более когда сам хочешь избавиться от воспоминаний. Все это нам в наказание, Петя. То, что случилось с Астой. И с твоей малышкой тоже.

— А мальчик, который утонул? — после долгого молчания прошептал папа. — Чье это наказание, кому? Он не имел отношения к семье.

— Имел. И всегда будет иметь.

«Мальчик, который утонул», — Лазарь. Но кто такая Инга? Папа и тетя Вера могут обнаружить Белку в любой момент, стоит им только повернуть голову к двери. А именно это они и собираются сейчас сделать: разговор явно подходит к концу. Вернее, Белка страстно желает, чтобы он подошел к концу, слишком он тягостен даже для нее. Что уж говорить о несчастной матери Асты, о ее любимом папочке, который в жизни не совершил ни одного дурного поступка. Но теперь он сделал что-то неправильное. Что именно — Белка понять не может, просто чувствует, и все.

Она возвращается в свою комнату, на все лады повторяя про себя: Инга, Инга, Инга. Странное имя, невесомое, — словно сочиненное из тонкого стекла: вот-вот разобьется на тысячу осколков. Но даже если на пять или на три — все равно не соберешь его, не склеишь заново. Пока Белка бодрствует, она в состоянии приглядеть за стеклянным именем, но что будет, когда ее настигнет сон?

Ночь-то еще не кончилась...

Наутро имя выветрилось из Белкиной памяти без остатка, и больше никогда не возникало в ее сознании. Ночной разговор папы и тети Веры тоже потускнел: вопросы и ответы, вопросы без ответов, ответы без вопросов смешались друг с другом, превратившись в липкий перегной. Или, скорее, тину — сродни той, в которой Белка нашла Лазаря. Копаться в ней не доставляет никакого удовольствия, того и гляди задохнешься от смрада. Белка — самый настоящий психосоматик, так утверждает мама. Немудрено, что весь день ее тошнило, и прощание с тетей Верой (она возвращалась в Таллин) получилось скомканным.

— Приезжай в Таллин, голубка, — сказала тетя Вера, осторожно поцеловав Белку в висок. — Мы с дядей Хейно будем очень рады.

Вместо Белки отозвался папа:

— Обязательно.

— Может быть, на осенние каникулы?

— Осенние каникулы? Отлично.

Мама, стоящая за папиной спиной, страдальчески поморщилась. И совершенно напрасно, ведь Белка никуда не поедет, ни на осенние каникулы, ни на зимние. И следующим летом обязательно найдутся неотложные дела, неотложные города — гораздо более безопасные, чем Таллин.

Больше Полина не видела тетю Веру, и лишь после смерти родителей, разбирая папины письма, нашла короткое упоминание о ней. Парвати писала, что дядя Хейно ***«оставил Веру и женился вторично, на своей соплеменнице, что еще ожидать от вероломного чухонца, никогда они мне не нравились, никогда»***. А тетя Вера так и не смирилась с потерей дочери, нанимала частных детективов, платила бешеные деньги прохиндеям-экстрасенсам и просто аферистам, утверждавшим, что они видели Асту в самых разных местах — от Калининграда до Уссурийска. Ни одно свидетельство не подтвердилось, квартиру в Таллине пришлось продать за долги, а сама тетя Вера в конечном итоге приняла постриг и теперь ***«молится за всех нас»*** в одном из православных монастырей.

Адрес монастыря в письме Парвати не упоминался.

Самый старший и Самая младшая — тоже. Ни единой строчки не посвятила им Парвати, а ведь посланий от нее за долгие десятилетия скопилось очень много — около ста. Странно, что, кроме матери, никто больше не писал папе, как будто и не было у него братьев и сестер. Да и Парвати не баловала его особыми подробностями из их жизни. Одно из писем, отправленное из Крыма года за два до гибели родителей, поразило Полину: старуха писала о каких-то мелочах. О граде, который побил цветущие абрикосы и персики, ***«так что теперь ждать урожая не приходится»***; о том, что Лёка потерял деньги, целых двести гривен; о том, что соседи (те самые, к которым приезжал когда-то москвич Егор) продали дом буровику с Ямала, и теперь у него на участке денно и нощно идет строительство; и о чем-то совсем несущественном, вроде цен на молочные продукты. И лишь в конце шла приписка:

«Нашего Павлика больше нет. Погиб при испытаниях какого-то нового котла у себя на заводе. Смерть была мгновенной, он, слава богу, не мучился. Сережа передал деньги на похороны, так что все устроилось наилучшим образом. Заказали памятник из гранита, и место выбрали подходящее».

Несколько раз Полина перечитывала постскриптум, пытаясь понять его смысл. Павлик, Павел, — отец Шила и Ростика. С ним случилась трагедия, непоправимое несчастье, а мать пишет о смерти сына так, как будто речь идет не о родном человеке, а о ком-то не очень близком — вроде буровика с Ямала. Каким холодом, какой отстраненностью веет от этих строк! Старуха — никакое не божество, она просто жестокосердная, бездушная дрянь. А ее нежно любимый папочка?.. Он промолчал о потере брата, ни словом не обмолвился об этом Полине — и это после всех его утверждений, что он в курсе происходящего в Большой Семье!

Точно так же он был глух к мольбам тети Веры в том ночном разговоре за полуприкрытой дверью. Но теперь совершенно неважно, каким был папа — жестоким, безвольным, не способным даже на каплю милосердия. Или — наоборот — заботливым и мудрым, готовым на все, лишь бы оградить свою семью даже от самого незначительного потрясения. Главное, что он —

был. А теперь его нет, и мамы нет. Возможно, тетя Вера тоже ушла из жизни, но Полине некому сообщить об этом: все родственные связи порваны, перекручены, как нитки, что годами лежат в жестянках из-под немецкого рождественского печенья никому не нужные. Стоя на крыльце чужого темного дома, она не решается войти в него. И за дверью не слышно голосов — ни папиного, ни тети-Вериного, — никаких, лишь гнетущая тишина, а на несмолкаемую болтовню дождя Полина больше не обращает внимания.

Но радостное возбуждение, не покидавшее ее на протяжении последнего получаса, вдруг куда-то испарилось. И в голову полезли все те же неудобные вопросы, от которых она с такой легкостью отмахнулась в шкиперской. Есть ли связь между письмом и энтомологической коллекцией? Безусловно, они подброшены в одно и то же время, одним и тем же человеком — Лёкой. Лёка бормотал что-то невнятное относительно коллекционера и так и не назвал его имя: не может же считаться именем «зимм-мам». А невнятное и непроизносимое — может считаться опасным? Может, если у бабочки отрывают голову. Что это — предупреждение? Угроза?

Сережа никогда и никому не угрожал. Напротив, был любящим внуком и братом — не чета всем собравшимся в доме Парвати. Он — пусть и опосредованно — помог Полине, когда она больше всего нуждалась в помощи, он был нежен с ней — тогда, в детстве. Так что —

Давай, трусюндель!

Толкнув дверь, она сделала шаг в темноту. Тьма была кромешной, и рассчитывать, что глаза привыкнут к ней, не приходилось. Полина уже потянулась к спасительному фонарику, когда неожиданно зажегся свет. Вскрикнув от неожиданности, она позвала:

— Сережа!..

Ответа не последовало, а свет, поначалу довольно тусклый, с каждой секундой становился все ярче: очевидно, в плафон над головой Полины были вставлены энергосберегающие лампочки. Прихожая, в которой она оказалась, представляла собой просторное помещение. Пустынное — если уж быть совсем точным. Невысокий, красного дерева, комод, зеркало в золоченой раме прямо над ним да китайская напольная ваза — вот и все обитатели этого помещения. В зеркале отражалась картина, висевшая на противоположной стене: парусник, застигнутый бурей в открытом море. А комод украшали две вазы поменьше — с живыми цветами.

Маттиола!

Цветок ее детства, цветок того трагического августа! Скромный садовый житель, что так нелепо и трогательно смотрится в дорогущих фарфоровых вазах. Странно, что он вообще появился здесь, ведь время его цветения давно прошло.

Но маттиола выглядит свежей, срезанной и поставленной в воду каких-нибудь пять минут назад. И тот, кто возился с ней, наверняка в доме!

— Эй! — еще раз крикнула Полина. — Есть здесь кто? Сережа!..

Там, за пределами освещенной прихожей, начинался полумрак, и в этот полумрак вела бледно-сиреневая ковровая дорожка с длинным ворсом. Наверное, нужно снять ботинки, чтобы не оставлять следов. И скинуть, наконец, дождевик. Полина повертела головой в поисках вешалки, но так и не нашла ее. Довольно странно украшать дом цветами и китайскими вазами и не позаботиться о такой полезной мелочи, как вешалка. Она просто оставит дождевик у дверей, вот и все.

Прежде чем переступить порог комнаты, Полина обернулась и еще раз оглядела прихожую: входная дверь (еще не поздно уйти!), цветы из детства (поздно, поздно уходить!), картина с парусником... А вот это ускользнуло от ее внимания —

Салфетки!

Белые вязаные салфетки, на которых стоят обе вазы с маттиолой. Точно такие же салфетки вязала Парвати, в ее старом доме и шагу нельзя было ступить, чтобы не наткнуться на них. Они и сейчас водятся там в изобилии, они пережили свою создательницу и ни капли не изменились, разве что пожелтели от времени. Чего не скажешь о салфетках в прихожей, сияющих белизной.

Милый, милый Сережа! Милый и сентиментальный и хранящий память, ничем другим нельзя объяснить появление этих мещанских раритетов в его новом доме. *Умном доме*, где вмонтированные в стену фотоэлементы реагируют на движение и свет включается сам собой. О том, что это — именно *умный дом*, говорит и небольшая пластиковая плашка на стене, около входной двери. Прямо под панелью с небольшим экраном. Должно быть, на экран транслируется изображение с улицы, от ворот и калитки, но сейчас он черен: внешнее освещение отключено.

Несколько шагов — и Полина уже в комнате. Темнота сменяется светом — одновременно вспыхивает сразу несколько светильников. Настенные бра, высокие причудливые лампы из бумаги — одна, другая, третья, такие Полина уже видела — на старых японских гравюрах, в фильмах, где действие происходит на острове Кюсю, на острове Хоккайдо. Там, в мягкой тени, которые они отбрасывают, вот-вот должен появиться Сережа.

Но Сережа не появляется.

И комната вовсе не комната — большой зал. Мебели почти нет, и ее отсутствие делает зал еще огромнее. Где-то, в дальнем его конце, просматриваются очертания лестницы. Справа от лестницы — небольшой коридорчик (неизвестно, куда он ведет, скорее всего — на кухню и в подсобные помещения). Два глубоких кресла стоят прямо посередине зала, они накрыты белыми чехлами: такие чехлы призваны предохранять мебель от пыли во время длительного отсутствия хозяев. Если бы сейчас было лето, то зал оказался бы до краев наполнен солнцем — так много в нем окон. Окна — огромные, в пол — служат стенами зала, но сейчас они закрыты жалюзи.

Есть еще резной столик с мраморной столешницей — он стоит между креслами. Как хорошо было бы сидеть здесь с Сережей, в разгар солнечного дня, с открытыми окнами, сквозь которые проникает легкий ветерок и доносится едва слышный шум моря! И пить вино, и болтать обо всем на свете, время от времени поглядывая на картины, развешенные в простенках. Картин несколько, но сосредоточиться можно и на одной: их сюжеты повторяют друг друга и повторяют сюжет скромного полотна из прихожей — парусник, застигнутый штормом. Если подойти поближе и вглядеться в судно, наверняка прочтешь его название — «НЕ ТРОНЬ МЕНЯ!»

Полина нисколько в этом не сомневается.

Конечно, в картинах есть что-то настораживающее: зачем плодить близнецов? Но, подумав, она находит объяснение и этому — Сережа трепетно относится к прошлому. И не просто к прошлому — их общему прошлому, их трагическому и прекрасному августу. Он хочет, чтобы его Белка знала: он ничего не забыл! Все говорит об этом, куда ни кинь взгляд.

Раз-два-три, Сережа — выходи!

Кажется, она произнесла это вслух, и гулкое эхо разнесло ее голос по всему залу. Эффект оказался потрясающим: *выходи, выходи, выходи!* — повторяли маленькие невидимые Белки на разные лады. Трудно остаться равнодушным к такой мольбе, но Сережу не пронять. Он и не думает появляться, и Полина бессильно опускается на краешек кресла. И только теперь замечает, что столик, издали казавшийся пустым, вовсе не пуст.

Шахматы.

Сережа мог бы позволить себе любые — из ценных пород дерева, из нефрита, да хоть бы из золота, но... Это совершенно ничтожные пластмассовые карманные шахматы, точно такие же... с какими не расставался Лазарь!

Голову Полины как будто стянуло железным обручем, кровь прилила к щекам, в виски бьют маленькие молоточки — нет-нет, Сережа не мог так поступить с ней! Ведь это он спас ее, вытащил из грота с мертвым мальчишкой. Он был рядом, когда Белка заболела после всего пережитого, он прекрасно знал, как она страдает.

Шахмат на крошечной доске намного меньше, чем должно быть: не хватает белого и черного коней, черной королевы. А белая лишилась своего повелителя. Три из четырех флангов на доске полностью оголены, нет большинства пешек. Куда подевались фигуры? Они не завоеваны противником, иначе бы находились тут же, на столике, — так где же они?

Стены зала устремляются ввысь, кресла и столик увеличиваются в объемах, картины в простенках кажутся больше, чем были еще несколько минут назад. Не криминально больше, не настолько, чтобы Полина почувствовала себя Алисой в Стране чудес, отхлебнувшей из флакончика и уменьшившейся.

Она чувствует себя... Белкой.

Белкой, которой исполнилось одиннадцать!

Полина так бы и осталась безвольно сидеть в кресле в ожидании Сережи, но Белка знает, что делать. Что искать и куда двигаться. У Белки острые глаза, не то что у Полины, посадившей зрение многолетней работой за компьютером. Если черный и белый кони пасутся поблизости, она обязательно их обнаружит.

Но первой Белка нашла одну из пешек.

Она валялась сразу за ближним к коридорчику креслом. В полуметре от нее лежала вторая, еще дальше, у коридорчика, сразу две. Двадцать лет назад она тоже шла по следу, оставленному Лазарем, но тогда рассмотреть фигурки, зарывшиеся в гальку, было сложнее. Здесь же, на мраморных плитах пола, они сразу бросались в глаза. Черные были заметнее, и черных было больше, и не захочешь — увидишь; уж не в этом ли состоит тайный план Сережи, исключающий любую случайность? Белка должна двигаться в строго указанном направлении, ни на секунду не сбиваясь и не уходя в сторону.

Фигурки (ладья, пешки и два черных слона, которых она по детской привычке называла офицерами) провели ее через коридор, оказавшийся неожиданно длинным. Дверь в конце коридора была приоткрыта, но за ней оказалась вовсе не кухня —

зимний сад.

Огромная оранжерея со стеклянными стенами и стеклянным, почти невидимым во тьме куполом еще не отапливалась, и Белка поежилась от холода. И попыталась вспомнить, видела ли она эту оранжерею, когда стояла на смотровой площадке? Нет, определенно нет, что странно, — ведь столь масштабная пристройка просто обязана просматриваться с любой точки участка. Должно быть, ее скрывало одно из крыльев дома, другого объяснения нет. В оранжерее пахло какими-то поздними осенними цветами, прелой (совсем как в саду Парвати) листвой. Был и еще один запах. Поначалу неявный, он через какую-то долю секунды перебил все остальные и теперь настойчиво лез в ноздри.

Одинокий свитер, он висит на одиноком крючке, вбитом в дверной косяк. Именно от него исходит аромат дорогого мужского парфюма. Парфюм — дорогой, а свитер — самый обыкновенный, черный, грубой вязки, когда-то давно Белка уже встречалась с похожим свитером. Ну да, это произошло в тот самый день, когда ей чудом удалось избежать гибели от руки Маш. Вернее, от ее теннисной туфли. Белку спасла Тата, принесшая печальную весть о мертвом теле.

Не о теле Асты, чего все страшно боялись, — речь шла о дельфине, которого выбросило на берег в бухте. Маленький дельфин, чья кожа оказалась иссеченной винтами лодочного мотора. Дельфина нашли Шило с Ростиком, и на пляж (поглазеть на несчастное млекопитающее) отправились все. Даже Аля, даже толстый Гулька, не говоря уже о старших. И лишь Белка никуда не пошла: выбежав из кухни, она бросилась на поиски Сережи, но так его и не обнаружила.

Что случилось потом, она помнила смутно. Кажется, забралась на сеновал, где обитал Сережа, и зарылась с головой в пахучее сено. Ее пробирал озноб, сердце бешено колотилось, а горло болело. Но боль шла не изнутри, как бывает при ангине, — снаружи. Маш вовсе не шутила, когда говорила, что убьет Белку. Она почти сделала это, и хорошо, что теннисная туфля — не винт лодочного мотора. Когда же придет Сережа?..

Сколько минут или часов она провела в ожидании — неизвестно. Чтобы хоть немного скрасить его, пришлось поплакать, провалиться в сон, проснуться и снова поплакать: о судьбе Лазаря и о судьбе неведомого ей дельфина заодно. Вдоволь наплакавшись, Белка опять провалилась — но на этот раз не в сон: в странную дремоту. При этом глаза ее были широко распахнуты и ни одна мелочь не ускользала из поля зрения.

Вот Сережины книги, невесомо парящие во вселенной сеновала.

Вот тетради в толстом коленкоровом переплете.

Вот его свитер.

Белка и сама как будто парила в безвоздушном пространстве, но добраться до свитера не так-то просто. Он где-то там, внизу; цветки клевера льнут к нему, вспыхивают яркими пятнами на черной поверхности — ведь свитер-то черный! И очень тяжелый. Белка почувствовала эту тяжесть, как только сунула голову в ворот и продела руки в рукава. Рукава были такими длинными, что собственных пальцев она не увидела, а закатать их с первой попытки не получилось: мягкая на вид шерсть оказалась неожиданно грубой, негнущейся, как кусок толя. Свитер только немного пах сеном, а в основном — сыростью и землей. К запаху сырости примешивался еще какой-то запах — тонкий, сладковатый и не слишком приятный. И, странное дело, шерсть не согревала Белку, напротив — отступивший было озноб снова дал знать о себе.

Белка вдруг подумала, что никогда не видела этого свитера на Сереже.

Может, это вовсе не его вещь?

Днем Сережа ходит в майке или в футболке — дни стоят жаркие. Прохлада опускается лишь по ночам, а по ночам Белка Сережу не видит: она спит у себя в шкиперской. А в тот единственный раз, когда Повелитель кузнечиков навестил ее, он был... В чем же он был? Кажется, в рубашке с длинными рукавами. Или — в свитере? Точного ответа нет, и эта неопределенность мучает Белку. Ей не нравится свитер, не нравится запах, исходящий от него, — и почему только дурацкий комок шерсти не вывесил предупреждение «Не тронь меня!»? Старинному линейному фрегату и тарелке можно, так почему свитеру нельзя?..

Внезапно появившийся Сережа застал Белку в кульминационной фазе борьбы со свитером: выскользнуть из него оказалось сложнее, чем попасть. Шерсть царапалась и покусывала запястья, длинный ворот змеей обвивал шею, которая все еще немного болела после натиска теннисной туфли. Белка почти выбилась из сил, когда услышала Сережин голос:

— Эй? Кто здесь?

— Я, — пискнула она.

— Кто «я»?

— Белка.

И трех секунд не прошло, как девочка оказалась на свободе. И увидела перед собой лицо Сережи: взволнованное и грустное.

— Привет, красотка девушка! Ты что здесь делаешь?

— Я ждала тебя. И я не красотка-девушка.

— Нет? — Сережа попытался улыбнуться, но получилось плохо: уголки губ так и остались опущенными, а глаза... Глаза не смотрели на Белку, они обшаривали пространство вокруг нее.

— Нет. Ты разве не знаешь, что такое «красотка-девушка»?

— Просвети.

— Это стрекоза. Живет по берегам рек. Она маленькая, но красивая. Потому и называется — красотка.

— Тебе откуда известно?

— Ха! Мой папа — энтомолог, ты разве забыл?

— С красоткой понятно, — Сережины глаза все никак не могли сосредоточиться на Белке. — А девушка? Ведь не все стрекозы девушки? Наверное, и парни попадаются?

У нее не было ответа на этот простой вопрос, но Сережа и не ждал ответа. Он сложил в две отдельные стопки книжки и тетради и теперь раздумывал, что делать со свитером. Вернее, Белке показалось, что он раздумывает. К свитеру ее божество так и не прикоснулось.

— Он неудобный, — сказала Белка.

— Кто?

— Твой свитер.

— Вообще-то он не мой, — Повелитель кузнечиков посмотрел на нее в упор — наконец-то! — Где ты его нашла?

— Здесь.

— Понятия не имею, откуда он взялся. Впервые его вижу.

Белка обрадовалась и расстроилась одновременно: ну, конечно, такая ужасная, плохо пахнущая вещь не может принадлежать Сереже, а она поступила, как дура, облачившись в подобную гадость. Руки до сих пор горят от шерстяных прикосновений, — и это плохо. Но Сережа здесь, с ней, — и это хорошо. Это — самое лучшее, что может быть.

— Наверное, Лёка оставил, — осторожно сказал Сережа. — У Лёки в мастерской полно старых шмоток.

— Он плохо пахнет, — пожаловалась Белка.

— Еще бы! Может, он сто лет здесь валяется. Или двести. Вот и отсырел. Ну да черт с ним, со свитером.

— Ага.

— Ты грустная. И глаза красные. Что-то случилось?

Что-то случилось. Разве произошедшее с Лазарем не в счет? Разве это не повод для грусти? — странный-странный Сережа! И глаза у него странные, совсем не такие, какими она увидела их впервые. Скала, по которой струился водопад, растрескалась и обледенела, плющ пожух, а маленькие ящерицы, маленькие птички и маленькие лемуры покинули насиженное место, — и Белка их понимает. Эти нежные существа не в состоянии переносить холод. Ведь глаза у Сережи холодные, подернутые инеем. И это резко контрастирует с его участливым голосом.

Белка так испугалась, что даже не нашлась, что ответить. Конечно, она могла пожаловаться на Маш, но это означало бы косвенно обвинить в своих неприятностях Сережу. Не расскажи он обо всем, что случилось на пляже, Парвати — не было бы и ширмы, за которой так неудачно спряталась Белка. И всей последующей сцены, и кухни, и теннисной туфли.

Нет-нет! Сережа ни в чем не виноват!

— Все будет в порядке, ты слышишь, Бельч? Ты веришь мне?

Она шмыгнула носом и кивнула головой — «да, я верю». И в ту же секунду Сережа крепко обнял ее и прижал к себе. И снова забил водопад в оттаявшей скале, а увядший было плющ выбросил сразу с десяток молодых сочных побегов. И вернулись на свои места маленькие птички и маленькие ящерицы — все-все-все. Но прежде чем спрятаться в прохладных струях, малыши на секунду коснулись хвостами и крыльями Белкиного живота, и от этого невесомого касания она затрепетала. Вскоре к ящерицам и птичкам присоединились крошки-лемуры — те еще шутники, те еще непоседы. Им не терпелось поиграть, хоть во что-нибудь: хоть в футбол, хоть в лапту, хоть в йо-йо... Но внутри у Белки не поместятся ни футбольный мяч, ни бита для лапты, разве что два маленьких диска на резинке. Это и есть йо-йо. Но сейчас, когда Сережа обнимает ее, а лемуры начали свою игру, йо-йо — ее собственное сердце, ничто иное. Оно мечется в теле, подпрыгивает, падает, снова взмывает ввысь, никогда раньше Белка не испытывала таких приятных, таких острых и сладких головокружительных ощущений.

— Я люблю тебя, Сережа! — уткнувшись губами ему в футболку, говорит она.

— Я тоже люблю тебя, малыш.

Э-э, нет.

Она — не малыш. Малыши — это птички, и ящерицы, и беззаботные лемуры. Любовь, которую можно испытывать к малышам, отдает снисходительностью. А снисходительность Белке не нужна, в гробу она видела снисходительность.

— Ты не понял, Сережа. Я люблю тебя.

Сережа мягко отстраняет Белку и заглядывает ей в глаза. Какое счастье, что все снова оказались на своих местах — и скала, и зеленый плющ, и веселый болтун-водопад, и птички, и ящерицы. Лемуры тоже присоединились к ним, но тогда... Кто играет с ее сердцем, ни с того ни с сего превратившимся в йо-йо?

Никто.

Оно мечется по телу само по себе, и никакой резинке, никакой веревке его не удержать.

— Я люблю тебя, — шепотом повторяет Белка.

Шепотом, потому что боится разомкнуть губы — вдруг сердце вылетит изо рта, и что тогда прикажете делать? Как прикажете жить?

— Мы обязательно поговорим об этом, — беззвучно смеется Сережа. — Но позже.

— Когда ты приедешь ко мне в Ленинград?

— Когда ты немного подрастешь.

— Немного — это сколько?

— Ну... Не знаю. Лет пять. А лучше — десять, для верности.

Белка в растерянности оглядывается по сторонам, как будто хочет разглядеть точку отсчета злосчастных пяти лет. Если двигаться вниз — обязательно упрешься в цветущий красный саксаул и грузовичок Байрамгельды. И в самого Байрамгельды, который пять лет назад и не думал умирать, а потом — в одночасье — взял и умер. А если устремиться вверх... Вверху Белку будут поджидать теннисные туфли, ведь через пять лет ей будет столько, сколько сейчас Маш.

Совсем несложная арифметика.

Но и ободряющая одновременно: когда Белке будет столько, сколько Маш сейчас, никто не посмеет ее обидеть. Она вырастет, так сильно вырастет, что голова ее упрется в облака, и Маш с такой высоты покажется ей муравьишкой, или — того хуже — апистулой, самым маленьким на свете пауком. Он и до миллиметра не дотягивает. И теннисные туфли ему ни к чему. Лишившуюся своего оружия апистулу-Маш можно смело засчитать в актив пяти годам. Поставить жирный плюс.

Минус: пять лет — это очень много. А десять — и вовсе нереальная цифра, это почти что бесконечность, почти что «никогда», Сережа просто решил отделаться от Белкиной любви таким вот способом. Нырнуть в волны времени и вынырнуть, отфыркиваясь, где-то там, в облаках, куда не добралась еще Белкина голова. Вот и сейчас он отфыркивается, смешно морщит нос и улыбается.

Улыбается!

И в этой улыбке нет ни капли снисходительности, одна лишь нежность.

— По рукам? — спрашивает Сережа и протягивает открытую ладонь.

Белке так хочется ухватиться за эту ладонь, что она согласна на все, что угодно, даже на невообразимые пять лет.

— По рукам!

— Вот и отлично.

Рука у Сережи горячая и жесткая, хотя ее жесткость не идет ни в какое сравнение с тяжелыми рукавами свитера... куда, кстати, он подевался? Исчез так же, как и возник, но теперь Белку не волнует дурацкий свитер. Теперь, когда Сережа держит ее ладони в своих и даже не думает отпускать.

...Воспоминание об этом прикосновении так реально, что Белкины пальцы немеют. Десятилетие — вечность, когда тебе одиннадцать, следовательно, за ее плечами целых две вечности. Промелькнувшие почти незаметно. И если при встрече Сережа спросит: «Как ты жила, Белка?» — она ответит:

«Быстро».

То есть сначала — не очень, а потом — все быстрее и быстрее, как будто несешься с горы, не в силах остановиться. Этот безумный бег может быть прерван лишь препятствием, и Белка хорошо знает, что это за препятствие — Сережа.

Сережина нежность, память о которой все еще живет в ее сердце.

Белка без ума от дорогих мужских парфюмов — еще со времен мучительного стамбульского романа с Эмином. Впрочем, не таким уж он был мучительным, скорее немного приторным, как и сама Эминова любовь. Рахат-лукум — вот чем она была. Рахат-лукум, нуга, пахлава с орехами — все восточные сладости разом. Они липнут к зубам, и избавиться от них не так-то просто. Как и от мысли о том, что все в Эмине преувеличенно: он нежен, как девушка, склонен к мелодраматическим эффектам, как женщина средних лет, и сентиментален, как старуха кошатница. Должно быть, он и сам тяготился своей женственной мягкостью, оттого и предпочитал одеколоны с терпким, горьковатым, очень мужским запахом.

Они нравились Белке. Все до единого.

Но этот, незнакомый ей, — самый лучший.

Плохо соображая, что делает, Белка сняла свитер с крючка и напялила его на себя. Он был великоват, но не настолько, чтобы в нем потеряться: все-таки ей не одиннадцать. Нужно лишь закатать рукава, почему-то — такие же жесткие, как и у того старого свитера с сеновала. Справившись с рукавами, она моментально почувствовала, как по телу разливается блаженное тепло.

Что ж, можно идти дальше.

Еще одна пешка, на этот раз — белая, хорошо заметная на темных плитах, которыми выложены дорожки зимнего сада: Сережа все предусмотрел, с такими подсказками с пути не собьешься! У массива уходящих куда-то вверх лиан она нашла ладью, у цветника с чайными розами — белого коня, а затем плиты закончились, их сменила галька. Этой гальки полно на берегу, она досталась Сереже совершенно бесплатно, но в чем смысл имитации прибрежной полосы? Чтобы Белка снова почувствовала себя одиннадцатилетней? Если так — остается только найти куриного бога и загадать желание!

Куриный бог нашелся через минуту, а потом еще один и еще. А потом Белка, неожиданно увлекшаяся столь беспечным детским занятием, наткнулась на поясной ремень. Полусвернутый в кольцо, он валялся прямо посередине дорожки. Судя по потрескавшейся коже, ему было немало лет. Медная бляха потемнела от времени и обзавелась зеленоватыми разводами. Но рисунок на ней все же просматривался: старинный автомобиль с огромным клаксоном, больше напоминающим граммофонный раструб. И волнистая надпись под автомобилем: **JAZZ**.

Белка не помнит, чтобы они с Сережей когда-нибудь разговаривали о музыкальных предпочтениях. И самого ремня она не помнит — ни на ком из старших обитателей дома Парвати. Взять его с собой или оставить там, где лежит? Белка в задумчивости повертела ремень в руках: его внутренняя сторона тоже не несла никакой информации. Почти никакой. Если не учитывать букву «А», процарапанную сантиметрах в десяти от бляшки. Достаточно глубокие, царапины залиты каким-то веществом — то ли краской, то ли воском, оттого «А» и получилась немного выпуклой.

А — Аля.

А — Аста.

Этот ремень — широкий и длинный — вряд ли подошел бы девушке. Скорее юноше, мужчине, но в их семье нет никого, чье имя начинается на «А». Только Белкиного деда, моряка, звали Аркадий. Что ж, моряки могут слушать джаз и разъезжать на старинных автомобилях, но вряд ли это приветствовалось на угрюмом судне «Машук». Во времена «Не тронь меня!» джаза не существовало, автомобилей — тоже, даже таких допотопных. Остается Корабль-Спаситель, достаточно вместительный, чтобы устроить на нем целую автомобильную палубу...

Где-то в глубине зимнего сада раздался бой часов, и Белка вздрогнула. Ударов было ровно шесть — неужели сейчас шесть часов вечера? Ноябрьская темнота, окружающая лианы, колонию роз, крохотные мандариновые деревца, лимонник в кадке, подтверждает это.

Судя по басовитому звуку, часы должны быть внушительными — никак не меньше напольных, что когда-то стояли в гостиной Парвати, а теперь доживают свой век в Лёкиной мастерской. И они где-то совсем рядом. Белка прошла вперед еще несколько десятков метров, после чего дорожка раздвоилась. Оба ее конца тонули в темноте, — какой выбрать? И шахматных подсказок больше не было — должно быть, у Сережи кончились фигурки.

Нет-нет.

Он готовился к встрече. У него была масса времени, чтобы подготовиться. Чтобы продумать все до мелочей. Если бы дело было только в шахматах, ему ничего не стоило вернуться в зал и взять недостающие фигурки. Просто здесь, у перепутья, правила поменялись. И Сережа решил проверить свою двоюродную сестренку на сообразительность. Не растеряла ли она ее за двадцать прошедших лет? Что сделала бы взрослая, не особенно счастливая и не очень талантливая Полина Кирсанова, колумнистка бессмысленного модного журнала? То, что делает любой человек, который давно вырос и думать позабыл о наивных детских секретах, о страшных детских тайнах, о детской игре «Вы поедете на бал?», — она бы прошлась по каждой из дорожек до конца.

И — разочаровала бы Сережу этой своей неказистой тридцатитрехлетней мудростью.

Но Белка снова чувствует себя одиннадцатилетней, у нее легкие быстрые ноги и острое зрение, она просто обязана выбрать правильный путь и оправдать ожидания Повелителя кузнечиков. Острое зрение — ее козырь, и Белка, даже не присаживаясь на корточки, видит сразу несколько затерянных в гальке куриных богов (*пусть пока полежат!*). Каждую прожилку на лепестках ирисов, каждую трещину на изумрудно-зеленых стволах бамбука. Целая бамбуковая рощица расположилась вдоль правого рукава дорожки.

А вот и подсказка!

Такая явственная, что Белка удивляется: почему она не заметила ее раньше? На самом ближнем бамбуке красуются тонко вырезанные иероглифы

午後の曳航

Сережина татуировка! Белка прижимается к ней лбом, как если бы это была его рука; сердце ее отчаянно колотится, на глазах выступили слезы. Милый, милый Сережа, из всех он выбрал именно Белку! Тогда — и сейчас. Сейчас.

Сейчас-сейчас, Сережа, *я уже бегу к тебе!* Она и впрямь ускоряет шаг, а потом, не выдержав, переходит на бег, чтобы через минуту упереться в... ширму.

То, что это ширма, Белка поняла не сразу. Яркое освещение сменилось полумраком, в нем утонули кустарники и цветы, теперь идентифицировать их невозможно. Остается лишь вдыхать запахи — цветок апельсина, чайная роза, гибискус и даже зелень сочных томатных плетей. Времена их цветения перепутаны и разложены в произвольном порядке, чтобы еще раз напомнить Белке: Повелитель кузнечиков всесилен. Издали ширма кажется ей еще одной дверью. Уменьшенной, но не настолько, чтобы прибегнуть к помощи волшебного пирожка. И лишь подойдя к ней достаточно близко, Белка понимает: это — ее старая знакомица, что отделяла спальню Парвати от «кабинета», где та вязала салфетки. Минареты и купола из «Тысячи и одной ночи» все так же тускло сияют. Сколько ночей прошло с тех пор? Много-много тысяч, и наверняка на обратной стороне ширмы появился миллион новых дорожек, проложенных жуками-древоточцами. Белке сложно оперировать крупными величинами (тысяча, миллион), и она сосредотачивается на цифре помельче — два.

Ведь до самого пола ширма не доходит, и в образовавшемся пустом пространстве парят два красных сандалика. То есть они не парят, они стоят на полу, на небольшом отдалении друг от друга; правый чуть выдвинут вперед, левый прикрывает тылы.

Это — *ее собственные сандалии!*

Маленькие предатели, так не вовремя распустившие язык и с потрохами сдавшие несчастную Белку Маш. Голова у Белки кружится, ее охватывает необъяснимый страх — как тогда, в детстве. И в какой-то момент становится трудно дышать — словно теннисная туфля снова уперлась ей в горло. Откуда здесь взялись Белкины сандалии?

Объяснение, которое лежит на поверхности: Белка забыла их в то лето в доме Парвати. Ведь их с папой отъезд был похож на бегство, а когда бежишь без оглядки, — что-нибудь да позабудешь. Странно, что в воспоминаниях Белки красные сандалии привязаны только к ширме и к теннисным туфлям, а что было с ними до и что случилось после, — Белка не помнит.

Сандалии — хороший знак или плохой?

С одной стороны, они заставили Белку пережить несколько неприятных мгновений. С другой... Их появление может свидетельствовать о том, что Сереже дорого все, связанное с его маленькой подружкой. Где-то же ее обувь хранилась все эти годы! Ее не выбросили, оставили. Сначала в доме Парвати, а потом она перекочевала сюда. И ждала своего часа, чтобы...

Чтобы — что?

Белка все еще медлит, не решаясь заглянуть за ширму. Она не боится встречи с самой собой — одиннадцатилетней, это невозможно в принципе. Она вдруг до смерти испугалась встречи с Сережей. Не семнадцатилетним (это невозможно в принципе) — сейчас ему около сорока. Каким он стал? Какой будет их встреча, поймут ли они друг друга, и что почувствует Белка, увидев его? Не проверишь — не узнаешь.

Давай, трусюндель!

Обмирая от страха, она заглянула за ширму и — как и следовало ожидать — ничего особенного не увидела. Кроме массивной двери, неплотно прикрытой. Прежде чем толкнуть ее, Белка внимательно осмотрела косяк и нашла то, что подсознательно искала, — зарубки, великое множество зарубок. И имена:

ПЕТР

ПАВЕЛ

ЧЕСЛАВ

Одно из двух — либо это искусная имитация дверного косяка в спальне Парвати, либо Сережа просто выломал его в старом доме и со всеми возможными предосторожностями перенес в новый. А вот этого на косяке точно не было:

ИЛЮША

Кто такой Илюша? Кто-то очень маленький и любимый, во всяком случае, гораздо более любимый, чем Петр, Павел и Чеслав. К ним относятся намного строже, чем к Илюше, их не балуют уменьшительно-ласкательными именами, им устраивают выволочку из-за плохих оценок по арифметике и русскому или из-за порванной в драке рубашки. А Илюше прощается все.

Потому что он — малыш, дитятко, крошка.

Но зарубка на дверном косяке говорит об обратном. Она — выше всех других зарубок, неизмеримо выше, *стратосферно,* а может, звездно, инопланетно, вот и получается, что Илюшу никому не достать, никому с ним не сравниться. Совсем как... с Сережей, вот Белка и вспомнила. Имя над чертой было старательно затерто, а теперь появилось. Кто такой Илюша? У Белки есть кое-какие соображения на этот счет, но подтвердить или опровергнуть их может только Сережа.

Ноябрь. Шило

...Она была абсолютно уверена, что руки «умного дома» дотянутся и до комнаты за ширмой, но там ее поджидала темнота. Минуту или две Белка простояла в уверенности: лампы вот-вот вспыхнут и осветят пространство. И она наконец увидит Сережу. Но свет все не зажигался, а глаза отказывались привыкать к темноте: так бывает в местах, где нет окон. Главную ошибку она совершила в тот момент, когда вошла сюда и захлопнула дверь за собой. Вернее, ее захлопнул невесть откуда взявшийся сквозняк, но Белка поначалу не придала этому значения. А когда, так и не дождавшись света, попыталась приоткрыть дверь, — та не поддалась.

Ее снова накрыло волной безотчетного детского страха. Пожалуй, Белка даже закричала бы, заколотила кулаками в глухо-безразличное дерево, останавливало лишь одно: вдруг Сережа притаился в комнате и только и ждет, что она даст слабину. Не выйдет, голубчик.

— Не выйдет, голубчик! — громко произнесла она. А затем неуверенно добавила: — Сережа?

Никто не ответил ей. Темнота угрюмо молчала.

— Это такая игра, да?

Если и игра, то Белка к ней совершенно не готова. Она не могла ошибиться с направлением, она пришла именно туда, куда послал ее Сережа, — и что же застала? Пустоту. Все ее мечты о Сереже — пустой звук, и вся прошедшая жизнь суть пустыня, только без цветущих красным саксаулов, без грузовичка Байрамгельды. Она все еще топчется в расщелине, где когда-то подслушала МашМиша; ползает по гроту, где когда-то нашла мертвого Лазаря. Она никак не может выпростаться из ледяных объятий того кошмарного лета, август и не думает заканчиваться...

Где-то совсем рядом, на расстоянии вытянутой руки, совой ухнули часы, и Белка вздрогнула. Удар был один-единственный, так обычно дают знать о себе пятнадцатиминутные промежутки. Она хорошо помнила это по часам в бабкиной гостиной. Но комната, в которой она оказалась, не может быть гостиной, но даже если и так, невидимый механизм никогда не являлся ее частью. Белка прекрасно знает, куда переселились *те* часы, — в Лёкину мастерскую...

Какая же она дура!

До сих пор не воспользовалась импровизированным фонариком, который лежит у нее в сумке! Вынуть телефон и активировать нужную функцию оказалось секундным делом. Единственное, что расстроило Белку, — заряд на телефоне явно приближался к критической черте, так что света хватит ненадолго. И если выход не будет найден...

Выход обнаружился, стоило только узкому лучу разрезать тьму: корабельный фонарь! Родной брат фонаря из шкиперской, абсолютный его двойник. Такой же облупленный, похожий на старинную фотокамеру. Фонарь стоял на громоздком сундуке, в котором Белка без труда признала сундук Парвати, что стоял когда-то в подвале-цугундере. На сундук падала тень от напольных часов, самого высокого предмета в комнате. Остальные были намного меньше — фибровые чемоданы, саквояжи, сундучки: в это странное место переместился не только цугундер, но и подвал!

Она ничего не забыла, ровным счетом ничего. На сундуках и фибровых чемоданах должны быть буквы:

П.

В.

С.

Ч.

еще одно **П.**

и еще одно **С.**

Детство отпрысков Парвати надежно спрятано в них, замуровано, закрыто на пудовые замки. Справиться с ними двадцать лет назад Белке так и не удалось, — вдруг получится сейчас?.. Луч фонарика мазнул по стенам и заиграл тысячью бликов; стены, против ожидания, оказались не отштукатуренными и не белыми. Скорее — антрацитовыми, как будто вся комната была выдолблена в скальной породе. Это живо напомнило Белке расщелину в маленькой бухте. Сходство усиливалось за счет гальки, которой был усыпан пол. Чего добивается Сережа? Для каких целей выстроил столь помпезную декорацию? Ответ может дать лишь он сам.

Телефон мигнул, и погас навсегда, но Белка в два прыжка оказалась возле сундука Парвати. Где-то здесь, на задней стенке корабельного фонаря должен быть тумблер... Есть! Через мгновение комната была освещена полностью, темными остались лишь углы. Кроме сгрудившихся вокруг сундука чемоданов и часов с боем, Белка обнаружила шкаф, забитый книгами. Что ж, это вполне в Сережином духе, он вечно окружал себя книгами, справочниками, энциклопедиями. Он относился к ним с почтением, едва ли не с трепетом, — и тем более странно, что они оказались здесь, в темноте. Позабытые, никому не нужные.

Наверное, сейчас Сережа читает совсем другие книги. Вряд ли бумажные: в эпоху тотального увлечения всевозможными девайсами все перешли на электронку. Хотя вовсе не книги интересовали Белку, а содержимое сундуков и фибровых чемоданов. Но, как и много лет назад, оно оказалось недоступным: замки не потеряли своей крепости, а в Белкином арсенале не было ни одной отмычки. Неужели снова придется отступить? Присев на корточки, она вытряхнула сумку:

— носовой платок.
— зеркальце.
— тушь для ресниц.
— багажный талон.
— вьетнамский бальзам «Звездочка».
— Татин блокнот с рисунками.
— открытка с корабликом.

Ничего, что могло бы ей помочь! Белка тотчас же пожалела о несессере, который остался в дорожной сумке. В следующий раз она обязательно прихватит его... вот черт! Для того чтобы вернуться сюда еще раз, нужно, как минимум, выбраться! Она снова вернулась к двери и подергала за ручку. Дверь не сдвинулась ни на миллиметр, но Белка не позволила отчаянию овладеть собой. Плен не может продлиться долго — во всяком случае не дольше, чем Сережа поймет: что-то пошло не так. И вмешается. Не исключено, что где-то здесь спрятаны видеокамеры и Сережа наблюдает за ней. А значит, паниковать не стоит. Белка должна быть на высоте и не дать Повелителю кузнечиков ни одного повода для разочарования.

Она послала невидимым камерам самую лучезарную из своих улыбок — так, на всякий случай. И еще раз обвела взглядом комнату. И только сейчас заметила то, что должна была заметить много раньше: на самом главном сундуке, том самом, что по ее глубокому детскому убеждению принадлежал Парвати, не было никакого замка! Металлический язык, свешивающийся с крышки, был совершенно свободен! Белка дернула за него, приподняла и не без труда откинула тяжелую крышку. Еще секунда, и она увидит то, что составляло жизнь Парвати.

Явную и тайную.

Внутренняя сторона крышки была обклеена старыми фотографиями и иллюстрациями, аккуратно вырезанными из журналов. Очевидно, они относились к периоду, когда Парвати еще не обзавелась семьей и дополнительными парами рук. Юная Парвати — мечтательница похлеще маленькой Белки. Но если Белкины мечтания рассеянны и трудноуловимы, то о Парвати можно твердо сказать — она грезит морем. Это странное море, тревожное, лишенное безмятежности. Ничем другим не объяснить обилие попавших в сети русалок, морских змеев, зубастых кашалотов и гигантских осьминогов, сжимающих в объятьях хрупкие тела кораблей.

А может, вся эта инфернальная стихия обживалась совсем другим человеком — Аркадием, мужем Парвати? Он — моряк, а моряки ближе всех подбираются к осьминогам и морским змеям, а с русалками так и вовсе заводят романы. В таком случае, нужно отдать должное мудрой Парвати: она не изводила Аркадия ревностью, напротив, позволила ему сохранить память о подружках. Ее сокровища, если они и существуют, надежно укрыты ковром: он занимает почти все пространство сундука и, кажется, знаком Белке. Это тот самый ковер, которым Лёка застилал телегу с Саладином. Поверх ковра кое-что лежит: книга, завернутая в полиэтиленовый пакет, и пухлая картонная папка. Папка крепко-накрепко стянута тесемками, иначе давно бы уже развалилась. Никаких упреждающих надписей на ней нет, кроме уныло-канцелярского **«ДЛЯ БУМАГ»**.

Канцелярщина отпугнула Белку, и рука ее сама собой потянулась к книжке в полиэтиленовом пакете. При ближайшем рассмотрении она оказалась толстой общей тетрадью, на первой странице которой было выведено:

Дневник Инги Кирсановой

Инга!.. Это имя выплыло, выпуталось из сетей Белкиной памяти, подобно той самой русалке с крышки сундука. Серебряный русалочий хвост обдал ее тысячами брызг. Об Инге Белка слышала лишь однажды, в давнем разговоре между папой и тетей Верой. Говорить об Инге было неудобно, мучительно — даже под покровом ночи, даже вдали от посторонних ушей. Что произошло с ней? А со всеми остальными, кому строго-настрого было запрещено упоминать ее имя? Где здесь причина, а где — следствие? Только одно можно сказать наверняка: Инга — член Большой Семьи, она ведь тоже Кирсанова! Как Белка и Тата, как папа и отец Ростика и Шила.

Инга — *Самая младшая,* наконец-то осеняет Белку.

Первые строчки дневника исписаны едва ли не каракулями, между страницами то и дело встречаются высохшие лепестки цветов (Белка без труда узнает маттиолу и анютины глазки — вечных спутников старой веранды), оторванные крылья насекомых — невесомые, поблекшие. Ничего выдающегося в этих записках нет: *«у дождика длиные ножки»*, *«коленка разбилась и плачет»*, *«лошатка любит соленый хлеб»*. Иногда, не слишком часто, встречаются знакомые Белке имена — Петя, Павлик, Славка (скорее всего, уменьшительное от Чеслава).

Петя, Павлик и Славка — *«три поросенка»*, они построили домик из соломы, они — *«дураки»*. Наверное, речь идет о каком-нибудь шалаше, мальчишки часто строят шалаши, что само по себе не делает их дураками. Просто Инга не очень-то дружит со старшими мальчиками и совсем не дружит со старшими девочками, мир растений и насекомых нравится ей намного больше. Есть еще один таинственный персонаж — Лу. *«Лу думает, что это хорошо»*, *«Лу сказал, что я красивая»*. Инга никогда не забывает нарисовать рядом с Лу маленькое сердечко. Немудреный вывод, который из этого следует, — Ингу настигла первая любовь.

Не слишком прочная, если судить по последующим записям.

К пятнадцатой странице (все страницы дневника аккуратно пронумерованы) Лу исчезает, а почерк Инги меняется. На смену каракулям приходят четкие округлые буквы, единственный изъян правописания — строчки все время сползают вниз. Инга стала заметно старше, но почему-то решила продолжить свой детский дневник. И еще — она стала рисовать. Много заштрихованных профилей, еще больше — абстрактных кругов и спиралей, лестниц, ведущих в никуда. И — ни одного сердечка.

«Хочу, чтобы он умер» — непонятно, кому это адресовано.

«Хочу, чтобы я умерла» — еще через страницу.

Это очень грустный дневник.

Рисунки становятся все тревожнее, и, хотя Инга еще балансирует на грани абстракции, круги и спирали постепенно сменяются вполне реалистическими деталями. Больше всего она любит рисовать людей, но части их тел перепутаны и заново разложены в произвольном порядке. Вторая по популярности тема — аммониты: из жерла свитых в кольцо раковин торчат руки с крючковатыми пальцами, невозможно определить — мужские они или женские, и к чему именно тянутся. От дневника начинает ощутимо попахивать сумасшествием, еще большее сумасшествие — рассматривать его здесь, в не самом радостном месте. Белка изучит дневник потом, когда выберется отсюда.

Когда Сережа позволит ей выбраться отсюда.

Лучше бы Белке было не переворачивать страницу. Хотя страница и выдает в Инге отличную рисовальщицу, но сам рисунок... Мертвый дельфин. Белка догадывается о том, что он мертв, еще до того, как видит глубокие раны на гладкой коже. Даже если бы их не было — она бы все равно поняла, что он мертв. Непонятно, откуда возникло это ощущение. Инга — отличная рисовальщица, а смерть — отличный натурщик, терпеливый, способный позировать сколь угодно долго.

Подпись под рисунком:

«Я свободна!»

Никогда, никогда Белка не смогла бы сказать то же самое о себе. Вся ее жизнь — цепочка зависимостей. От множества вещей и обстоятельств, от людей, которые ничего не значат. Или, наоборот, значат слишком много. В то лето она так хотела увидеть живых дельфинов, но пришлось довольствоваться мертвым, так и не увиденным. До этого был мертвый Лазарь, а два мертвеца для одной маленькой девочки — явный перебор. И вот теперь она снова видит дельфина — на этот раз нарисованного. Ее память так же изрезана винтами, как и тело несчастного животного. Что бы она ни сделала, куда бы ни отправилась, — от того прекрасного и пугающего августа не уйти.

Ну все, хватит.

Дневник перекочевал в сумку, а Белка еще какое-то время раздумывала, стоит ли ей приступить к осмотру папки или лучше остановиться. Что она хранит — свидетельства душевной болезни Инги? Взгляд на эту болезнь со стороны или, напротив, еще сотню дневников и альбомов со списанной с натуры смертью? В любом случае, десятилетия скрываемая семейная тайна перестала быть тайной: в большой и крепкой на вид семье обнаружилась дурная кровь. Но ведь это не вина Инги — беда. Расстройство психики могло случиться с кем угодно, это не повод объявлять человека несуществующим. Не повод стирать в памяти его образ, воспоминания о нем. Что случилось с Ингой потом? Жива ли она или умерла в одной из психушек, в полном одиночестве? И уже потом, простоволосую, отчаявшуюся, ее принял на борт Корабль-Спаситель?

Оказаться вычеркнутой из памяти самых близких — все равно что умереть. Хуже, чем умереть.

Вот что делали день за днем все члены Большой Семьи — вымарывали Ингу. Заштриховывали, запихивали что есть сил в окаменевшую аммонитовую трубу, а она лишь протягивала дрожащие пальцы, молила о пощаде. Но все были глухи и тетя Вера, и папа, и (как подозревает Белка) остальные, а самая главная среди них — Парвати. Жестокая, надменная старуха. Она всю жизнь обладала иррациональной властью над своими детьми, даже тогда, когда они выросли и сами стали родителями. Все, на что их хватило, — попытаться защитить собственных детей от старушечьего диктата, не поэтому ли встречи со старой каргой были сведены к минимуму?

Не поэтому.

И Сережа... Куда деть Сережу? Повелитель кузнечиков — самый справедливый человек на свете, самый добрый. И самый независимый, потому что всесильный. И вот этот самый справедливый человек любил Парвати. И она любила его. Обожала.

Где же правда?

Тесемки на папке развязываются сами собой, и первое, что видит Белка, — фотография. Девочка лет одиннадцати-двенадцати, в ее лице можно найти отсветы всех, кого Белка когда-либо знала: Маш, Аста, Тата и даже Аля, нет лишь... ее самой. Белку исключили из клуба избранных, на секунду она чувствует легкий укол в сердце.

Лу сказал, что я красивая.

Девчонка и впрямь прехорошенькая. Темноволосая, но почему-то с одинокой белой прядью, заправленной за ухо. У нее прозрачная кожа и черные, пытливые, немного настороженные глаза. Несмотря на настороженность, девчонка улыбается во весь рот. Он перепачкан клубникой, и на коленях она держит целую тарелку отборной, крупной клубники. Белка пытается вспомнить, остались ли в саду клубничные грядки?

Нет.

Их нет сейчас, их не было и тогда, двадцать лет назад. Клубнику уничтожили, как уничтожили любую память об Инге. А образовавшуюся на ее месте пустоту заполнили уныло-провинциальными помидорами, перцем и огурцами. Заслонили телами предателей, недостойными даже полных имен; нельзя же считать именами все эти **В., П., С.** и **Ч.**! Девчонка с фотографии еще не знает, что ее ждет, — и потому улыбается. А еще потому, что она защищена. Темный прямоугольник на заднем плане (именно на него опирается любительница клубники) поначалу кажется Белке частью стены. И лишь потом она понимает — никакая это не стена, не стул. Кто-то, оставшийся невидимым для объектива, *непроявленным*, сидит к девчонке спиной. Именно в эту спину она и вжалась.

И ей — хорошо!

Снова пробили часы — теперь уже за Белкиной спиной, еще пятнадцать минут оказались списанными с баланса вечности. Белка захлопнула папку и попыталась засунуть ее в сумку. Папка — слишком объемная, влезает лишь наполовину, и даже если избавиться от бальзама «Звездочка» и посадочного талона, делу это не поможет.

Но через секунду она забыла и о папке, и о сумке, и даже о мрачном дневнике Инги Кирсановой. Всему виной оказался ковер, вернее — угол ковра, оказавшийся отогнутым. Оттуда, из образовавшейся щели, выглядывала прядь светлых волос. Невозможно было понять, какой именно длины были волосы. Как и еще одно — искусственные они или настоящие. Парик? Со спасительной мыслью о парике Белка носилась несколько мгновений, хотя разум подсказывал ей: Парвати — не та особа, что будет хранить какие-то дурацкие парики. Другое дело, если бы многорукая богиня внезапно решила переквалифицироваться в русалку! Светлые волосы — неотъемлемый русалочий атрибут. Русалка на ветхой иллюстрации с крышки сундука — светловолосая. И русалка-оборотень Аста тоже была светловолосой. Воспоминания об Асте (откуда что взялось?) тотчас опрокинули Белку в то лето — с пляжем, с магнитофоном-кассетником, с давно и прочно позабытой песней «Losing My Religion». Именно ее первые такты запульсировали в Белкиных висках, а может, это просто кровь прилила к голове. Что-то подсказывало ей: отойди, не ввязывайся, не трогай то, что тебе не принадлежит. Все еще может закончиться хорошо, если верх возьмет *трусюндель*. Он никуда не делся, хотя и терпел поражение — раз за разом, ведь сегодня особенный день!

Затаив дыхание, Белка коснулась волос кончиками пальцев: они были мягкими на ощупь, *настоящими* — ни о каком парике не может быть и речи! Еще можно было остановиться, но проклятое любопытство подталкивало ее дальше и дальше — какие еще сюрпризы приготовил Белке Повелитель кузнечиков? Резким движением она отбросила ковер — весь, целиком. И то, что предстало перед ее взглядом, было так невозможно, немыслимо, что Белка едва не потеряла сознание от ужаса.

В сундуке, скрючившись, лежала... Аля.

Аля, невесть как исчезнувшая из старого бабкиного дома. Аля, которую безуспешно разыскивали на протяжении нескольких часов. И вот она нашлась. И никакой радости эта находка не принесла. Ни Белке, ни любому другому человеку, окажись он на Белкином месте.

Аля была мертва.

Мертвее дельфина из дневника Инги Кирсановой, мертвее всех стрекоз и жуков из Лёкиной энтомологической коллекции. По странной иронии судьбы на ее шее виднелся уже знакомый Белке по фотографии след от удушения — странгуляционная борозда. На этом сходство с фотографией заканчивалось: ведь на ней она казалась спокойной, почти безмятежной. Аля, лежащая сейчас в бабкином сундуке, являла собой прямую противоположность снимку. Ноги подломлены в коленях, руки согнуты в локтях, голова неестественно вывернута. Лицо искажено в последней гримасе страха и боли. Тот, кто засунул молодую актрису в сундук, не особенно церемонился с ней — ни после смерти, ни в тот момент, когда она была еще жива. И Аля понимала, что пощады ждать не приходится, страшно даже подумать, что она пережила в последние минуты перед смертью. Но ведь злодей, совершивший это... не может быть Сережей!

Белка все еще не в состоянии отвести взгляда от шеи со вспухшим ярко-фиолетовым рубцом. В глаза лезут подробности, которые в другое время обязательно бы ускользнули: светлая бороздка на коже — она тянется от века к мочке уха (должно быть, несчастная девушка плакала и молила палача о пощаде); тушь, осыпавшаяся с ресниц и покрывшая щеки едва заметной угольной пылью; сережка в ухе — серебряная и какая-то детская, умилительная до невозможности: крошечный медвежонок с глазками-аметистами; родинка-мушка над верхней губой, слишком эффектная, чтобы быть настоящей.

Все здесь — ненастоящее.

Все — дурная постановка дурного режиссера, который так до конца и не определился с жанром. Фильм-нуар? Фильм ужасов? Затрапезный детектив? История о маньяке, целых двадцать лет терроризирующем округу? Комната вдруг теряет объем, съеживается до размеров статичного кинематографического кадра. Общий план неожиданно сменяется крупным: вот чемоданы, помеченные начальными буквами имен детей Парвати; вот сундучная русалка — ее совсем не беспокоит сеть, опутавшая хвост, об этом свидетельствует улыбка, одновременно победительная и исполненная презрения к ловцам. Надпись на картинке с пойманной сиреной гласит: «La Vie Parisienne», *парижская жизнь.* Мечты русалки (обзавестись ногами вместо хвоста и устроиться в кордебалет «Мулен Руж») не менее фантасмагоричны, чем мечта Белки увидеть Сережу; вот книжный шкаф — разноцветные корешки плотно прижаты друг к другу, книг здесь не меньше двух сотен. И все они... «Анжелика».

Книга, которую Аста читала в лето своего исчезновения.

Это кажется невозможным, но крупный план не врет: «Анжелика» в самых разных ипостасях, «Анжелика» когда-либо издававшаяся, сколько переизданий она выдержала? Здесь представлены все. Только теперь Белку окончательно накрывает липкий страх. Кажется, режиссер определился окончательно: *эй, ребята, мы снимаем ужастик про серийного убийцу, реквизит готов? Актриса на месте или опять застряла в курилке? На месте? Отлично. И почему посторонние на площадке?*

Посторонняя здесь она, Белка. Луч корабельного фонаря бьет ей в глаза подобно софиту, а она все надеется, что сейчас Аля пошевелится, разогнет затекшие ноги, стряхнет с ладоней пыль от старого ковра — «Ловко мы тебя разыграли? А ты и поверила, маленькая глупышка!»

Вот черт, разве она маленькая? Кто внушил Белке мысль, что ей снова одиннадцать? Она сама. Она так страшно хотела вернуться в те времена, когда Сережа был здесь и по-братски опекал ее, что почти поверила в это. Но правда состоит в том, что она не Белка — Полина. Что ей уже давно перевалило за тридцать, что она одинока и несчастлива в любви, что с ее психикой все далеко не в порядке и она принимает желаемое за действительное... Вот только смерти Али она не желала никогда! И ничьей другой — тоже. Почему в ловушку попала именно она? Не Маш и ее братец Миш, никогда не отличавшиеся особой любовью к ближнему, не Шило, не Ростик, не Тата? А то, что это ловушка, у Белки не осталось никаких сомнений. Она была слишком любопытна, слишком легковерна!.. На рубце отчетливо видна буква «А». Это — не клеймо, не татуировка.

Оттиск, который оставило орудие убийства.

Аля была задушена ремнем, что валялся на дорожке зимнего сада. Убийца поступил не слишком осмотрительно, оставив его... Да нет же!

Он все предусмотрел.

Он заманил несчастную Белку в западню, пользуясь известными ей приметами. Он все обставил так, чтобы ей стало по-настоящему страшно. И теперь ему остается лишь демонстрировать свое могущество, а Белка не в силах ничего ему противопоставить. Как не могла противопоставить Аля, а еще раньше — Аста. Ее дух живет в сундучной русалке и во множестве «Анжелик». Асте была знакома эта комната, Белка почти уверена в этом. Быть может, Аста стояла ровно на том же месте, где стоит сейчас она. И держала в руках мрачный дневник Инги Кирсановой. Девочки с выпачканным клубникой ртом, своей тети. И Белкиной, Белкиной тети! Все они связаны родственными узами, в их жилах течет одна кровь, Белка живо представляет себе эту кровь — она клубничного цвета, в ней купаются аммониты с выпростанными на поверхность руками. И никак не понять, машут ли они приветливо или взывают о помощи.

Взывать о помощи бесполезно.

Он появится здесь с минуты на минуту, распахнет дверь, и...

— Где ты? — не выдержав, крикнула она. — Где ты?!

Ничего, ровным счетом ничего не изменилось в проклятой комнате. Все так же ярко горел корабельный фонарь, все так же лежало в сундуке скрюченное тело Али. И часы все так же мерно отстукивали минуты.

— Где ты?! Покажись!

Дверь. Нужно забаррикадировать дверь. Тогда убийца не сможет войти сюда и совершить то, что он уже проделал с Алей. И... возможно с эстонской русалкой-оборотнем, не зря же ее платок оказался здесь. Все это — знаки, которые были оставлены... для кого?

Для Белки.

Ведь это она получила открытку. Никто другой. Это ей был предназначен ключ от виллы «Mariposa». Тот, кто сделал это, знал, что она не устоит. Знал, что она любопытна и при этом умеет хранить тайны. Он знал ее как облупленную — когда ей было одиннадцать. И почти наверняка мог предположить, что за прошедшие двадцать лет она не очень сильно изменилась. Ее душа так и осталась туго забинтованной, как ноги средневековой китаянки из аристократической семьи. Она не выросла ни на сантиметр, но цена изяществу — деформация и боль. Если бы убийца решил вытряхнуть душу из Белки и запихнуть ее... даже не в бабкин сундук, а в короб с насекомыми — долго мучиться ему бы не пришлось.

Но для этого нужно хотя бы представлять, что есть Белкина душа. И следить за ней — хотя бы изредка, краем глаза.

Лишь один человек способен на такое — Сережа.

Но представить его убийцей невозможно. Все Белкино естество восстает против этой абсурдной, кощунственной мысли. Если бы он был сейчас здесь — он все бы ей объяснил, развеял ее страхи, и они вместе посмеялись бы...

Посмеяться не получится. Хотя бы потому, что Аля мертва. Задушена. И неизвестно, что случится с самой Белкой через пять минут. Через мгновение. Заставлять сундуками дверь — бесполезно, она открывается наружу, а не вовнутрь. Но даже если бы это было не так — пользы от Белкиного добровольного заточения немного. Сколько она продержится здесь, в сырой комнате без окон? Чем будет занимать себя долгие часы, а то и дни изоляции? Царапать ногтями стены? Изучать дневник не вполне здоровой девочки Инги? Есть еще шкаф, набитый книгами. И... Аля. Мертвое тело, которое когда-то было Алей. Его можно скрыть от глаза ковром, но оно не исчезнет. Как не исчез в ее сознании Лазарь — мальчик-паучок с хохолком на затылке. Как не исчезла память о родителях, какими она увидела их в морге стамбульского госпиталя. Они были мало похожи на себя живых, хотя при аварии их лица почти не пострадали. Мелкие царапины от разлетевшегося вдребезги лобового стекла не в счет. Но Белка не узнала их, отказывалась узнавать, стараясь оттянуть неизбежное. Смерть Лазаря стала для нее потрясением, смерть родителей — потрясением и горем. Но сейчас... она почти ничего не чувствует. Даже находясь в пяти шагах от трупа.

Девушка из сундука не имеет никакого отношения к Белке. Она всего лишь случайная знакомая и не может быть той смешной крепконогой малышкой, которая провела когда-то рядом с Белкой целый долгий август. Такие малышки обычно украшали поздравительные открытки, которые в изобилии слала выборгская бабушка: *Поздравляю с Первомаем!* (с обязательным флажком в руках), *Поздравляю с Восьмым марта!* (с обязательным букетиком подснежников), *Счастливого Нового года!* (в компании зайцев под елочкой). Нынешняя Аля — *не та малышка*. При ней нет ни флажка, ни подснежников, ни зайцев. Конечно, это не оправдывает Белкину душевную глухоту, а просто... выдает в ней человека, с которым что-то не так. Вещи и предметы, будь то разбросанные на полу шахматы или татуировка на бамбуке, волнуют ее гораздо больше. И тот, кто заманил ее сюда, был прекрасно об этом осведомлен, потому что... провел тот август с ней. Лазарь играет в шахматы — вот тебе шахматы! У Сережи на руке была татуировка — вот тебе татуировка! И о шахматах, и о татуировке знали все дети...

Стоп-стоп.

Ключевое слово здесь — дети.

Все они были детьми. Слишком маленькими и слишком слабыми, чтобы тем летом покуситься на чью-то жизнь. Или — слишком покладистыми и глупыми, как Лёка и Миш. Остаются Сережа и Маш.

Вернее... остается Сережа.

Маш хватило бы решительности расправиться с Астой. И маленькие красные сандалии — в день не самого приятного объяснения с Парвати она видела их за ширмой и тем самым вычислила Белку. Но этот роскошный дом... он не может принадлежать жалкой алкоголичке-неудачнице. И она ничего не знала об открытке. И о том, что Белка попала в грот, где нашла Лазаря, следуя за маленькими шахматными фигурками, оставленными на берегу.

Об этом не догадывался никто. Даже Сережа. Никогда, никогда она не говорила Сереже, что пошла за шахматами. Никогда не рассказывала об открытке.

Об этом знает только она сама.

И те, кого больше не существует. Аста и Лазарь.

Это не могут быть они! Лазарь мертв, и Аста... Шило утверждает, что ее тоже нет в живых, и не верить оперу нет никаких оснований.

Белка — человек, с которым что-то не так. Здесь и сейчас она готова поверить в то, что кто-то из двоих жив. И что время повернуло вспять.

Время повернуло вспять!

Огромный циферблат парит над Белкой. В зимнем саду ее впервые настиг бой часов. Ударов было шесть, а потом к ним добавился еще один. Тот, что звучит каждые пятнадцать минут. А совсем недавно часы отсчитали еще четверть. Следовательно, сейчас должно быть чуть больше половины седьмого.

Но на часах — тридцать три минуты шестого!

В это время Белка только подходила к особняку. Или продиралась сквозь кусты к пролому. Вот если бы снова оказаться там! В реальных, а не придуманных кем-то тридцати трех минутах шестого! Как зачарованная, она смотрит на циферблат: черные цифры, нанесенные на него, бестрепетны. Стрелки так же недвижимы, и кажется, никакая сила не может сдвинуть их с места.

Щелчок.

Белка явственно слышит щелчок, хотя минутная стрелка (на нее была вся надежда) даже не дернулась. Звук пришел откуда-то извне. Конечно же, это дверь! Тому, кто заманил Белку сюда, надоело ждать, и он решил форсировать события. Увидеться — впервые после стольких лет разлуки. В два прыжка Белка оказывается возле двери и хватается за ручку в тот самый момент, когда в дверном проеме появляется узкая щель. Белкой движет страх, помноженный на инстинкт самосохранения. Если рывком толкнуть дверь и попытаться дверью же оттолкнуть противника, он может не удержаться на ногах. Шансов немного, но попробовать стоит.

Как ни странно, этот маневр удался, и через секунду Белка оказалась на свободе. Краем глаза она заметила мужскую фигуру, согнувшуюся едва ли не пополам. Человек у двери пробормотал про себя что-то нечленораздельное, но очень быстро пришел в себя. Ничем другим не объяснишь торопливые шаги по гальке в том направлении, куда метнулась Белка. Листья бамбука, свешивающиеся на дорожку, хлестали по Белкиному лицу, а сам бамбук все не кончался, и в какой-то момент она поняла, что пропустила нужный поворот. Спасительный путь к выходу из зимнего сада остался правее, и сейчас она неслась в сторону, прямо противоположную комнате с часами и трупом несчастной актрисы. Дорожка все не кончалась, бамбук сменили молодые араукарии с нежными, едва оперившимися веточками. Кто-то потратил уйму времени и сил, чтобы обустроить это место, вдруг отстраненно подумала Белка. Кто-то любит растения больше, чем людей...

— Эй! — услышала она окрик за своей спиной. — Ты чего?

Шило! О господи, это он! Это его голос. Не сбавляя темпа, Белка обернулась. За ней вправду бежал Шило, на ходу потирающий скулу. Вид у него был простодушный, а лучше сказать — идиотский, но в эту секунду не было для Белки человека роднее и желаннее.

— Куда это ты ломишься, сумасшедшая? Тормози.

Белка остановилась.

— Ты что здесь делаешь?

— А ты?

— Я первая спросила.

— Мне не нравится, когда люди выскальзывают из дома, никого не предупредив. Некоторые пробовали, и мы знаем, чем это закончилось.

— Выходит, ты следил за мной?

— Не то чтобы...

На скуле у Шила расплывался фиолетовый синяк — вот он, результат отчаянной Белкиной попытки вырваться из западни. Восстановить предшествующие прорыву события не составит большого труда: Шило, от которого никто и ничто не ускользает (*это профессиональное, детка!*), отправился следом за Белкой и вошел в дом несколькими минутами позже. Их хватило на то, чтобы ведомая шахматами Белка успела скрыться из виду в дебрях зимнего сада. Но где он провел еще полчаса? Почему появился здесь только сейчас?

— Больно?

— А как ты думаешь?

Шило — союзник, а никакой не враг. Он был слишком мал, чтобы иметь какое-то отношение к исчезновению Асты. Он приехал сюда за день до Белки, и за это время невозможно вырастить араукарию и бамбук. И он — бедный провинциальный опер, такие роскошные особняки ему не по зубам.

— Что ты делал здесь?

— Искал тебя.

— Все это время?

— Ну, — Шило замялся. — Осмотрел дом. А потом спустился сюда. И получил дверью по морде.

— И как дом? — Белка все еще не могла решить, двинуться ли ей навстречу Шилу или лучше держаться от него подальше. На всякий случай.

— Впечатляет.

— Ничего подозрительного не заметил?

— А должен был?

— Хозяевам вряд ли понравится, что здесь шляются посторонние.

— Этого мы не узнаем.

— Почему?

— А нет хозяев. Я, во всяком случае, никого не увидел. На всех трех этажах. Потому и спрашиваю: что ты здесь делаешь и как ты сюда попала?

— Меня... пригласили.

— Интересно, — скучным голосом произнес Шило. — И кто же?

— Понятия не имею.

— Вот как?

Только теперь Белка неожиданно осознала всю шаткость своего положения. Минуту назад она фурией вылетела из комнаты, где остался труп ее кузины. Это первое, о чем она должна была сообщить Шилу, а вовсе не заваливать его дурацкими вопросами о хозяевах. И она убегала — а убегающий частенько бывает неправ. Не настолько, чтобы навесить на него ярлык убийцы, но... Белке придется очень постараться, чтобы Шило поверил ей.

— Случилось ужасное, — медленно начала Белка. — Я нашла Алю.

— Что же в этом ужасного? По-моему, это очень хорошая новость.

— Не сказала бы. Она... Она...

— Что — «она»? С ней все в порядке?

— Нет. Она мертва.

Кажется, Шило не совсем понял, о чем говорит ему Белка. Он засопел, зачем-то дернул себя за ухо и снова потер вспухшую от удара скулу.

— Не понял, — наконец сказал он.

— Аля мертва. Она... в той комнате. Лежит, задушенная, в сундуке. Совсем как...

«Как на той фотографии», — хотела добавить Белка, но почему-то не стала делать этого.

— Что за бред? Задушена, сундук...

— Ты можешь посмотреть сам, если хочешь.

— Пойдем.

Шило развернулся на каблуках и быстрым шагом направился к комнате с часами. Белка последовала за ним. Лишь у развилки она ненадолго задержалась и окинула взглядом дорожку, ведущую к выходу.

Ремня не было.

— Ты ничего не находил здесь?

— В смысле? Что я должен был найти? — на ходу бросил Шило.

— Ремень. Здесь валялся ремень. С медной пряжкой. Кажется, он и был орудием убийства.

— Никакого ремня я не видел.

Одно из двух: либо Шило врет, либо ремень успели убрать с дорожки до того, как он прошелся по ней. Белка исподтишка бросила взгляд на двоюродного брата: толстый длинный свитер, джинсы, ботинки. Спрятать ремень, засунув его в карман, не получится. Разве только...

— Что, если я попрошу тебя об одной вещи?

— Может, разберемся сначала... с твоим сундуком и телом в нем?

— Да, конечно, — смутилась Белка. — Подними свитер. Пожалуйста.

— Ты странная.

— Да.

— Очень странная, — еще раз повторил Шило, но край свитера все-таки приподнял.

Ремень у него имелся, но это был вовсе не тот ремень. Никакого старинного авто на пряжке, да и сама пряжка выглядит скучно: кусок самого обычного металла и одинокий штырь. Дешевка с китайского вещевого рынка, не иначе. Бедный опер.

— Удовлетворена?

— Извини.

— Ничего. Проехали.

Уже подходя к комнате за бамбуковой рощицей, Белка почувствовала, что силы оставляют ее. Ей вовсе не улыбалось второй раз оказаться в ловушке, пусть и в сопровождении спутника. Шило сам во всем разберется, а она подождет его снаружи. У дверей.

— Составишь мне компанию? — спросил Шило, прежде чем толкнуть дверь.

— Я там уже была, — ушла от прямого ответа Белка. — Кстати, как тебе удалось справиться с замком?

— С каким замком?

— На какое-то время я оказалась запертой. Там, внутри.

— Вообще-то я просто нажал на ручку. Вот и все.

— Не понимаю...

— Я тоже не понимаю, — просочившийся внутрь комнаты Шило деловито сновал между сундуков и чемоданов. — Где тело?

— В самом большом сундуке. Просто откинь крышку.

Белка сказала — «откинь крышку»? Но ведь она хорошо помнит, что не закрывала ее! Пасть, которая поглотила Алю и так долго державшая в плену клубничную Ингу оставалась открытой.

Шило приноровился, одним рывком приподнял крышку и заглянул внутрь. А потом медленно, как в рапиде, повернулся к Белке.

— Ну и? — спросил он. — Где обещанный труп?

— Под ковром. Посмотри под ковром.

Над сундуком взлетело облачко пыли: это Шило потянул за край ковра, а затем сбросил его на пол.

— Это такая шутка?

— Шутка?

Следом за ковром на пол полетело несколько пожелтевших от времени вязаных салфеток и бумажные цветы — розы и ирисы, отвратительно хрустящие. А когда Шило перешел к сложенным вчетверо старым простыням, Белка не выдержала, ворвалась в комнату и, с опаской вытянув шею, заглянула в сундук.

Ничего, кроме тряпья.

— Не понимаю... Она же была здесь.

— Кто?

— Аля. Она была здесь, и она была мертва. Ее задушили. Я сама видела полосу на шее... Совсем как на той фотографии.

— С тобой все в порядке? — участливо переспросил Шило.

— Ты мне не веришь?

— Я верю своим глазам. И то, что видят они, несколько отличается от того, что говоришь мне ты. Наверное, тебе просто показалось...

— Мне показалось, что в сундуке лежит труп? Не говори ерунды.

— Одно из двух... Либо ты... — Шило в очередной раз засопел, пытаясь сформулировать мысль.

— Хочешь сказать — я сумасшедшая? — Пришла к нему на помощь Белка.

— Э-э...

— Проехали.

— ...Либо тебя разыграли.

Разыграли! До сих пор эта мысль не приходила Белке в голову. Но если принять ее — какое же это облегчение! Все живы и здоровы, ни одна русалка во время съемок не пострадала, и — главное — не было никакого убийства. Следовательно, нет и убийцы, и как только Белка — хотя бы на одну крошечную секунду — могла заподозрить в этом Сережу? Как же хорошо, что появился Шило! Волна радости обдает Белку с головы до ног и тотчас отступает, оставляя после себя отрезвляющий холодок сомнений. Если принять версию рассудительного архангельского опера (о, как же хочется ее принять!), то окажется, что Сережа, Аля и кто-то еще (скорее всего — Гулька, прожженный киношник) были в сговоре. Сережа предоставил им свой новый дом, если не сам расписал роли в этом леденящем душу скетче.

Слишком жестоко. Слишком.

Белка не заслужила такого отношения к себе.

— Не расстраивайся, — в голосе Шила послышалась не свойственная ему мягкость.

— Я не расстраиваюсь.

— Я же вижу. Ты чуть не плачешь.

— Если это розыгрыш, то он какой-то глупый. И жестокий.

— Киношники. Люди с воображением, — Шило развел руками. — Хотя у нас в управлении разводят и похлеще.

— Я не понимаю, зачем понадобилось так шутить.

— Дураки. Дети.

Напрасно Шило это сказал. Взрослая женщина Полина готова обманывать себя и принимать на веру то, что позволит хоть ненадолго сохранить душевный покой, но маленькая Белка беспощадна. Она видела мертвое тело. Мертвое — в этом не может быть никаких сомнений. Она прекрасно знает, что значит быть мертвым. Мертвый Лазарь, мертвый дельфин из дневника Инги Кирсановой... Может, во всем виноват этот чертов дневник? Он настроил Белку на трагический лад, заставил думать о смерти. А мрачные мысли, дурное освещение и комната, похожая на склеп, довершили дело? И еще часы! Как она могла забыть о часах!

Белка мельком взглянула на циферблат и не поверила глазам: часовая стрелка прочно укрепилась на семи, а минутная застыла на двенадцати. Через секунду-другую они услышат бой, а это значит, что с часами все в порядке. И потерянный было час вновь нашелся. И если уж обратный ход времени привиделся Белке, то не исключено, что привиделось и все остальное.

Кроме дневника.

И книжного шкафа, набитого «Анжеликами».

Но одного взгляда на шкаф было достаточно, чтобы понять: он выступает в паре с часами. И эти двое клоунов, а лучше сказать — иллюзионистов, призваны если не свести ее с ума, то, во всяком случае, крепко задуматься о душевном здоровье. На полках скучала самая обычная макулатура: старые журналы, ободранные книжки-малютки, какие-то учебники и методические пособия. И целая коллекция легендарного популяризатора науки Перельмана — «Занимательная физика», «Занимательная геометрия», «Занимательная астрономия».

Все это очень занимательно. Да.

Но дневник! Дневник существует, и это — последняя Белкина надежда. Она сама положила его в сумку. И напрочь забыла о ней, когда в панике выбегала из комнаты.

Белка повертела головой, и тотчас же обнаружила пропажу. Сумка стояла на полу, раздувшись от положенных в нее трофеев. Слава богу, все на месте.

— Я кое-что нашла здесь.

— Еще один труп? — Шило криво усмехнулся.

— Прошу тебя...

— Уже заткнулся.

— Ты знаешь, кто такая Инга Кирсанова?

— Э-э...

— Никогда не слышал это имя? Ты ведь тоже Кирсанов.

— И ты. Что из того? Наверняка какая-нибудь дальняя родственница.

— Не такая уж дальняя. Думаю, это наша с тобой тетя.

— Повторяю вопрос: что из того? Хоть бы и тетя... Тетя тоже претендует на наследство?

— Не думаю.

— Тогда черт с ней.

— Неужели тебя никогда не интересовала история семьи?

Шило медленно приблизился к Белке, и она, в который уже раз, подивилась смене его настроений. Даже известие о возможном убийстве не задело его так сильно, как вполне невинный вопрос о родственниках. До сих пор Шило позволял себе лишь снисходительные комментарии, но теперь он явно злился и даже не пытался этого скрыть.

— Дерьма мне вполне хватает и на службе, — бросил он. — А копаться в нем еще и в частной жизни я не намерен. Извини.

— Дерьма? — изумилась Белка.

— Возможно, я неточно выразился. Не дерьма. Но странностей предостаточно.

— Так почему бы в них не разобраться?

— Зачем?

— Просто... Чтобы понять — кто мы.

— Не поздновато спохватилась, сестренка? — Шило ухватил Белку за локоть и с силой сжал его. — Что бы ни было... там, в прошлом... ничего уже не изменить.

— Но ты ведь сам хотел понять, что произошло тем летом.

— Это чисто профессиональный интерес. Не более.

Кажется, в Лёкиной мастерской он говорил совсем другое. Но Белка не помнит — что именно. Комната-склеп действует на нее удручающе, ей бы хотелось поскорее выбраться отсюда. Забыть обо всем, что она видела, оставшись здесь одна взаперти. И история с телом... Должно быть, Шило прав: это всего лишь дурацкий розыгрыш. Ничем другим объяснить исчезновение тела из сундука невозможно, ведь Белка явственно видела его! Лучше принять такой — довольно зыбкий — вариант, чем объявить себя сумасшедшей.

Она не сумасшедшая, нет!

Белка судорожно роется в памяти, стараясь извлечь из нее хоть какой-то намек на собственное душевное нездоровье. Но ничего не находит. Она часто думала о смерти Лазаря, и об исчезновении Асты, и о необъяснимом роке, нависшем над их Большой Семьей, но это вело всего лишь к депрессии, не больше. Еще чаще

Белка думала о Сереже, и депрессию вызывало его упорное нежелание общаться с ней. Никаких сильнодействующих психотропных препаратов она не принимала, исключение составляет лишь нитразепам — снотворное. Нитразепам появляется на горизонте сразу после периодически повторяющегося сна о коврах и шахматных фигурах. В течение нескольких дней Белка (а точнее — взрослая женщина Полина) не в состоянии заснуть из-за повышенной тревожности. Лекарство сглаживает острые углы, и все возвращается на круги своя, в привычный для внутреннего зрения пейзаж. Отличительная особенность этого пейзажа — в нем почти не бывает солнца, оно вечно скрыто: за облаками, за пеленой дождя, за предрассветной дымкой. Всю жизнь она прожила в ожидании рассвета: скорого, яростного, играющего самыми яркими и необычными красками. Такие краски она видела лишь однажды — в то трагическое лето, до краев наполненное Сережей.

Пора отказаться от мечты о несбыточном и начать жить, старушка!

— ...Пойдем отсюда.

— Пойдем, — легко согласился Шило.

— Вернемся домой.

— Э-э... А поискать мелких киношных негодяев ты не хочешь?

— Где же их искать?

— Они наверняка где-то в доме.

— Это не наш дом.

— Час назад ты об этом не думала. Когда забралась сюда.

Белка внимательно посмотрела на Шило. Старый свитер с катышками на рукавах, приспущенная петля на плече. Дешевые джинсы, дешевые стоптанные ботинки. А где-то там, под свитером, под кожей, если хорошенько ее поскрести, обязательно сыщется матросский «рябчик» — неизменный прикид восьмилетнего мальчика Генки, который непременно должен сунуть свой нос в любую дыру. А здесь не дыра — самая настоящая пещера с сокровищами из сказки про Али-Бабу и сорок разбойников. Шило и сам похож сейчас на лихого разбойника: ноздри раздуты, глаза сверкают, губы раздвинуты в рассеянной улыбке. Смена настроений в нем воистину поражает!

— Ну что? — нетерпеливо спросил Шило.

— Не знаю... Не очень-то мне нравится это место.

— Да брось ты! Найдем злодеев и зададим им хорошую взбучку.

— Я бы хотела убраться отсюда. И вообще — убраться к чертовой матери.

— То-то они порадуются. Изгнали еще одного претендента на наследство. Не мытьем, так катаньем.

— Плевать.

— Как знаешь. Но ведь на ночь глядя ты не двинешься?

— Уеду утром.

Белка обижена. Раздосадована. Прежде всего на себя, что оказалась такой легковерной идиоткой. Взяла и поверила, что свидание ей назначил Сережа. Единственное, что хоть как-то сластит горькую пилюлю: автор жестокой шутки — не он. Кто — не суть важно. Главное — это не он.

— Решила окончательно? — зачем-то переспросил Шило.

— Да.

— Утром провожу тебя до трассы, если ты не против.

— Хорошо.

— Жаль, конечно, что ты уезжаешь. Я уже успел привыкнуть к тебе.

— Ты всегда можешь приехать в Питер. Если захочешь.

— Угу. Обязательно воспользуюсь твоим предложением.

— Приезжай с девушкой.

— Не понял?

Шило больше не выглядел разбойником, скорее — Али-Бабой, застигнутым врасплох подлинными хозяевами сим-сима.

— Со своей девушкой, — уточнила Белка. — Моей большой поклонницей, как ты выразился. Или ты соврал?

— Про девушку?

— Про то, что она — моя большая поклонница.

— Нет. Все так и есть.

— Тогда вдвоем и приезжайте. Как ее зовут, кстати?

Это был очень простой вопрос, заданный из вежливости. А еще из-за того, что Белка чувствовала необъяснимую симпатию к своему новоявленному братцу, прикатившему к морю прямиком из сумрачных северных лесов. А может, не такие уж они и сумрачные?

— Далась тебе моя девушка...

Шило не хочет разговаривать о своей возлюбленной, надо же! Да и Белка хороша, болтает с ним так, как будто он — один из сотни ее вечно рефлексирующих нытиков-приятелей, Или — хуже того — безмозглая адептка ее колонки в журнале, озабоченная лишь поисками состоятельного мужа. А Шило — строгий юноша, кого угодно он в свою жизнь не допустит. Это право еще надо заслужить.

— Ладно. Проехали.

— Проехали, угу, — тотчас же согласился Шило. — Ну что, выкатываемся отсюда?

— Да.

Прежде чем убраться из комнаты-западни, Белка бросила на нее прощальный взгляд. Ни единого окна, темные стены, старомодные сундуки и чемоданы, часы, отсчитывающие время неизвестно для кого, корабельный фонарь — через секунду его погасят и комната снова погрузится во тьму. Представить себя на месте Али, добровольно угнездившейся в сундуке, — избавь бог! Даже человеку, не страдающему клаустрофобией было бы непросто остаться здесь в ожидании... неизвестно чего! Что, если бы Белка не восприняла призыв о счастливом плавании в бесконечность всерьез? И отложила бы визит до утра, до лучших времен, а то и не пришла бы вовсе?

Нужно очень хорошо знать Белку, чтобы быть уверенным: она прибежит по первому зову. Но никто из кузенов и кузин понятия не имеет, что за *strange* фрукт Полина Кирсанова. И думать, что этот фрукт вот так, за здорово живешь, упадет к чьим-то ногам, по меньшей мере самонадеянно. Только Сережа мог рассчитывать на подобное. Только он. Ведь незримая связь с ним не прерывалась никогда. Она могла ослабеть, до невозможности истончиться, но не исчезнуть вовсе. Остальные — не в счет. Все они не виделись так долго, что эту встречу можно считать первой. Составить психологический портрет любого из них за день и даже за сутки не получится. Тата была очень странной девочкой, Гулька и Аля — ничем не примечательными бутузами с винтажных открыток. Основная черта Шила — любопытство, основное призвание Ростика — во всем соглашаться с Шилом. Маш — своенравна, упряма и находится в счастливом убеждении, что мир вертится вокруг нее. Кроме того, она обладает навыками стрельбы по движущимся целям: *бэнг-бэнг-бэнг* — и противник тотчас же оказывается заляпанным кетчупом/томатным соком/взбитыми сливками, это унизительно, но не смертельно. Миш — лишь бедная копия своей сестры, не способная даже на томатный *бэнг-бэнг-бэнг*.

Такими были дети.

А как обстоят дела со взрослыми?

Ничего, кроме озвученных ими профессий. Не все из них — говорящие, не все выявляют душевные качества; принадлежность Шила к касте правоохранителей не делает его автоматически ни жестоким, ни милосердным. Корабельный механик Ростик вполне может оказаться скрытым садистом, а может — сентиментальным любителем долгоиграющего сериала «Великолепный век», на работе подотчетных ему механизмов это никак не скажется. То же и со всеми остальными, включая Маш, которая смахивает на «черного» риелтора, но не исключено, что это не так. И молва о ее порядочности и надежности передается из уст в уста.

— ...Все хотел спросить у тебя... — сказал Шило. — Ты случайно не видела моего телефона?

— Телефона?

— Ну да. Все время лежал у меня в кармане, а теперь не могу его найти.

— Что за телефон?

— «Нокия». Черного цвета, кнопочный. На большее я не заработал, — зачем-то добавил он.

— Не видела, нет. Но если тебе нужно позвонить — можешь воспользоваться моим.

— Не нужно. Просто сам факт. Лежал себе тихо в кармане, а потом взял и пропал.

— А остальные карманы ты проверил?

— В том-то и дело... Кому он мог понадобиться, учитывая, что сеть здесь не ловит...

— Найдется, — уверила Белка брата.

— Хорошо бы. Он хоть и старый, но я к нему привык.

...Они покинули комнату, плотно притворив за собой дверь, и теперь шли по дорожке, вдоль бамбуковой рощицы. Комната находилась в самом конце миниатюрной аллеи, в импровизированном тупичке, и Белка вдруг подумала о том, куда могла подеваться Аля. Они с Шилом (учитывая недолгий забег и последовавшую за ним короткую беседу) отсутствовали не более трех-четырех минут. Этого достаточно, чтобы выбраться из сундука и затаиться где-то в глубине тропических лиан или того же бамбука. Но недостаточно, чтобы метнуться к дорожке и поднять ремень, каждую секунду рискуя быть обнаруженной. Конечно же, у Али был сообщник. Или сообщники. Они вместе разработали сценарий этого глупого розыгрыша, цель которого так и осталась неясной.

Да нет же! Она предельно ясна!

Во-первых, напугать Белку. Сделать так, чтобы она и минуты лишней здесь не осталась. «Здесь» — это не только вилла «Mariposa», а еще — старый дом Парвати, и вообще побережье. Белка умотает в свой стылый Питер, так и не увидев моря, так и не заглянув в завещание, и одним претендентом на бабкино наследство станет меньше. Непонятно только, почему начать решили именно с нее?

Ах да. Есть еще Тата, которой не повезло гораздо больше. Ей едва не проломили голову, а у Белки даже не нашлось лишней минуты, чтобы ободрить и утешить художницу. Она ограничилась формальным «Как ты?», брошенным в закрытую дверь. И, услышав вполне жизнеутверждающий ответ, сделала вид, что удовлетворилась им.

— Тате получше? — запоздало спросила она у Шила.

— Да. Рана оказалась неопасной. Так, царапина. Думаю, к утру все будет в порядке.

— Ты заходил к ней?

— Угу. Ненадолго.

— Она остается?

— Скажем, желания уехать она не высказала.

Разговаривая с Шилом, Белка постоянно отвлекалась на шуршащую под ногами гальку. Ремень — слишком заметная вещь, его не пропустить, а вот шахматные фигурки... Так сразу их не соберешь, придется повозиться, и трех минут тут явно недостаточно.

Но ни одной фигурки она так и не нашла. И не сразу заметила, что Шило куда-то исчез.

— Эй! — крикнула Белка. — Ты куда подевался?

— Я здесь, — чуть погодя раздался его приглушенный голос. Он шел с той стороны зимнего сада, куда Белка совершила рывок, прежде чем быть настигнутой архангельским братцем.

— Что ты там делаешь?

— Иди-ка сюда.

Шило стоял перед большим, едва ли не в два человеческих роста олеандром, но взгляд его был устремлен не на растение, а куда-то вглубь, в полумрак.

— Что там? — спросила Белка.

Шило приложил палец к губам и шепнул:

— Не что, а кто. Там кто-то есть.

— Кто? —

Белка тоже перешла на шепот.

И, не дождавшись ответа, принялась вглядываться в тьму. Сначала она ровным счетом ничего не увидела, но затем из тьмы стали проступать очертания человеческой фигуры. Нет, сразу двух фигур, мужской и женской. Они стояли не двигаясь, подобно манекенам, и в этом странном покое ей почудилось что-то неестественное и зловещее. Белка инстинктивно отшатнулась, и... одна из фигур повторила ее маневр.

— Знаешь, кто это? — рассмеявшись, сказала она. — Мы сами.

— Не понял...

— Наши отражения. Подними руку.

Шило послушно поднял руку — то же самое проделал его двойник из темноты.

— Фу, черт. Ненавижу зеркала, — бросил он.

— Вряд ли это зеркало...

Белка сделала несколько шагов вперед, обогнула олеандр (ноги едва ли не по щиколотку увязли в рыхлой почве) и вплотную приблизилась к стеклянной поверхности. Поначалу она приняла стекло за часть стены зимнего сада и, лишь приглядевшись повнимательнее, увидела ручку.

Дверь.

— Ну что там? — нетерпеливо спросил Шило.

— Здесь какая-то дверь.

Белка расплющила нос по стеклу, но разглядеть, что находится внутри, не представлялось возможным. Еще одна комната-ловушка? Вряд ли, стекло всегда можно разбить и выйти из заточения. Но сюда, в этот уголок сада, их никто не приглашал, так не лучше ли убраться подобру-поздорову?

— Что ты копаешься? — Шило был уже рядом с ней.

— Не думаю, что там есть что-то интересное. Наверняка какая-нибудь подсобка с инвентарем.

— Вот и проверим.

Прежде чем подойти к двери, он замешкался возле олеандра, что-то поднял с земли и сунул себе за пазуху.

— Секатор, — торопливо объяснил Шило. — Прихвачу на всякий случай.

— На какой случай?

— Да не волнуйся ты. Не думаю, что он понадобится, но... Прежде чем ринуться в неизвестность, неплохо бы и вооружиться.

Отодвинув Белку плечом, он решительно нажал на ручку — и дверь тотчас же поддалась. Откуда-то изнутри повеяло холодом и сыростью. Шило скрылся за дверью и спустя секунду крикнул:

— Здесь какой-то коридор.

— Не нравится мне это место.

Отступившие было страхи вновь овладели Белкой. Она обернулась назад: сумрак, лианы, которые легко можно принять за руки невиданных чудовищ; цветы — слишком яркие, слишком редкие даже для морского побережья. Флора здешних мест все же довольно банальна — гранат, инжир, персик, ранние яблоки, поздние груши. И среди цветов не было чего-то уж слишком экзотического. Но в этой части зимнего сада все неуловимо напоминает тропики, да еще — непроходимые леса Юго-Восточной Азии. Только сейчас Белка заметила несколько тигровых орхидей, блестящую, словно пластиковую магнифлору и... венерину мухоловку! Растение-хищник, что питается насекомыми, — и кому только пришло в голову растить ее здесь? Если бы в прихожей ее встретил не букет с маттиолой, а венерина мухоловка — Белка бы и шагу не ступила. Развернулась бы тотчас же и отправилась восвояси.

— Ты со мной? — взывает Шило из зазеркалья.

Нервы у Белки на пределе, ей кажется, что венерина мухоловка увеличивается в размерах и в состоянии поглотить не только стрекозу *красотку-девушку* и любое насекомое из Лёкиной энтомологической коробки, но и ее саму.

— Подожди! Я иду.

Белка проскользнула в стеклянную дверь и только теперь почувствовала, как колотится ее сердце, оно готово вот-вот выскочить из груди. Даже вид мертвой Али не вызвал в ней такого смятения! Но Аля и не мертва, это всего лишь розыгрыш киношников, жестоких, как дети. Или детей, которые жестоки сами по себе, все или почти все миролюбивая и кроткая Белка — исключение из правил, статистическая погрешность.

...Шило стоял посреди узкого коридора, в котором почти не было света, если не считать тусклой лампочки под потолком. Лампочка мигала, и коридорчик то и дело погружался во тьму. Это — почти сюрреалистическое — пространство никак не вязалось с образом «умного дома», который сложился у Белки. С лоском и чистотой гостиной. Но и предыдущая комната-ловушка мало соответствовала добропорядочной вилле хай-класса. Все здесь — обман.

Все здесь не то, чем кажется.

И лишь Шило остался прежним — провинциальным добродушным увальнем. Ей нужно держаться за него, как потерпевший крушение держится за обломок доски. Только так удастся выплыть из передряги.

— Интересно, куда ведет этот коридор?

— В покои Синей Бороды!

Свет снова мигнул и погас и не загорался чуть дольше, чем следовало, отчего сказанное Шилом приобрело зловещую окраску.

— Не смешно, — пожала плечами Белка.

— А по мне — так обхохочешься.

Они углубились в коридорчик: Шило чуть впереди, Белка поодаль. Время от времени он останавливался, к чему-то прислушиваясь, и втягивал ноздрями воздух — сырой и прохладный. Поначалу было тихо — настолько тихо, что их собственные шаги отдавались гулким эхом. Через секунду Шило исчез из поля зрения — свернул за угол. И сделал ровно пять шагов (их отзвук долетел до Белки с секундным опозданием).

И затих.

Уж не случилось ли с ним чего? Вдруг он исчезнет, как исчезла Аля?

Идти вперед было страшно, но оставаться здесь, в мрачном узком аппендиксе, еще страшнее. И уж тем более возвращаться к *венериной мухоловке.* Белка что есть мочи припустила по коридору и едва не налетела на опера, стоявшего у еще одной двери. На этот раз — не стеклянной и не дубовой, как в комнате-ловушке, а металлической. Вид у Шила был дурацкий: как будто он ожидал увидеть здесь что угодно, кроме выхода. А ведь любой коридор, любой туннель заканчивается именно выходом!

Узрев Белку, Шило приложил палец к губам. Это могло означать «Не шуми!», а могло — «Прислушайся!». Из-за двери и впрямь раздавался едва слышный гул голосов.

— Вот мы их и накрыли, — прошептал Шило.

— Кого?

— Великих мистификаторов.

— А если это хозяева?

— Вряд ли.

— Может, вернемся, пока не поздно?

— Поздно.

Он толкнул дверь, и перед Белкой открылся узкий проход с рядами бочек по бокам. Бочки не стояли вертикально, а были установлены на специальных деревянных подставках. За бочками просматривались прочные стеллажи с массой бутылок. Пол был покрыт каменными плитами, точно такими же плитами обложены стены и низкий сферический потолок. Винный погреб, вот оно что! Вполне ожидаемый штрих для респектабельной виллы у моря. Но полной неожиданностью для Белки оказались люди возле стеллажей.

МашМиш, вот так встреча!

Они расстались не больше полутора часов назад, и Маш выглядела откровенно нетранспортабельной, но сейчас от жестокого алкогольного опьянения не осталось и следа. Она не просто держалась на ногах, а еще и руководила братцем: Миш стоял на шаткой стремянке и безнадежно пытался дотянуться до самого верхнего ряда бутылок.

— Правее! — командовала Маш. — Вон ту.

— Какую? Эту?

— Да нет же, идиот! Еще правее.

— Да какая разница? — голос Миша, идущий с верхотуры, был исполнен усталости и смирения.

— Тебе — никакой. А я — ценитель. Гурман.

— Ты же не пьешь вино.

— Я не пью дешевую бодягу, а от хорошего вина не откажусь.

Проявив самые настоящие чудеса эквилибристики, Миш наконец-то дотянулся до нужной бутылки и вытащил ее из гнезда.

— Она?

— Да. Давай его сюда.

Но прежде чем Миш сполз со стремянки, в винном погребе раздалось вкрадчивое:

— Привет.

Шило произнес это едва ли не шепотом, но сказанное им произвело эффект разорвавшейся бомбы: Маш вскрикнула, а Миш свалился со стремянки. Каким-то чудом бутылка в его руках не разбилась, и Шило, пользуясь замешательством двоюродного брата, овладел ею без всякого труда. После чего бросил взгляд на этикетку и присвистнул:

— Романе-Конти. Однако.

— Какого черта? — Маш перевела исполненный ненависти взгляд с Шила на Белку. И снова уставилась на опера.

— Да у вас губа не дура, мадам.

— Что вы здесь забыли?

Не удостоив кузину-алкоголичку ответом, Шило всем корпусом повернулся к Белке:

— А знаешь, сколько стоит это винишко на рынке? Около миллиона рублей. Неплохое окончание трудного дня, а?

Сказанное не произвело особого впечатления на Белку. В конце концов, человек, который построил этот дом и засадил сад *венериной мухоловкой,* мог позволить себе и вино за баснословные деньги. Другое дело — Шило. Откуда такие познания в марках элитных напитков у дремучего архангельского опера? Судя по физиономии, этим же вопросом мучилась и Маш.

И лишь Миш был занят собой: он то и дело дул на пальцы, ушибленные при падении.

— Ты, я смотрю, разбираешься?

— Немного.

— Видимо, Романе-Конти у вас в тмутаракани по продуктовым лавкам пораспихано. Или что там у вас?

Маш явно хотела уязвить Шило, но тот ответил совершенно спокойно:

— У нас в тмутаракани вполне приличные супермаркеты. А про это вино я знаю, потому что расследовал одно убийство.

— Скажите, как интересно! — не унималась Маш. — Жертву опоили, предварительно разведя в вине цианид?

— Все проще. Мужик... то есть жертва... был крупным бизнесменом и кое-какое бабло вложил в коллекцию французских вин. А я — человек любопытный. Вот и поинтересовался отдельными экземплярами. Устраивает такой ответ?

— Это не ответ на вопрос «что вы здесь забыли».

— А вы?

— У нас назначена встреча. Вернее, у меня. Миккель меня сопровождает, вот и все.

— Где назначена? В винном погребе?

— Пошел ты, — процедила Маш сквозь зубы.

— Это вряд ли. Поскольку я тут единственный представитель закона, а за последнее время кое-что произошло... Лучше вам отвечать на мои вопросы, чтобы избежать неприятностей в дальнейшем.

— Что еще произошло?

— Возможно, убийство, — спокойным голосом произнес Шило.

— Ну что за бред, — Маш скорчила недовольную гримасу. — Кому и кого понадобилось убивать? Мы все добропорядочные граждане...

— Добропорядочные граждане не шастают по чужим домам. И не воруют алкоголь.

— Хорошо. Если ты настаиваешь, я скажу. Я получила приглашение...

— Ты смотри, сколько приглашенных, — Шило удивленно приподнял бровь.

— Не знаю, о чем ты... Но за неделю до отъезда сюда я получила письмо по электронке. Миккель может подтвердить.

Все еще сидевший на полу Миш пробормотал что-то невнятное, но Шило даже не повернул головы в его сторону.

— И что это было за письмо?

— Деловое предложение. Я, как тебе известно, риелтор. Я много лет на рынке, и репутация у меня отменная. В письме как раз и шла речь о сделке, которую мне предложили сопровождать.

— Сделка?

— Продажа дома.

— Какого дома? — Шило все еще не мог взять в толк, о чем говорит ему Маш.

— Этого самого! Вилла... как ее... «Бабочка». Человек, который отправил письмо, — владелец виллы.

— Ну надо же, какое совпадение! Ты приезжаешь сюда, чтобы обстряпать личные делишки и по ходу подзаработать. Какой там у тебя процент?

— Это коммерческая тайна, — Маш надменно подняла бровь.

— Ну мне-то можно сказать. По-родственному. Я ведь тебе не конкурент.

— Десять от сделки. И поверь, я их отрабатываю по полной.

— Неплохо. Только отдает тухлятиной.

— Это еще почему?

— Потому что ты врешь, — неожиданно заявил Шило. — Никогда не поверю в такое счастливое стечение обстоятельств. Некто решил избавиться от недвижимости как раз там, куда ты направлялась. И в тот момент, когда ты должна была здесь появиться. На твоем месте я бы насторожился.

— На твоем месте я бы постаралась заработать на новый прикид, а не ходить в этом старье, — огрызнулась Маш. — Если хочешь знать, у этого человека были рекомендации от нескольких моих старых клиентов, которым я безусловно доверяю. Это раз. Во-вторых, он неплохо знал нашу покойную бабку. И она его — соответственно.

— Теперь мы не можем этого проверить. Старуха умерла.

— Мои клиенты, слава богу, живы. Я позвонила кое-кому из них и поинтересовалась. Все характеризуют его как в высшей степени солидного человека.

— А имя у этого человека есть?

— Дальше я буду общаться с тобой только в присутствии адвоката, — хихикнула Маш.

— Погоди, дойдет и до этого, — Шило, не дрогнув, вернул подачу.

— Не раньше, чем я накатаю на тебя телегу твоему начальству. Я умею выходить на нужных людей. И мало тебе не покажется, поверь.

— Ни секунды не сомневаюсь. Так что у нас с именем? Тоже коммерческая тайна?

— Точно.

— И где же он?

— Кто?

— Твой солидный человек. Вы же как-то попали в дом?

— Он позвонил, когда мы добрались до Ялты. Сказал, что задерживается, но постарается приехать к назначенному сроку.

— И какой срок был оговорен?

— Сегодня. В семь вечера. Но если он вдруг не появится в указанное время, я могу воспользоваться ключами, осмотреть дом и сделать предварительные прикидки. Потом он сообщил, где находятся ключи от калитки и от особняка. Вот и все.

— Они, конечно, были зарыты под розовым кустом.

— Не строй из себя идиота. Ключи в щитке у калитки. Если набрать нужную комбинацию цифр... как в камере хранения... щиток откроется. Вот и все. Искомая комбинация, я надеюсь, тебе не нужна?

— Оставь ее при себе, — вздохнул Шило. — Теперь остается только выяснить, оговаривалась ли заранее экскурсия в винный погреб?

— Не твое дело.

— Понятно. Видимо, нет.

Но Маш больше не собиралась оправдываться. Самообладание, так надолго покинувшее ее, вернулось снова, и она уставилась на Шило с нескрываемым презрением.

— Ну а вы что здесь делаете? Только не говори, что тебя наняли сюда охранником, а нашу журналисточку — посудомойкой.

— Нас тоже пригласили. В некотором роде.

— Неужели хозяин?

— Скажем, человек, у которого имелся ключ от дома.

Расплывчатый ответ, как ни странно, вполне удовлетворил Маш, и она не стала развивать тему с хозяевами дальше. Лишь спросила:

— И зачем вы понадобились этому человеку?

— У меня есть кое-какие соображения. Но, с твоего позволения, я не буду их озвучивать. Пока.

— Отчего же? Ты можешь их озвучить. Где-нибудь в другом месте. В старухиной халупе. Или в пристройке у деревенского дурачка. Он тебя с удовольствием выслушает. И журналисточка — если захочет. А я попросила бы вас покинуть дом. С минуты на минуту должен появиться хозяин, и ваше присутствие крайне нежелательно.

— Бутылку прихватить?

— Что? — не поняла Маш.

— Бутылку, которую вы только что сперли. А то вдруг она вывалится у тебя из сумки? Риелтор с безупречной репутацией — и такой конфуз. Стыда не оберешься.

— Проваливай, — сквозь зубы прошипела Маш.

— Я, пожалуй, останусь. Вдруг тебе придет в голову сперерть еще что-нибудь.

— Проваливай!!!

Все время, пока шла словесная перепалка, Белка пристально наблюдала за Шилом. Он снова удивлял ее. Вчера вечером это был провинциальный застенчивый недотепа, волю которого мог парализовать один лишь взгляд надменной старшей кузины. Сегодня в мастерской, посреди айвового изобилия, он показался Белке неуравновешенным и страстным, способным на необдуманный поступок. Шило проявил завидное хладнокровие в комнате-ловушке. А теперь к хладнокровию прибавился остро отточенный ум, и последние десять минут ее не покидало ощущение, что Шило знает намного больше, чем знают все присутствующие вместе взятые. Или, во всяком случае, связывает в своем сознании разрозненные детали и факты таким образом, что создается цельная и логичная картинка.

Белка же призвана бродить среди частей головоломки, без всякой надежды сложить их в единое целое.

— ...Пошел вон отсюда! — Маш была в ярости, которая явно забавляла Шило.

— Который там час? — бросил он в пространство, и сам же первым отогнул рукав свитера, взглянув на часы. — Девятнадцать часов семнадцать минут.

— Вот именно. Ваше время вышло. Убирайтесь.

— Думаю, тебе не стоит ждать хозяина. Возможно, он и появится. Но только не сейчас.

— Откуда ты знаешь? — насторожилась Маш.

— Знаю. Просто поверь мне, и все. И можем выпить краденое винишко. Где-нибудь в другом месте, более приспособленном. Романе-Конти требует к себе уважения, так что не будем его разочаровывать.

Маш посмотрела на Шило с недоверием, а потом спросила:

— Что ты там лепил... Про возможное убийство?

— Оно могло уже случиться. А могло не случиться. А может случиться в самое ближайшее время. Я бы не хотел этого пропустить.

— Ты отвратителен.

— Неужели? Ты так хорошо меня знаешь, чтобы судить об этом?

— Успокойтесь, — вмешалась наконец Белка. — Мы все не слишком осведомлены друг о друге, но это ведь не главное...

— Это главное, — Шило резко обернулся к ней. — Ты можешь быть уверена, что эти двое чудесных людей, которых мы застукали за банальным воровством, — те, за кого себя выдают?

— Не поняла?

— Что это и есть Маш и ее братец Миккель? Те самые?

Маш картинно расхохоталась:

— У тебя все в порядке с головой? Встречный вопрос я могу задать тебе. Нынешнее ментовское дерьмо в стоптанных ботинках — тот ли это сопляк, что совал свой нос куда ни попадя двадцать лет назад?

— Вопрос принимается, — нисколько не смутившись, ответил Шило. — И я готов ответить на него. А остальные?

— Кого ты имеешь в виду?

— Киношников, к примеру.

— С этого места поподробнее.

— Говорю же — давайте переместимся в более удобное место для беседы. Холл на втором этаже подойдет. Ты ведь знаешь о нем, Маш.

— Допустим. Допустим, у меня есть план дома.

— Получила по электронной почте?

— Только не говори, что тоже получил его.

— Не говорю. Но мне хватило пяти минут, чтобы ознакомиться с планировкой. Идемте, и заодно найдем Ростика.

— Он тоже здесь? — не сговариваясь, хором спросили Белка и Маш.

— Увязался, — произнес Шило извинительным тоном. — Я оставил его в прихожей. Караулить вход.

— Мы его не видели, — сказал до сих пор молчавший Миш. — Странно.

— Он такой же любопытный, как и я, — успокоил всех Шило. — Наверняка бродит сейчас по комнатам... Как вы сюда попали?

Вопрос адресовался Маш, и вместо ответа она, порывшись в сумке, вынула сложенный вчетверо листок и протянула его оперу. Шило несколько секунд изучал его, одной рукой поскребывая небритый подбородок, что должно было означать крайнюю степень сосредоточенности:

— Угу. Винный погреб, бильярдная, кинозал... Странно, что не указан второй выход из погреба. Есть зимний сад, но комнаты в которой, мы с тобой были... — он поднял глаза на Белку. — Ее как будто не существует.

— Это подсобное помещение. Вряд ли его станут указывать на плане...

— Может быть... Но план довольно подробный. Кто-то не хотел, чтобы в нее попал наш вороватый риелтор. Но хотел, чтобы в нее попала ты.

Белка поежилась, и винный погреб со всем его содержимым поплыл у нее перед глазами. *Ты должна взять себя в руки, детка*, — сказала она сама себе. В конце концов, ей ничто не угрожает в кругу родственников. Да и одного умницы Шила было бы достаточно, чтобы оградить себя от неприятностей. Нужно просто не выпускать его из виду, и все образуется само собой. Конечно, если Сережа (Белка все еще надеялась, что дом принадлежит Сереже) каким-то образом даст знать о себе... Не таким причудливым и несколько унизительным, как было до сих пор... Она со спокойной душой оставит и Шило, и помчится на встречу к нему в любое указанное время и место.

Место уже указано, черт.

Вторую открытку ждать не приходится, залп с борта фрегата «Не тронь меня!» уже прозвучал.

— А это что за фигня? — громко удивился Шило, продолжая скользить взглядом по плану. — Что это еще за «домашняя часовня», на хрен?

— Никогда с таким не сталкивался? — поинтересовалась Маш.

— Ни разу.

— Возможно, хозяин — глубоко верующий человек. Что тебя удивляет?

— Вообще-то я думал, что он безбожник.

— Ха-ха! Судишь всех по себе?

— Ну, если тебя это действительно интересует... Лично я склоняюсь к буддизму. Реинкарнация, колесо Сансары и все такое...

— Надеешься в следующей жизни выбраться из нищеты?

— Зачем же ждать следующей? Я и в этой собираюсь приподняться.

— Ну да, ну да. Бабкино наследство. Я и забыла. Только и без тебя на него хватает соискателей...

— Как посмотреть, как посмотреть, душа моя.

— И смотреть нечего, — Маш приблизилась к Шилу и заглянула ему в глаза. — Нас ты не подвинешь. А если будешь пузыриться и высекать... Я тебе голову оторву.

— Бэнг-бэнг-бэнг, — произнес Миш, глядя в пространство, и Белка вздрогнула.

Шило не стал больше препираться с воинственной родственницей, спор увял сам собой, и все направились к выходу: Маш, за ней — семенящий и старающийся попасть в такт ее шагам никчемный Миш и Белка. Шило замыкал шествие.

Из винного погреба они попали на небольшую, застеленную ковровой дорожкой лестницу, после чего оказались в гостиной с креслами и маленьким инкрустированным столиком. Белка уже была в ней, и за время ее отсутствия ничего не изменилось: те же причудливые светильники, те же картины на стенах, те же чехлы на мебели. Не хватало лишь одной детали — маленьких шахмат. Кто-то заботливо убрал их со столика.

Ростик, внезапно осенило Белку. Больше некому.

Шило сказал, что Ростик увязался за ним и провел какое-то время здесь, в ожидании, пока появится брат. Вот только зачем ему понадобились шахматы и куда он подевался сейчас? Как будто прочитав ее мысли, Шило громко позвал:

— Ростик!

Ответа не последовало. Наверняка этому есть простое объяснение: корабельному механику надоело торчать в гостиной, и он поднялся наверх. И теперь ходит по комнатам в дальнем крыле дома. Ну а то, что сама Белка сразу направилась в зимний сад, не увидев маленькой лестницы, ведущей в погреб, тоже вполне объяснимо: шахматы, разбросанные на полу.

На секунду сверившись с планом, Шило двинулся к лестнице, за ним потянулись все остальные.

Ноябрь. МашМиш

... — Ну что, вечеринка начинается?

Сказала Маш, оглядев бильярдную.

До того как попасть сюда, они прошли мимо комнаты, которая значилась в плане, как «буфетная», и Миш с Шилом разжились там бокалами и штопором. Рядом с буфетной находился кинозал — довольно просторная комната, посредине которой был установлен кинопроектор, а по стенам — развешено не меньше десятка колонок. Миш застрял возле стеллажа, уставленного коробками с пленками и кассетами разной величины — от допотопных вэхаэсок до небольших портативных «Sony» для видеокамеры.

— Глубокое ретро, — с видом знатока изрек он.

— Пожалуй, я бы поработал здесь киномехаником, — отозвался Шило, устроившись на краешке кожаного дивана. — Ну, что там у нас с репертуаром?

— Хрен его знает, — Миш пробежался пальцами по кассетам. — Какой-то Акиро Куросава. Японец, что ли?.. О, тут и домашнее видео есть!

— Порнушка?

— Понятия не имею. Осталось найти видеомагнитофон и выяснить.

Сердце Белки — в который уже раз — забилось часто-часто. Японец Акиро Куросава прячется за иероглифами на руке Сережи, но где прячется сам Сережа?

— Хватит наглеть, — пресекла поиски магнитофона Маш. — Тоже... Бобики в гостях у Барбоса.

— И кто же у нас тут Бобик? — отозвался Шило.

— Ты, к примеру. Чистопородная дворняга.

— Я тоже тебя люблю. Как думаешь, насколько потянет это гнездышко?

— Прицениваешься?

— Не то чтобы...

— Чтобы купить его, одной реинкарнации тебе не хватит. И тремя не обойдешься.

— А вдруг я сорву джек-пот? Кто знает?..

Уже в дверях, на выходе из кинозала, Шило задержал Белку и шепнул ей:

— Я был неправ. Ты не сумасшедшая.

— Не понимаю...

— Эта твоя сундучная эпопея... Она имела место быть.

— Хочешь сказать...

Шило прикоснулся к Белкиному плечу, осторожно снял с него длинный волос и принялся внимательно изучать его.

— Поскольку ты у нас шатенка, а волос светлый, он явно не твой. И длина не совпадает. А блондинка у нас только одна — Аля.

Все так и есть. Белка — шатенка, Тата — коротко стриженная брюнетка, Маш красится в темно-рыжий или, скорее, медный цвет, наверняка чтобы скрыть седину. И лишь у Али светлые волосы, пусть и не такие длинные, какие были у Асты...

Белка снова возвращается к Асте, и — через нее — к книжному шкафу, заставленному томами «Анжелики», при ближайшем рассмотрении оказавшимися «Занимательной астрономией». Даже если предположить, что имел место розыгрыш, даже если отбросить явную его бессмысленность... Времени на то, чтобы выскочить из сундука, Але хватило. И чтобы подобрать ремень и спрятаться в саду — тоже. Но как она успела заменить книги в шкафу?..

Или Белке просто привиделась проклятая «Анжелика»?

Она не сумасшедшая, нет! Вот и Шило утверждает то же самое.

— У тебя уже есть какая-нибудь версия?

— Она была у меня с самого начала. Осталось уточнить кое-какие детали и понять, к чему все может прийти.

— А потом?

— Лучше спроси у меня, что мы будем делать сейчас?

— Что мы будем делать сейчас? — послушно повторила Белка.

— Запасемся поп-корном и посмотрим порнушку.

— Ты это серьезно?

— Более чем.

— И что... понимать под порнушкой?

— Сеансы разоблачения и саморазоблачения. Раздевание до трусов. Иногда это доставляет... Да?

— И... кто тут собирается раздеваться?

— Говорю же — посмотрим.

— А куда подевался твой брат?

— О нем не беспокойся. Найдется.

...До холла, разрекламированного Шилом, они так и не дошли — остановились на бильярдной. Зал в викторианском стиле, с дубовыми панелями, несколькими креслами и кожаным диваном так понравился Маш, что она пожелала остаться именно здесь.

— Ну что, вечеринка начинается? — провозгласила она. — Кто-нибудь хочет сыграть со мной?

Конечно же, Маш имела в виду бильярд. Русский, если судить по столу с узкими лузами.

— Миккель?

— Я пас, — откликнулся орудовавший штопором Миш. — Вечно проигрываю, и вообще...

— А ты? — Маш перевела взгляд на Белку.

— В жизни не держала в руках кия.

— Я могу, — подал голос Шило, и Маш громко расхохоталась:

— Да ты, я смотрю, на все руки от скуки. Прямо сказка, а не парень. Кому только такой достанется? Белка, ты обязательно должна прорекламировать это чудо в своих статейках. Очередь из девиц растянется до Магадана.

— Бери выше, до Аляски, — сказал Шило, направляясь к стойке с киями и шарами. — Только предупреждаю, играю я на среднем уровне. Любитель, так сказать.

— Тогда даю тебе фору в два шара.

— Это лишнее.

Миш, живо напомнивший Белке официанта из затрапезного сетевого кафе при автозаправке, обнес всех бокалами с Романе-Конти, и партия началась. Разбив пирамиду, Маш легко закатила в лузу первый шар, отпила глоток и мечтательно зажмурилась:

— Все тридцать три удовольствия сразу, надо же! Так о чем ты хотел нам поведать, Шило?

— О чем?

— Что якобы кто-то из нас — не тот, за кого себя выдает. Надеюсь, ты не имел в виду никого из присутствующих?

Шило осклабился, продемонстрировав отсутствие верхнего правого клыка, странно, что Белка до сих пор этого не замечала.

— Я помню тебя, душа моя. Хотя и прошло больше двадцати лет. Ты не изменилась.

— Спасибо за комплимент.

— Это не комплимент. Ты не изменилась. Просто постарела.

Маш, не ожидавшая такого вероломства от кузена, неожиданно промазала, и шар под номером девять стукнулся о бортик стола.

— Никогда не знаешь, чего ждать от деревенщины, — в сердцах бросила она.

— Тут ты попала в точку. Но я бы расширил ареал. Никогда не знаешь, что ожидать от близких родственников, где бы они не жили.

— Готовишь удар в спину?

— Пока просто удар, — кий Шила скользнул по «восьмерке». — Но для меня ты вне подозрений. И.. как ты говоришь... Миккель — тоже. Ведь ты можешь поручиться, что он твой родной брат?

— Увы. А относительно нашей журналистки? Что скажешь?

— Полина Кирсанова — известное имя. К известному имени прилагается фотография в журнале. И эта фотография соответствует тому человеку, которого мы видим перед собой. Но даже если бы это было не так. И по какой-то причине я бы не видел фотографии. У той девочки, которую я помню, была привычка накручивать прядь на палец. И она сохранилась.

— Идиотство, — бросила Маш, внимательно следя за шарами на сукне.

— Вовсе нет. Можно сымитировать все, что угодно. Но не мелкую моторику.

— Не смеши.

— В том плане, что о ней нужно помнить постоянно. Или быть хорошим актером. Профессиональным.

— Кажется, у нас в семье есть профессиональные актеры. Поговори об этом с ними.

— Один, — уточнил Шило. — Один актер. Кстати... Ты была самая старшая из нас, Маш.

— Не самая. И прекрати мусолить мой возраст.

— Извини. Я хотел сказать, что ты была достаточно взрослая, чтобы запомнить всех тех, кто младше тебя...

— Этого еще не хватало! Буду я запоминать всяких шмакодявок.

— Твой брат думает так же? —

Шило разговаривал с Маш так, как будто Миша не было в бильярдной, доле официантов из сетевых кафе не позавидуешь. Пустое место, зеро.

— Не вижу поводов, чтобы он думал иначе. Правда, Миккель? — не дожидаясь ответа, Маш снова переключилась на Шило. — А к чему ты, собственно, клонишь?

— Что скажет Белка?

— Я помню Тату. Она была необычным ребенком.

— А теперь?

— Что теперь? — Белка все еще не понимала, куда клонит Шило. — Она выросла, вот и все.

— И ты сразу узнала ее?

— Нет. Смешно, но поначалу я приняла ее за Алю.

— Почему?

— Откуда же мне знать... Между пятилетней девочкой и двадцатисемилетней женщиной не так много общего.

— То есть... Если бы Тата сказала тебе: «Привет, сестренка, я — Аля», ты бы поверила ей?

— Да, — Белка заколебалась. — Но...

— Да или нет?

— Да.

— Вот если бы у нее была какая-нибудь отличительная черта... Родимое пятно вполлица или татуировка...

— Татуировка у пятилетней девочки?

— Что-то меня занесло, — тут же поправился Шило. — Остановимся на родимом пятне.

— У Таты или у Али?

— Неважно. Речь идет всего лишь об опознавательном знаке...

— Насколько я помню, ни у кого из них не было никакого пятна. И сейчас нет.

— И я об этом. Они — самые обычные.

— Тата — необычная, — упрямо повторила Белка. — Поговорив с ней, я бы сразу поняла — это она. Когда-то она сказала, что бабушка — Моби Дик. Тебе бы пришло такое в голову?

— Моби Дик — это кит? — уточнил Шило.

— Да. Довольно странное сравнение для пятилетней девочки. Спорим, что в свои восемь, ты и понятия не имел о Моби Дике.

— Я и в шестнадцать не имел. И в двадцать пять. Но мы отвлеклись. Выходит, Тату ты узнала бы по нестандартному взгляду на мир?

— Можно сказать и так.

— А ты уверена, что этот взгляд не изменился? Разве не бывает, что дети, проявлявшие большие способности в раннем возрасте, со временем их утрачивали?

— Бывает.

— Сплошь и рядом, — подтвердила Маш. — А еще бывает, что те, кто был занозой в заднице, так ею и остаются. Я имею в виду тебя, Шило.

— Приходится оправдывать детскую кличку, что поделать.

— Это — не Татин случай, — почему-то разволновалась Белка.

— Ты так хорошо успела узнать ее за последние сутки?

— Я неплохо разбираюсь в людях, поверь. Одного разговора было достаточно, чтобы понять — она глубокий и ранимый человек.

— А если ты ошибаешься? — Шило смазал мелом кончик кия и снова прицелился. — Иногда такие ошибки могут стоит дорого.

— Прекрати нас запугивать, — не выдержала Маш. — И прекрати нести всякую околесицу. У меня от нее голова идет кругом. Тата, Аля, родимые пятна на физиономии... И, кстати, ты забыл упомянуть о толстяке.

— Да-да. Гулька был толстый, и это тоже можно считать отличительной особенностью.

— Но теперь-то он худой, — сказала Маш.

— И красивый, — добавила Белка.

— А ведь ничто не предвещало, что парень обернется Аполлоном, — заключил Шило.

— Они были слишком малы, чтобы чего-то от них ожидать.

— Вот! Вот я и услышал то, что хотел. Они были слишком малы. Это все, что вы можете сказать о них прежних. Других характеристик нет, так?

— Не понимаю, к чему ты клонишь?

— К тому, что представиться Алей и Гулькой мог кто угодно. Никто ведь не поддерживал связь с ними все эти годы. Или я неправ?

— Я сожалею, — Белка грустно улыбнулась.

— Да брось ты. Все сложилось, как сложилось. Мы — не самые лучшие родственники на свете. Признаем это и пойдем дальше.

— Вздор! — заявила Маш. — Все, о чем ты говоришь, — чушь и вздор. На кой черт совершенно посторонним людям приезжать сюда и изображать из себя неизвестно кого?

— Известно.

— Ну, и что это дает... посторонним?

— Ты забыла, зачем мы здесь собрались. Я бы даже сказал, слетелись, как стервятники.

— Бабкино наследство?

— Домик у моря.

— Наверное, сам факт наличия домика у моря потрясает твое утлое провинциальное воображение, — Маш была исполнена ничем не прикрытого презрения. — Но это не такие уж запредельные деньги. Тем более если разделить их на всех.

— На тех, кто будет присутствовать при оглашении завещания, — уточнил Шило. — Таковы были условия. Белка, например, собралась уезжать. Завтра утром.

— Это правда? — обернулась к Белке Маш.

— Да.

— Ну что ж... Как говорится, скатертью дорога. Задерживать, как ты понимаешь, тебя никто не будет.

— Может, и еще кто-нибудь отколется.

— Кстати. Необыкновенный ребенок, он же жертва нападения, не собирается присоединиться к отъезжающим?

Сказанное Маш не понравилось Шилу.

— Это — не повод для шуток. Ты не находишь?

— Я нахожу, что это какая-то мутная история. Неправдоподобная.

— И что же в ней неправдоподобного?

— Да все. Девчонка сказала, что пойдет прогуляться к морю, а оказалась совсем в другом месте. Где ее благополучно шваркнули по башке. И заметь, о нападении я знаю только с твоих слов.

— По-моему, ты была в гостиной, когда мы с Ростиком помогали Тате подняться наверх.

— Ну и что? Близко я к ней не подходила и раны не видела.

— Ее видел я.

— Этого недостаточно. Почему я должна верить тебе? Я тебя второй раз в жизни вижу. Может, вы сговорились и разыграли представление, чтобы запугать всех остальных. Одну вот уже запугали так, что она собирает манатки.

А ведь Маш, даром что сука, в чем-то права, — вдруг подумала Белка. И она не видела Тату после происшествия на смотровой площадке. А всю историю ей рассказал Шило, зачем-то пригласив на территорию особняка, куда бы ей и в голову не пришло заглянуть. Какая роль ей была уготована в скетче со сбором сомнительных улик? — свидетеля, понятой?

Или все было задумано только для того, чтобы показать Белке проход на виллу?

Почему Тата не захотела разговаривать с ней, ограничившись дежурным «все в порядке»? Ведь между ними сразу установились теплые отношения, и Белка могла рассчитывать на большее, чем сухая реплика из-за двери.

— Бред сейчас несешь ты! — Шило неожиданно повысил голос. — Я не встречался ни с кем из вас целых двадцать лет. И Тата не исключение. Каким образом мы могли договориться? Списаться по Интернету и распланировать все заранее?

— Тебе виднее, — Маш перехватила инициативу и вовсе не собиралась ее упускать. — Тем более, ты мент, а психология ментов мало чем отличается от психологии преступников. Иначе преступника им не поймать. Доказанный медицинский факт.

— Замечательная у нас семейка.

— Да. И каждый в ней сам за себя. А насчет самозванцев я скажу тебе так. Даже если предположить, что двое деятелей кинематографа — самозванцы, то что бы они предъявили нотариусу? Липовые паспорта? И куда, в таком случае, подевались настоящие Аля и Гулька? Твоя версия несостоятельна, дружок.

Маш выиграла. И не только в бильярд, загнав последний шар в лузу. Она обставила Шило, наглядно показав утопичность его псевдоверсий. И Маш права — все развалилось бы сразу, стоило кому-нибудь из них попросить документы, удостоверяющие личность сладкой кинематографической парочки. Но сдаваться просто так, за здорово живешь, Шило не хотел.

— Ты не поняла. Главное для них было не в том, чтобы появиться у нотариуса. А в том, чтобы там не появились остальные. Любой из нас.

— Не представляю, при каких условиях это может произойти. Не знаю, как ты, но я попрусь туда даже мертвая.

— На твоем месте я бы не бросался такими словами.

— Какими же?

— «Мертвая». Мысли иногда материализуются.

— Ты мне угрожаешь?

— Предупреждаю по-родственному. Значит, нет ничего такого, что могло бы заставить тебя передумать?

— Не смеши.

— Как насчет шантажа?

— Шантажа? — Маш посмотрела на архангельского братца чуть пристальнее, чем смотрела раньше. — И чем же меня можно шантажировать, скажи на милость?

— Мало ли. У любого человека, если копнуть, найдется маленькая грязная тайна. А у тебя, учитывая биографию, их и поболе можно наскрести.

Шило жесток. Даже при том, что Маш не нравится Белке и никогда не нравилась, он жесток. Сейчас Маш вынет из кобуры проверенное оружие — *бэнг-бэнг-бэнг*. И всадит Шилу пару пуль в переносицу.

— Что не так с моей биографией?

Она просто старается выиграть время, вот что! Ее пальцы, покрытые дешевым лаком, скользят по воображаемой кобуре, но расстегнуть кобуру не получается. Никак.

— Она безупречна? — поддразнивает Шило.

— Без единого пятнышка.

— Не исключаю, что именно так думают твои клиенты. Но мы не твои клиенты. Помнишь вчерашний разговор?

— Какой?

— Ты прекрасно знаешь, что я имею в виду.

Конечно, Маш знала. Она снова превратилась в старуху с дрожащей нижней челюстью, и перемена эта была так разительна, что Белка в который раз подивилась ей.

— Ты виновна в том, что произошло тем летом, — Шило слово в слово повторил сказанное Татой и теперь, вальяжно откинувшись на бильярдный стол, ждал ответа.

— Замолчи, — севшим голосом прошептала Маш.

Но Шило был безжалостен:

— Ты убила Асту. Ты и твой брат. Если ты думаешь, что мы были слишком малы, чтобы заметить кое-какие детали... кое-какие странности в твоем поведении, ты глубоко ошибаешься. Детей не часто берут в расчет, и это может стоить очень дорого. Я думаю...

— Мне плевать, что ты думаешь, — в голосе Маш послышалась вдруг неприкрытая горечь. — И что думаете все вы, по большому счету. И не дай вам бог пережить то, что пережила я... тысячу лет назад. Все эти допросы с пристрастием, все эти разговоры за спиной. Змеиный шепот, от него даже ночью нет покоя.

Трясущимися руками Маш плеснула себе в бокал вина и залпом выпила. А до сих пор молчавший Миш подошел к сестре и осторожно обнял ее за плечи:

— Успокойся, милая. Не стоит...

— Конечно, не стоит! Не стоит рассказывать этим дивным людям о двух попытках самоубийства. И о трех месяцах, которые я провела в психушке. Не стоит рассказывать о том, сколько сил тебе и родителям стоило, чтобы выцарапать меня оттуда. И о родных Асты лучше помолчать. Кто-то прислал им подметное письмо, что я причастна к исчезновению их дочери. Встреча с ними была пыткой...

У Белки перехватило дыхание — на этот раз не из-за фантома теннисной туфли, которая все последние минуты смутно маячила перед ней, а из-за острой жалости к несчастной Маш. Но Шило не интересовали лирические отступления.

— И кто же написал это письмо? — сухо спросил он.

— Письмо было анонимным. Половина тетрадного листка, печатные буквы. Отправили его из Москвы, в самом конце того лета. Во всяком случае, на штемпеле значилась Москва. Пятилетнюю фанатку китов я исключаю. Как и толстяка с сестрой. Но кое-кто постарше вполне мог сочинить эту ересь.

— Постарше? — насторожился Шило.

— Существенно старше, — тут же поправилась Маш. — Чтобы написать. Или уговорить кого-нибудь бросить конверт в почтовый ящик.

Никто из родственников Белки тогда не обитал в столице, но... Почти все возвращались в свои города через Москву. И в Москве жил парень, который так нравился обеим старшим девочкам. Как же его звали? *Егор.*

Наверняка ему пришлось пережить то же, что и Маш: допросы уж точно. Скорее всего, он не имел отношения к исчезновению Асты, иначе Белка обязательно узнала бы об этом. Из разговоров отца с тетей Верой, ведь об анонимном письме она сочла нужным упомянуть!

— ...Потом я долго думала — кто бы мог это сделать. Тот, кто ненавидел меня. Нас с Миккелем. Или хотел спихнуть вину за то, что совершил сам. Слабо соображающая мелюзга не в счет. И саму Асту мы выносим за скобки, раз уж за столько лет она так и не обнаружила себя. Остаются двое. Надеюсь, ты понимаешь кто?

— Деревенский дурачок?

— Он и говорит-то с трудом, уж не знаю, умеет ли он писать. А письмо было написано складно. Доходчиво. Со знанием дела. Самый настоящий пасквиль. Не думаю, чтобы у даунито хватило бы мозгов состряпать такую изящную комбинацию.

— Ты говорила о двоих. Кто же второй?

— Напряги извилины.

— Вариантов чуть больше, чем ты думаешь. Например, сама старуха. Она ведь подозревала вас и выперла отсюда со свистом. Видимо, от большой любви.

— Старуха относилась к нам нормально.

— Себе-то не ври, ангел мой. Она вас терпеть не могла. Зато любила писать письма. Терроризировала наших с Ростиком предков своими поучениями и описанием быта. У меня до сих пор где-то валяется целая пачка.

— У нас целых две таких пачки, что с того? Бабка просидела здесь сиднем всю жизнь, никуда не выезжая, а штамп на том письме был московским.

— Передала с кем-то. Всего делов.

— Уж не с тобой ли? Восьмилетним сопляком?

Маш и Шило так увлечены словесной перепалкой друг с другом, что не замечают не только унылого официанта Миша, но и Белку. Самое время выйти из-за стойки сетевого кафе, где она подвизается администратором, и попросить шумный столик вести себя потише.

— Не годится, — сказала Белка.

— Что — не годится? — повернувшись к ней, хором спросили Шило и Маш.

— Ваши домыслы о бабушке.

— Его, — Маш ткнула пальцем в главного поставщика версий. — Его домыслы!

— Мать Асты приезжала в Питер после того, что случилось. И рассказала отцу о том письме. Думаю, она объехала всех в надежде узнать хоть какие-нибудь подробности. И наверняка побывала и у вас, Шило.

— Да, — после небольшой паузы признался Шило. — Этот факт имел место. Но я понятия не имею о письме.

— Я тоже узнала о нем случайно. И впервые услышала имя Инга.

— Кто такая Инга? — удивилась Маш.

— Наша родная тетя. Так утверждает Белка.

— Та самая, о которой не принято вспоминать? — Маш проявила завидную проницательность. — Вот за что я не люблю большие семьи. Родственники все валятся и валятся. Выскакивают, как черти из табакерки, в самый неподходящий момент. И предъявляют свои смехотворные права на все, что плохо лежит.

— Она не предъявляет. Вроде бы.

— Тогда плевать на нее. И к чему был весь спич с облетом территорий несчастной эстонской матерью? Что-то я совсем потеряла нить.

— К тому, — терпеливо объяснила Белка, — что если бы бабушка действительно попросила отправить письмо... это обязательно бы всплыло. А ничего не всплыло. Следовательно, она ни при чем.

— Миш, — неожиданно сказал Шило. — Он же Миккель, он же — Тень-знай-свое-место. Ты не рассматривала в качестве потенциального негодяя своего родного братца?

Маш, за секунду до этого начавшая складывать бильярдные шары в пирамиду, резко выпрямилась и без всякого предупреждения запустила в Шило одним из шаров. Только отменная реакция спасла его от серьезной, возможно, смертельной травмы: ведь Маш целила ему прямиком в голову! Со свистом пролетев возле уха бедняги, шар попал в дубовую панель, отскочил от нее и покатился по полу. А Маш, казалось, вошла во вкус: теперь она метала шары не глядя, и первой жертвой этого обстрела стала бутылка Романе-Конти, стоявшая на антикварном бюро.

— Тридцать тысяч долларов псу под хвост! — в голосе Шила не было никакого страха, только веселая злость.

— Половину мы уже вылакали, так что — только пятнадцать! — парировала Маш. — И если кто негодяй, так это ты.

— Все здесь негодяи!

Шило удалось укрыться за дверью, и теперь он терпеливо ждал, когда Маш расстреляет весь свой боезапас.

— Неужели такая простая мысль не приходила тебе в голову? — спросил он, когда обстрел наконец-то прекратился.

— Сволочь!

— Сто против одного, что приходила. Но признаться себе в этом нельзя, да? Иначе мир рухнет. Я прав?

— Сволочь, — еще раз, тяжело дыша, повторила Маш, а потом повернулась к Мишу. — Не слушай эту сволочь, Миккель. Ты же знаешь. У меня нет никого ближе тебя.

— Все в порядке, милая, — Миш послал сестре ободряющую улыбку и принялся собирать бутылочные осколки.

— Все не в порядке. Далеко не в порядке!

— Успокойся. Ты же знаешь, тебе нельзя волноваться. Опять разболится голова...

— К черту!

— Прошу тебя...

В районе двери возникло какое-то движение: это Шило махал не первой свежести белым носовым платком.

— Предлагаю перемирие!

— Никакого перемирия, — отрезала Маш.

Миш, с осколками в руках, двинулся в сторону выхода.

— Куда ты?

— Пойду выброшу эту дрянь.

— Прихвати заодно бутылку в погребе. А лучше парочку. Очень хочется напиться.

— Хорошо.

Проходя мимо Шила, Миш даже не взглянул на него. Трое оставшихся в бильярдной еще некоторое время слушали его тяжелые шаркающие шаги, пока они наконец не стихли где-то в глубине дома. Шило, убедившись в том, что ему больше ничего не угрожает, осторожно присел на подлокотник кресла и уставился на Маш.

— Картина маслом, — сказал он. — Ты по-прежнему им помыкаешь. Как и двадцать лет назад.

Приступ ярости закончился у Маш так же внезапно, как и начался, и в этом проявилось неожиданное сходство двух совершенно не похожих друг на друга людей: удачливой столичной риелторши и не слишком удачливого провинциального опера. А впрочем, так ли удачлива Маш? — пьющая, не очень молодая и не очень счастливая женщина? В ней нет лоска, присущего московским преуспевающим людям, и — самое главное — нет желания имитировать этот лоск. Ничего, ничего не осталось от прежней, яркой и порывистой, Маш, пистолет *бэнг-бэнг-бэнг* который год стреляет холостыми. Которое десятилетие! Как будто исчезнувшая русалка-оборотень Аста, вечная антагонистка Маш, прихватила с собой и ее саму, а от Маш осталась одна оболочка.

Именно об этом думала Белка, глядя на опирающуюся на бильярдный стол кузину. А еще о том, что Миш для нее — никакое не спасение, и это бесконечное «Миккель», придуманное Астой, никем иным... Оно не дает МашМишу оторваться от прошлого, улететь от него куда подальше на своем потрепанном, видавшем виды истребителе. МашМиш обречены вечно кружить над пустыней, где нет ни одной живой души, только воспоминания. Исполинские тени этих воспоминаний не съеживаются даже при наступлении дня, а посередине пустыни маячит озеро, так похожее на глаза Асты.

Холодное, спокойное и исполненное вероломства.

— ...Я не помыкаю Миккелем. Ты ничего не знаешь о наших отношениях.

— Упаси меня бог узнать о них! Страшно даже подумать, что они из себя представляют.

— Что ты имеешь в виду?

— Когда брат и сестра, которым вот-вот стукнет сороковник, живут вместе и даже не помышляют о том, чтобы завести семью, — это не совсем нормально. Ты не находишь?

— Нет.

— Ну, конечно. Дурная кровь тем и хороша, что не отдает себе отчета в том, что она дурная. Течет и течет себе по венам в счастливом неведении.

Шило явно провоцировал Маш, задирал ее, — и Белка ждала, что та снова вспылит. Но Маш осталась на удивление спокойна.

— То же могу сказать о тебе, — едва ли не промурлыкала она. — Кровь у нас одинаковая. Мы ведь не такие уж дальние родственники и все повязаны друг с другом.

— Единственное отличие — меня никто и никогда не обвинял в убийстве. И ты ушла от ответа.

— На какой вопрос, черт возьми?

— О твоем братце, Миккеле. Неужели тебе ни разу не приходило в голову, что он как-то причастен к исчезновению Асты?

— Нет.

— А это вполне могло оказаться правдой. Ведь что такое Миккель? Жалкий подкаблучник, сестринский подпевала. За всю жизнь не совершил ни одного поступка...

— Тебе-то откуда знать?

— Я вижу таких людей насквозь. Я немало их повстречал на своем веку, уж поверь. В тех местах, где нормальному человеку делать нечего. Из безответных пней с глазами кто только не вылупляется...

— Кто же?

— Насильники, серийные убийцы и просто убийцы. Которые родного дедушку утюгом замочат и не поморщатся. А ведь всякое возможно, душа моя...

Голос у Шила стал приторно-сладким, как у сирены, он почти убаюкивал:

— Раз в жизни он позволил себе пойти против тебя. Взял и увлекся девушкой, которая очень тебе не нравилась. Ты ведь помнишь об этом, Маш? На твое счастье та девушка оказалась такой же жестокой, как и ты. В этой жестокости вы совпали до мелочей.

Маш прикрыла глаза и тихо произнесла:

— Что ты мог знать об этом?

— Тогда — немного, это верно. Но картинки в моем сознании отпечатались прочно. Фотографии десять на пятнадцать, симпатичный такой альбомчик. Время от времени я вытаскиваю из памяти этот альбомчик. И каждый раз нахожу все новые и новые детали. Где-нибудь у края снимка.

— И что же ты видишь на этих снимках?

— Парня, превращенного в ничтожество. Униженного публично. Они могут молчать всю жизнь, но никогда не забывают обид. И я, старший лейтенант Геннадий Кирсанов, спрашиваю у себя: решился бы такой парень совершить преступление, пойти на убийство? И сам же себе отвечаю — да. Твой брат мог убить эстонку из чувства мести. Из неразделенной любви. И спрятать тело, благо укромных местечек здесь вагон. А потом, из всего того же чувства мести, отправить письмо несчастным эстонским родителям. Что-то типа — во всем виновата Маш. Как тебе такой поворот событий, душа моя?

Маш молчала. Вместо нее отозвалась Белка.

— Пожалуйста, не надо, — жалобным голосом произнесла она. — Ты ведь так не думаешь, Шило. Зачем ты мучаешь нас?

— Отчего же. Именно так я и думаю. И поверь, она, — тут Шило кивнул подбородком в сторону Маш, — тоже думает так.

— Нет!

По лицу Маш катились слезы. Но это были не слезы отчаяния, а слезы просветления. Да, да, — Маш плакала от радости! А потом вдруг начала смеяться. Сначала тихо, а потом все громче и громче. Она не могла остановиться ни на секунду, и в этом смехе сквозило такое торжество, что Белка подумала: Маш безумна.

Так же безумна, как маленькая Инга.

Смех вываливался изо рта Маш, как нарисованные в дневнике руки вываливались из аммонитовых раструбов. В какой-то момент она даже начала задыхаться:

— Вы не представляете, что значит жить, зная, что кто-то думает — ты убийца. Вы не представляете, не представляете...

— Но теперь-то ты свободна? — зачем-то спросил Шило.

— Да.

— Только не благодари меня за это. Тем более что это всего лишь версия. И... — он выдержал театральную паузу и подмигнул обеим женщинам, — не самая правдоподобная. Спросите почему? Старший лейтенант Кирсанов вам ответит. Жалкий тип Миккель, конечно, мог взбунтоваться против мироздания и даже пришпилить девицу... Но спрятать тело так, чтобы его не нашли, — такой подвиг ему не по зубам. Во-первых, он приезжий и плохо знает местность. Максимум, на что бы его хватило, — забросать тело камнями или оставить его в расщелине на пляже... Помните ту расщелину, девчонки?

Он снова подмигнул им, и Белка вздрогнула: она прекрасно поняла, о чем идет речь. И снова ощутила запах сырости и полуразложившихся водорослей.

— Закопать в саду не получится — сама операция поблизости от дома, где полно народу, рискованна. А ну как кто увидит или услышит?.. Дети бывают очень внимательны. Им сложно интерпретировать факты, но донести их до взрослых они в состоянии.

— А еще по ночам дети спят, — сказала Маш. — Сладко-сладко.

— Но могут проснуться. От какого-нибудь кошмара. Зарыть в саду не получится, нет. Сбросить в колодец тоже. Хотя это был бы идеальный вариант. Для Микеля, если бы он был убийцей. Но, как вы понимаете, тело бы сразу нашли. А его не нашли, хотя в колодец спускались тоже. И собака ничего не разнюхала. Помните розыскную собаку, девчонки? Э-э... Султан. Ее звали Султан. Я так и не завел себе пса... — погрустнел Шило. — Ростик завел, а я — нет.

— При чем здесь собака? — не выдержала Белка.

— К слову пришлась.

— А что — «во-вторых»?

— Во-вторых?

— Ты сказал: во-первых, он приезжий и плохо знает местность. А во-вторых?

— Он слабак. И обязательно выдал бы себя. Хоть чем-нибудь. С таким грузом слабаки обычно не справляются. Даже если все сходит им с рук, они впоследствии съезжают с катушек. Спиваются... Тебе ли не знать, Маш?

— Я не алкоголичка.

— Да-да, именно это ты демонстрируешь нам все последние дни.

— Если уж на то пошло... Не могу смотреть на своих дорогих родственников трезвым взглядом. Искренне надеюсь не увидеть вас в своей жизни. Когда шабаш закончится.

— Потому что мы напоминаем тебе о том, что произошло тогда? Все вместе и каждый по отдельности.

— Потому что вы — жалкие неудачники.

— Не все.

— Ну да. Старший лейтенант в убогой ментовке убогого городишка — это, конечно, венец карьеры.

— У меня все впереди.

— Собираешься дослужиться до начальника РОВД? Или что там рисуется тебе в воображении?

— Все больше картинки из прошлого. Ты на этих картинках тоже есть. Занимаешь центральное место.

— А больше никого поблизости не видно?

Несколько раз Шило обратился к себе в третьем лице — «старший лейтенант Кирсанов», и это роднит его с деревенским дурачком Лёкой. А горящие глаза и раздувающиеся ноздри — разве это не похоже на Маш? Горящие глаза — все равно что маяки, которые разрывают своими лучами мрак. Едва лишь погаснет один — тут же загорается другой, самая настоящая перекличка маяков. Что ж, Белку можно поздравить, она возвращается к себе, в мир Большой Семьи, чуть более мрачный, чем хотелось бы. Но это — ее семья.

Добро пожаловать домой!

— ...Почему же? Кое-кто ошивается на заднем плане. Ты об этом хотела поговорить?

— Не знаю, понимаешь ли ты...

— Понимаю, — сразу посерьезнел Шило. — Когда ты говорила о двоих... Ты имела в виду именно этого человека?

— Того, кого не назовешь неудачником, — прикрыла глаза Маш.

— Он великий и ужасный.

— Совсем как в сказке.

— Он даже больше кита.

— Нет. Он самый большой кит на свете. Моби Дик.

— Моби Дик, да!

Белка не верит своим глазам. До сих пор Маш и Шило были врагами и старались побольнее задеть друг друга, но теперь их голоса полны любви. Рахат-лукум, шербет, пахлава — вот что такое их голоса. И это воскрешает в Белкиной памяти образ Эмина — вечно влюбленного. А Маш с Шилом все суют друг другу в рот восточные сладости и никак не могут остановиться.

— Никто не справится с Моби Диком, — шепчет Шило.

— Никто, — вторит ему Маш.

— Может, это потому, что все его боятся и не решаются вступить в схватку?

— Может быть.

— Он плавает слишком далеко от наших берегов.

— Но подплывает время от времени?

— Случается. Да.

— «Да» и «нет» — не говорить. Черное и белое не носить, — неожиданно заявляет Маш.

«Вы поедете на бал?» — любимая игра того лета. В нее играли все, а лучшей была маленькая Тата, это она вплыла в их тихую заводь на спине кита. И лишь МашМиш вечно оставались в стороне, они были слишком взрослыми детьми, слишком занятыми — любовью, войной с другими взрослыми детьми, подготовкой к убийству, подлинному или мнимому.

Почему вдруг Маш вспомнила об этой игре?

— Так он подплывает время от времени?

— Случается.

— Он белый?

— Э-э... Местами.

— А черные пятна на нем есть?

— Сколько угодно.

— А чего больше — черного или белого?

— Когда как.

— В зависимости от сезона?

— От сезона дождей.

— Когда идут дожди — он черный?

— Не всегда.

— Когда идут дожди — он белый?

— Не всегда.

— Он становится черным, когда идет особенный дождь?

Кажется, Маш загнала Шило в угол. Ей удалось так построить вопрос, что он требует определенности: либо «да», либо «нет», выкрутиться не получится. Шило поднимает глаза вверх, шарит ими по дубовому потолку, как будто ища там ответ.

— Ну? Отвечай.

— Ты выиграла. Сдаюсь.

— Выигрывает всегда он. Что бы он ни совершил — все сойдет ему с рук. Так было и раньше, а теперь и подавно. Он может купить все, что угодно.

— К примеру, этот особняк, — неожиданно заявил Шило. — Такая мысль не приходила тебе в голову?

— Нет. Я бы поняла это. Мои клиенты...

— Твои клиенты сказали не больше, чем тебе нужно знать в данный конкретный момент. «Он может купить все, что угодно» — твои слова? Он может. Всё и всех.

Они ведь говорят о Сереже, господи ты боже мой! О том, что вилла «Бабочка» принадлежит ему! Но разве не так же думала сама Белка? Разве не на встречу с ним втайне надеялась она, отправившись сюда в одиночку? Но Повелитель кузнечиков и черно-белый кит с налипшими на брюхо ракушками — суть разные существа. Никакой черноты в Сереже нет. Он — светлый. Чернота окружает как раз этих двоих — Шило и Маш! Чернота, холод и мрак! Маяки, которыми они заправляют, — лживые! Их лучи заманивают Сережу прямо на скалы, чтобы его фрегат «Не тронь меня!», его маленький кораблик из бумаги, разбился вдребезги. И Белка не в силах этому помешать.

Или — в силах?

— Тебя не удивляет, что этот человек никак не доберется сюда, Маш? Ведь он должен был приехать несколько дней назад.

— У него дела в Европе, ты же знаешь.

— Так сказал даунито. А обвести даунито вокруг пальца, напеть ему в безмозглые уши всякую ересь труда не составит. Так почему он не приехал?

— Почему? — Маш завороженно смотрела на Шило.

— Потому что он уже здесь. Возможно даже наблюдает за нами. Где-то здесь спрятаны камеры, зуб даю!

— Зачем ему все это?

— Чтобы посмотреть, как мы собачимся из-за наследства. Чтобы разыграть перед нами комедию с помощью подставных актеров, вытащить из нас все дерьмо и оставить с носом. Так легче, поверь.

— Легче?

— Когда ты узнаёшь, что не в тебе одном сидит дерьмо, — всегда легче, поверь.

— Прекратите! — не выдержала Белка. — Прекратите обливать грязью Сережу!

— О, — Шило расхохотался и картинно приложил руки к груди. — Я все ждал, когда же выступит общественный адвокат. Вот он и выступил.

— Ты не имеешь права...

— Конечно, конечно! Я ни на что не имею прав, ведь я жалкий ментяра из провинции. А это совсем не то что миллиардер в белых одеждах от Армани. Он один у нас д’Артаньян, а все остальные... сама знаешь кто. Вот только у мента, на которого вы все смотрите свысока, кое-что имеется, — тут Шило постучал пальцем по лбу. — Вот здесь, в черепной коробке. И он нарыл чрезвычайно любопытные вещи. Копать пришлось долго, но результат стоил усилий.

— Даже слушать этого не буду! —

Белка плотно сжала уши ладонями, а Шило все говорил и говорил.

И обращался он не к ней и даже не к Маш, а куда-то поверх их голов. Туда, где, по его мнению, находились невидимые камеры. И, возможно, сам Сережа.

— Ты закончил? — спросила Белка, отнимая ладони от ушей.

— Еще не начинал.

— Просто признай — ты завидуешь Сереже. Его успеху, его деньгам. Он добился всего только благодаря своему уму и таланту. А ты...

К удивлению Белки, Шило не стал спорить. Он успокоился и как будто обмяк, от прежней страстности не осталось и следа. Неуверенной, пляшущей походкой он приблизился к ней, приобнял за плечи и шепнул:

— Твой кумир — последний человек, которому я буду завидовать, поверь.

А вслух громко произнес:

— Интересно, куда подевался Миккель? Давно уже должен был прийти.

— Его только за смертью посылать, — отозвалась Маш.

— О, вот и он!

Нет, Миш не появился в дверях, но где-то за пределами бильярдной послышался голос. Не слишком отчетливый, но явно мужской.

— С кем это он разговаривает? — спросила Белка.

— А что, если приехал хозяин? Хороши же мы будем, если он действительно приехал! — бросив эту фразу в пространство, Маш резко обернулась к Шило. — Ты говорил, что он не появится!

— И сейчас говорю. В том качестве, в котором ты его ждешь, — точно нет.

— А в каком же? В каком?..

Вместо ответа Шило двинулся к двери, а Белка и Маш последовали за ним. В коридоре они никого не встретили, а голос шел из кинозала, дверь в который была распахнута настежь.

В кинозале шло кино. Любительский фильм из жизни отдыхающих. И отдыхающим был не кто иной, как Шило. Белка сразу узнала его майку с идиотической надписью «Плохого человека ГЕНОЙ не назовут», она видела эту майку на снимке из Татиного альбома. И пальмы, и постриженные кусты гибискуса, и цветы олеандра.

И теннисный стол.

Оживший Шило скакал вокруг него и подбрасывал легкий шарик на ракетке.

— Это просто, — объяснял он невидимому спутнику. — Подача-прием. Главное — реакция. Тебе понравится.

В этой ожившей картинке не было ничего ужасного, напротив — она была почти идиллической. И сам Шило выглядел ужасно милым и трогательным — ровно таким, каким он все это время казался Белке. Не лживым маяком, не полусумасшедшим любителем словесного рахат-лукума и пахлавы, а простым и надежным парнем на которого можно положиться.

— Так вот как развлекаются нижние чины доблестной полиции, — рассмеялась Маш.

Реакция, последовавшая за этим, оказалась совершенно неадекватной сказанному:

— Черт, — пролепетал Шило. — Вот черт! Черт, черт, черт!..

— Да ладно. Подумаешь, майка с придурью. Ты, в конце концов, в труселях и голой задницей не светишь!

— Черт... Как остановить эту хрень?

— Никак, — раздался голос из дальнего угла кинозала.

Там, сгорбившись и вцепившись пальцами в подлокотники кресла, сидел Ростик.

— Это не то, что ты думаешь, — Шило сделал несколько шагов в сторону брата, а потом остановился и махнул рукой.

— Я не думаю. Просто смотрю кино, — безучастным голосом ответил тот.

— Где ты нашел его?

— Здесь. Тебе будет любопытно взглянуть, что написано на коробке.

Ростик даже не дал себе труда подняться с кресла, просто швырнул маленький кассетный бокс в брата. На этот раз Шило не уворачивался, и бокс попал ему прямиком в грудь.

И, отскочив, с легким стуком упал на пол.

Белка все ждала, что Шило нагнется за боксом и поднимет его: эту линию поведения подсказывало его извечное мальчишеское любопытство. Но, вопреки ожиданиям, тот не просто переступил через кусок пластика, а попытался раздавить его ногой. Послышался легкий треск.

— Что бы там ни было написано, знай — это неправда.

— Я смотрю кино. Не мешай.

Шило заметался по залу в поисках источника изображения. Все было бы проще, если бы речь шла о винтажном хромированном кинопроекторе, стоявшем метрах в десяти от экрана. Справиться с ним легче легкого: просто остановить пленку, и все. Но киношедевр о теннисных подвигах Шила подавался откуда-то со спрятанного в темноте видеомагнитофона. И, пока Шило судорожно искал его, Белка все смотрела и смотрела на экран.

Ничего не значащие реплики старшего лейтенанта полиции, ничего не значащие подачи крохотного мяча, ничего не значащее звуковое сопровождение: шелест листвы, чьи-то крики, резкий всплеск воды: близость отельного бассейна очевидна. Белка даже вспомнила его название —

«Золотой дракон».

А потом в кадре появился партнер Шила по игре, его невидимый спутник. Вернее — спутница. Миловидная блондинка лет двадцати пяти, с отличной фигурой, которую выгодно подчеркивал коротенький сарафан. Блондинка бросила ракетку на стол, то же самое сделал Шило и подошел к ней. Парочка слилась в страстном поцелуе, после чего на экране возникла белесая рябь — «кино» закончилось.

Как мило.

Не хватает только негромкой романтической музыки, что-то на манер «Мельниц моего сердца» или «Моста над бурными водами». И титра «FIN».

Маш дурашливо зааплодировала и всем корпусом повернулась к главному герою теннисной саги:

— Прелесть что такое! А вторую серию покажут?

Домашнее видео и впрямь оказалось чудесным. И — целомудренным, несмотря на нетерпеливую страстность поцелуя. Почему так взволновался Шило?

— Значит, это ты был тем норвежцем, ради которого она меня оставила? — тихо спросил Ростик.

— Все не так. Я объясню...

Голос Шила звучал еще тише, он был почти бесплотным. И только тут до Белки стал доходить смысл увиденного на экране. Достаточно лишь вспомнить разговор между братьями о некоей Сашеньке, — и все становится на свои места. В том недолгом разговоре фигурировал рыбозавод, короткое смс-сообщение об отставке корабельного механика с должности жениха и исчерпывающая характеристика несостоявшейся невесты — «хитросклепанная шлюха». Выходит, именно с этой шлюхой Шило проводил свой отпуск в Таиланде!

— Объяснишь что? Как ты оказался в Таиланде в то время, как должен был быть в командировке в Североморске?

— Командировка была.

— Может и была. Но не в том месяце. Я не дурак, братишка. И не слепой. Я видел дату в нижнем углу экрана.

— Это неважно.

— Это важно.

— Она шлюха. Ты сам видишь. Сосалась с другим, будучи твоей невестой. Она шлюха.

— Здесь она уже не моя невеста. Я видел дату. Она отправила мне эсэмэс и уехала с тобой. Я ее не виню. Она была честна.

— Она шлюха, — как заведенный повторял Шило. — Ты не знаешь. Она изменяла тебе. Не только со мной. Были и еще претенденты на ее тело. И она мало кому отказывала. Она шлюха! Я просто хотел предостеречь тебя от неверного шага.

— Ты выбрал самый лучший способ, чтобы предостеречь.

— Я говорил тебе тогда. И раньше. Умолял оставить эту дрянь. Но ты не слушал. Предпочитал закрывать глаза на очевидное. А теперь можешь посмотреть на все широко открытыми глазами, — голос Шила снова окреп. — Она шлюха!

— Шлюха или нет, — медленно, с расстановкой произнес Ростик, — но я хочу знать — где она сейчас.

— Понятия не имею.

— Вот как?

— Мы расстались.

— Где?

— Там же. В Таиланде. Я улетел на три дня раньше. А она осталась. Очевидно, работать по специальности. Шлюхой. Больше я ее не видел.

— Ты врешь.

— Разве я когда-нибудь врал тебе, брат?

— Ты врешь. Подними коробку.

— Какого черта, — пробормотал Шило. — Далась тебе эта коробка!

— Подними и прочти, что там написано.

— И не подумаю.

— Если ты хотел убедить меня в том, что она... она шлюха... Почему ты не показал эту пленку?

— Я не знаю, откуда взялась чертова пленка!.. Я ее не снимал!

И тут произошло то, чего никак не ожидала Белка, но что обязательно должно было произойти — будь Шило и Ростик мальчишками, все решающими на кулаках. Ростик толкнул брата — сразу двумя руками. Толчок пришелся в плечи, и Шило, едва удержав равновесие, отпихнул Ростика в ответ. А затем смазал открытой ладонью по скуле. Через секунду они катались по полу, отчаянно пыхтя и не говоря ни слова.

— Прекратите, — завопила Маш. — Прекратите драться, великовозрастные идиоты!

Клубок из сплетенных тел врезался в кинопроектор, и вся конструкция с грохотом рухнула: кожух проектора развалился на части, из него вывались какие-то блестящие детали. А две бобины покатились по комнате, подпрыгивая подобно кольцам серсо.

Падение кинопроектора отрезвило дерущихся. Они разом расцепили руки, *разомкнули объятья* и теперь, тяжело дыша, сидели друг против друга. Первым поднялся Ростик. Не глядя на брата, он сделал несколько шагов к двери, споткнулся о бобину, поднял ее и что есть силы швырнул в белое полотно экрана.

И вышел из комнаты.

Шило же продолжил сидеть на полу, обхватив голову руками. А Маш поддела носком ботинка подкатившуюся к ее ногам бобину и задумчиво произнесла:

— Судя по всему, Акиру Куросаву мы не посмотрим. А вообще... Что это было, дружок? Ты отжал у братишки подружку, а он до сих пор был не в курсе? Воистину, сегодня вечер великих откровений!

Ответа не последовало. Шило поднялся и неверной походкой направился к двери. Несколько секунд Маш и Белка прислушивались к его шагам в коридоре. И лишь после того, как они стихли, Маш нагнулась, подняла с пола пластиковый бокс и пробежалась взглядом по названию.

— М-да... Развеселая у нас семья. Ладно, пойду поищу Миккеля, что-то он и впрямь подзадержался. Ты со мной?

Ноябрь. Серёжа

...Маш отправилась на поиски брата одна — Белка осталась в кинозале, пролепетав невразумительное: «Присоединюсь к вам позже». Коробка от кассеты, доставшаяся ей в наследство от архангельских братьев, валялась на одном из кресел — там, куда Маш бросила ее, прежде чем уйти. Белка приблизилась к ней не сразу — из суеверного страха узнать то, что знать ей не положено. И чего она никогда бы не узнала, не окажись здесь. Для начала она пробежалась взглядом по всем остальным кассетам и коробкам с кинопленкой — чуть более внимательно, чем в первый раз. Но никаких особенных подробностей (кроме хронологических) осмотр не выявил. «1968», «1973», «1975». Под крышками с датами лежали туго скрученные восьмимиллиметровые пленки, и, потащив за конец одной из них, Белка обнаружила даже следы монтажных склеек. Очевидно, кто-то из детей Парвати, а может, ее муж — матрос Аркадий — вел кинолетопись Большой Семьи. И где-то там, в целлулоидной глубине можно обнаружить маленького папу. И папу-подростка, если отталкиваться от 1973 года. Там можно обнаружить тетю Веру, какой она была задолго до Асты, и все другие дни недели, иногда повторяющиеся. И даже Ингу, *Самую младшую*, благо теперь Белка знает, как она выглядит.

И — Илюшу.

Илюша предстал бы перед ней не в виде зарубки на дверном косяке, а таким, каким был на самом деле. Потому что он и есть *Самый старший*, по-другому и быть не может. Белка знает имена бабки и деда, знает имена всех их детей. Инга и Илюша — последние звенья в цепи, недостающие. Ведь никому бы и в голову не пришло тщательно фиксировать рост постороннего дому человека. Непонятно только, почему в старой обители Парвати имя Илюши было тщательно затерто. Быть может, Белка вскорости узнает об этом, как узнала об Инге. И тогда справедливость восторжествует окончательно, а тайны, спрятанные за ширмой, выйдут на поверхность...

Ширма.

Только сейчас Белка вспомнила о ней. Кто-то убрал ширму, стоявшую перед входом в комнату-ловушку, а она этого даже не заметила. Слишком велико было потрясение от пребывания взаперти, хотя о такой мелочи, как шахматы, она подумала сразу. Ширма — не шахматы и даже не ремень, в кармане ее не унесешь, но... Тот, кому было под силу провернуть историю с телом в сундуке, легко справится и со всем остальным.

И какие все же негодяи ее северные кузены! Из-за них, из-за их бессмысленной драки, уничтожившей кинопроектор, Белка лишена возможности понаблюдать за жизнью Большой Семьи! А как хорошо было бы сидеть здесь в мягких креслах с Сережей, пить вино и разглядывать маленького папу и папу-подростка...

Ну вот. Она опять думает о Сереже.

Пора бы ему появиться в конце концов.

Мысль о Сереже усыпила бдительность Белки, и она приблизилась к креслу, на котором лежал кусок пластика. Машинально повертев его, Белка впилась глазами в надпись, которую так и не прочел бравый полицейский:

УБИЙЦЫ. ЧАСТЬ 3-я. ШИЛО.

Те же печатные буквы, что и на открытке, адресованной ей. Тот же детский неверный почерк, но на этот раз без всякого приглашения к путешествию. Без приписок относительно секретности. Все выглядит как анонс популярного документального сериала «Самые громкие преступления 20-го века», его авторами были некие Ф. Нугус и Дж. Мартин. Автор коробочного фильма предпочел остаться безымянным, нет ни кадров из этого киношедевра, ни стикеров. Только детский почерк, предлагающий Белке поверить в то, что Шило — убийца.

Невероятная глупость. Ха-ха.

Три ха-ха. Пять, если учесть, что она видела фильм и знает, чем тот закончился. Поцелуем в диафрагму, тропической идиллией. Или это был затянувшийся флэшбек, а все самое главное произошло в начале? В предыдущих частях? Ведь если есть третья, то должны быть еще, как минимум, две... Странно, что она думает об этом так спокойно, с холодной отстраненностью. Как будто речь идет о персонажах Ф. Нугуса и Дж. Мартина, а вовсе не о человеке, с которым она знакома. Человеке, который является ее родственником. Милом парне Генке по прозвищу Шило. Капитане полиции Кирсанове.

Нужно найти первые две части.

Но если они тоже посвящены Шилу, то почему Ростик начал сразу с третьей?

Рассеянно глядя на полки с кассетами, Белка размышляла, почему надпись на боксе не тронула ее, не ужаснула. Потому что все это — игра, вот почему! Кто-то намеренно ссорит близких родственников, родных братьев и сестер, заставляет их верить во всякую запредельную чушь и дребедень. Зачем — не так давно объяснил сам Шило: «**Чтобы посмотреть, как мы собачимся из-за наследства. Чтобы разыграть перед нами комедию с помощью подставных актеров, вытащить из нас все дерьмо и оставить с носом**».

Надпись на кассете — тоже часть игры.

Крючок, который заглотнул доверчивый Ростик. Конечно, Шило поступил не совсем хорошо, отбив у него невесту, и тогда понятие «убийца» можно трактовать куда как широко. Капитан Кирсанов — убийца веры в любовь, причем любовь эта может быть самой разной. Любовь мужчины к женщине и женщины к мужчине, любовь брата к брату, *где же первые две части?*

Они все не находились, хотя Белка перерыла с пару десятков кассет без опознавательных знаков. Каким образом Ростик нашел ту единственную, которая была предназначена ему?

Тут Белку посетила восхитительная в своей простоте мысль: Ростик нашел кассету потому, что не мог не найти. Возможно, она лежала не в кинозале, а была спрятана где-то в доме. И корабельный механик добрался до нее... добрался до нее точно так же, как Белка! По следам, понятным лишь ему одному. В случае с Белкой это были маленькие шахматы, и татуировка на бамбуке, и ширма с красными сандаликами под ней. Что занимало в то лето Ростика — неизвестно. Неизвестно ей, Белке. Потому что она не обращала никакого внимания на шестилетнего мальчишку, у нее были совсем другие приоритеты. Но был еще кто-то, кто все замечал, складывал в черепную коробку, ловко распихивал по тамошним сундукам и чемоданам, делал надписи на память. Чтобы в нужный момент извлечь нужные предметы и — *вуаля, вы попались, голубчики!*

Белка даже рассмеялась — так понравилась ей эта история из прошлого, перекочевавшая прямиком в настоящее. Она во всяком случае объясняет если не все, то многое. И самым правильным было бы собраться всем вместе и откровенно рассказать друг другу о том, о чем они еще и не поговорили толком — о лете, в котором навсегда исчезли Аста и Лазарь. Начать могла бы сама Белка — и тогда на поверхность всплыли бы шахматы и...

И все.

Она не намерена ни с кем делиться японской татуировкой. И Сережей тоже. Детская влюбленность в Повелителя кузнечиков навсегда останется с ней одной. Никто и никогда об этом не узнает. Интересно, а Сережа знал?

Наверняка.

Ведь он — бог, а бог все видит и замечает... чтобы... в нужный момент извлечь нужные предметы и — *вуаля, вы попались, голубчики!*

Белка должна немедленно найти остальных, рассказать им о своей теории, в идеале — помирить двух поссорившихся братьев. И вообще — заставить по-другому взглянуть друг на друга всех остальных. Их родители почти не общались: рты им заткнула грустная семейная тайна. Тяжелая ноша предательства маленькой клубничной Инги, которую они волокли через всю свою жизнь, изнемогая от непосильного груза. Были ли они счастливы хоть когда-нибудь? Был ли счастлив папа? Он старался быть счастливым, это правда. Отсюда все эти экспедиции в пустыни, что длились годами. Там, в глубине Каракумов, в самом сердце Кызылкума, прошлое отступало, *обезвоживалось* и тихонько умирало на гребне бархана. И никак не могло умереть окончательно, потому что приходили письма от Парвати. Единственной, с кем не была потеряна связь и кому папа безоговорочно подчинялся. И вряд ли остальные дети Большой Семьи были исключением. Они покинули дом Парвати, чтобы никогда в него не возвращаться, и большинство из них — южан по рождению — осело в северных широтах. Питер, Новгород, Архангельск, Петрозаводск, сюда же можно приплюсовать Таллин, с его умеренным, нежарким климатом. Главное отличие севера в том, что он — не юг. Полная противоположность югу, полная.

Дети детей Парвати ведут себя так же, как их родители. Во всяком случае, вели до сих пор. И у них тоже есть своя грустная тайна — Лазарь и Аста. Вчерашние попытки поговорить об этом закончились склокой и обвинениями, самыми легкими из которых были обвинения в нечистоплотности и корыстолюбии.

Они должны услышать друг друга и помириться. Ростик с Шилом, Маш с Татой, — все. Они должны перестать клевать несчастного Лёку и обзывать его деревенским дурачком. Наверняка Лёка знает больше, чем говорит, чем в состоянии сказать. Он мог бы быть полезен для всеобщего примирения, инициатором которого выступит Белка.

Никто иной!

Окрыленная этой мыслью, она двинулась к выходу из кинозала, и у самой двери заметила сложенный вчетверо листок. Листок оказался планом виллы — тем самым, который Маш торжественно вручила Шилу. Очевидно, листок был потерян в пылу драки с Ростиком или чуть позже, когда уличенный в вероломстве полицейский побежал вслед за братом. Белка обнаружила на этом (весьма подробном) плане зимний сад с занятно нарисованными растеньицами — в виде стилизованных кленовых листьев и игольчатых папоротников. И центральную дорожку, разветвляющуюся на две поменьше. Обе они хорошо знакомы Белке, а есть еще несколько незнакомых, не таких ровных: они идут полукругом, словно огибая сад и деля его на полумесяцы разной величины. Занятно.

Все здесь не то, чем кажется.

Зато винный погреб и впрямь похож на бочонок, с единственным выходом, заткнутым пробкой-дверью. Сад, погреб, прихожая с букетами маттиолы, шахматная гостиная — вот и все, что может предложить первый этаж. Причем львиную долю пространства занимают как раз кленовые листья и игольчатые папоротники. Вот и объяснение тому, почему Белка не увидела сад снаружи, когда ошивалась с архангельским скаутом возле бассейна, — это не отдельное крыло, а гигантский ангар, встроенный в тело дома. Второй этаж был представлен буфетной (она же кухня), бильярдной, кинозалом и холлом, до которого они так и не добрались. За холлом, если верить плану, располагалась еще одна гостиная, помеченная как «Роза ветров». И это снова заставило Белку улыбнуться: поселок, в котором всю жизнь прожила Парвати, тоже назывался «Роза ветров». С сомнительной припиской «хутор». Хуторская жизнь в представлении Белки не очень-то вязалась с роскошной обстановкой виллы. Тем более что был еще и третий этаж — со спальнями, сухо пронумерованными от единицы до пятерки; овальной комнатой в торце с надписью «кабинет» и тем, что так удивило Шило, — домашней часовней. И, кроме центральной лестницы, по которой они поднялись на второй этаж, была еще одна, за «Розой ветров». Эта вторая лестница вела ко второму выходу из дома.

Держа план в руках, Белка вышла из кинозала и прислушалась. В доме было тихо, а единственный звук, который сопровождал ее, был звуком зажигающихся плафонов — срабатывали датчики движения.

— Шило! — позвала она. — Ростик!

Ответа не последовало.

— Маш! Миккель! Куда вы запропастились?

На секунду Белке стало не по себе. Остаться в кинозале — не самая лучшая идея, куда разумнее было отправиться с Маш. Дом уже преподнес ей один неприятный сюрприз, не стоит об этом забывать.

Так, периодически выкрикивая имена и меняя их в произвольном порядке, Белка добрела до бильярдной и наконец обнаружила то, что тщательно искал Шило: крошечную, размером с две сигаретные пачки, видеокамеру. Она была закреплена под потолком, над аркой, отделяющей часть коридора, куда выходили двери буфетной. Камера работала (об этом можно было судить по зеленому огоньку) — следовательно, где-то в доме есть место, куда стекается вся информация. Учитывая начинку дома и его масштабы, можно подумать и о целой аппаратной!

Несколько секунд Белка, как завороженная, смотрела на зеленый глазок, а потом вдруг подняла руку, помахала в воздухе пальцами и улыбнулась:

— Сережа! Привет, Сережа! Это я, Белка.

Глупо ожидать ответа от куска металла, но ей надо заявить о себе. Вдруг Сережа сидит где-то там, в овальной комнате, и пристально разглядывает свою маленькую подружку из прошлого? Не находя в ней никакого сходства с той девочкой, которая читала «Идиота» и всё расспрашивала о Корабле-Спасителе. Или — находя?..

Зеленый глазок камеры бестрепетен.

Он не пугает Белку, наоборот — дает возможность помечтать. Представить себя героиней фильма, романтической комедии или мелодрамы с хорошим концом. По воле сценаристов героиня одинока, во всяком случае — чувствует себя одинокой и неприкаянной. Вот она приходит домой, где ее никто не ждет, и включает свет. И — оп-ля! — отовсюду сыплются люди в смешных разноцветных колпаках, с бумажными свистульками, с шарами и плакатом «С днем рождения!». Вечер тут же превращается в вечеринку, все пьют вино, едят закуски руками, развлекают Белку и сами себя, ходят курить на лестницу, травят анекдоты, играют в ассоциации — в общем, ведут себя, как дети.

Они и есть дети.

Шилу пошел бы колпак, и Ростику пошел, и Тате, а вот Маш выглядит в колпаке нелепо. Она избавилась бы от дурацкой вещицы первой и первой начала бы курить в доме, используя вместо пепельницы банку из-под оливок. Маш всегда делает то, что хочет, никакие законы ей не указ. Но Белка согласна терпеть и Маш с ее вечной строптивостью, — жаль только, что она не героиня романтической комедии или мелодрамы с хорошим концом. И день рождения у нее не сегодня. Но это не отменяет МашМиша, Ростика и Шила.

Нужно немедленно их найти.

Где искать потрепанный жизнью истребитель она примерно знает: в винном погребе. А потом, воссоединившись с МашМишем, имеет смысл подумать о примирении двух архангельских братьев. И все в конечном счете сложится хорошо.

...В винном погребе МашМиша не оказалось. Потоптавшись среди бутылок и бочонков около минуты и так и не обнаружив следов пребывания брата и сестры, Белка вышла в меблированную гостиную. И тут же вспомнила, что оставила дождевик и ботинки в прихожей. Странно, что МашМиш не заметили ее вещей и пребывали в уверенности, что они — одни в доме. И Шило с Ростиком — они были в обуви, в отличие от Белки. И просто обязаны были наследить — ведь на улице не утихал дождь, а они пришли с дождя. Как и МашМиш, которые заявились позже.

Здесь должно быть полно следов!

Белка прошлась по прихожей, но никаких следов не обнаружила: полы были девственно чисты. И бледно-лиловая дорожка с длинным ворсом не тронута. И все вещи стояли на своих местах — комод, китайская напольная ваза, вазы поменьше — с букетами не потерявшей своей свежести маттиолы. Никуда не делись салфетки, зеркало, картина с парусником. Не было лишь Белкиных вещей — ботинок и дождевика. Этот факт удивил и расстроил ее, но сдаваться так просто Белка не собиралась. Она даже осмотрела внутренности комода, благо он оказался не заперт на ключ, — пусто!

Нет не то что ботинок и дождевика, — ни единой пылинки, ни единой булавки. А ведь это неправильно, в любом доме подобные предметы мебели заполнены всякой дребеденью: журналами, старыми газетами, мелочью из карманов, ложками для обуви, солнцезащитными очками. Кучей сувенирных брелоков, купленных во время поездок по миру: ты прекрасно знаешь, что они не пригодятся и никогда не будут использованы по назначению, — и все равно покупаешь, покупаешь...

Неправильный комод. Неправильный дом.

Белке стало неуютно, а в глубине души снова возник страх — сродни тому, что она испытала в комнате-ловушке.

— Шило, Ростик! Хватит дурить! Выходите!

Интересно, чего добиваются эти негодяи? Все вместе и каждый по отдельности? Чего хотят от нее злые дети? Ведь Белка вполне официально заявила, что отказывается от наследства и сматывает удочки. Не далее как завтра утром.

— Маш! Миккель! Как хотите, а я ухожу.

Да, именно так она и поступит. Уйдет сейчас же. Уйдет в одних носках и плевать на чертовы ботинки, да! Правда, ей предстоит не слишком приятный забег по ноябрьской ночи, но это лучше, чем оставаться в этом негостеприимном доме.

Доме-лжеце.

Доме, который пообещал ей Сережу и так и не выполнил обещание.

Исполненная решимости, Белка подошла ко входной двери, провернула замок и нажала на ручку. Никакого результата — дверь даже не подумала поддаться! Холодея от неприятного предчувствия, она осмотрела дверное полотно: так и есть — второй замок. Не английский, которым воспользовалась Белка, чтобы попасть на виллу, — самый обычный, врезанный в дверь. Вот и замочная скважина, она расположена гораздо ниже, на уровне пояса. Не хватает самой малости — ключа.

Она сделала пару глубоких вдохов и шумных выдохов: главное — не впадать в панику, всему есть свое рациональное объяснение. Дверь могла закрыть Маш, у нее тоже есть ключи. Правда, не совсем понятно, зачем она возилась с ключом, когда дверь можно было попросту захлопнуть, английский замок это позволяет.

В крайнем случае, Белка может воспользоваться окном, которое по совместительству является еще и импровизированной балконной дверью: ведь окна, которые она видела в гостиной, — большие и широкие, в пол. Элегантный выход из ситуации найден, волноваться не о чем; благо, это первый этаж, а не пентхаус на верхотуре какого-нибудь гонконгского небоскреба.

Прежде чем покинуть прихожую, Белка еще раз подергала дверь (без всякой, впрочем, надежды, что та распахнется); пробежалась пальцами по панели домофона (без всякого, впрочем, результата). И лишь теперь услышала странный, очень тихий звук, похожий на жужжание. Он то прерывался, то возникал вновь, вызывая сосущую пустоту под ложечкой. Белка определила, откуда идет звук, за секунду до того, как он затих окончательно. А определив, содрогнулась. Прихожая поплыла у нее перед глазами, а вместе с прихожей закачалась напольная ваза и вазы поменьше, с букетами маттиолы. Там, среди безобидных, растрепанных соцветий, торчали зеленовато-красные полукружья *венериной мухоловки*, похожие на сомкнутые челюсти. Над венериной мухоловкой возвышалась росянка, еще одно насекомоядное растение. Странно, что Белка не заметила их раньше, — зато теперь они так и лезли в глаза. Они да еще непентес, чье вытянутое кожистое тело отдаленно напоминало рождественский носок. В глубине носка уже был сложен подарок для самых маленьких, самых нетерпеливых, *самых любимых*: насекомое. Его беспомощный силуэт просвечивал сквозь восковые стенки растения.

Стрекоза.

Красотка-девушка.

Это было слишком. Даже для дома, от которого Белка уже успела получить несколько неприятных сюрпризов, включая комнату-ловушку и исчезнувшее невесть куда тело Али. Или той, что выдавала себя за Алю.

Это было слишком.

И только теперь Белке стало страшно по-настоящему. Сегодня утром (неужели только сегодня, каким же длинным оказался день!) она уже получила весть от красотки-девушки. Или это было вчера? Теперь и не вспомнить толком. Но засушенная стрекоза была предназначена Белке, никому иному. И вот теперь она снова столкнулась с «красоткой-девушкой» — в неурочное время, в межсезонье, вдали от ареалов, где обитают эти стрекозы.

Белка и есть «красотка-девушка».

Бессмысленная стрекоза, оказавшаяся не в то время и не в том месте. Она повелась на приторно-сладкий запах ожидания Сережи, и теперь наступает расплата — за легкомыслие, за так и не изжитую привязанность, за... за... Мало ли за что можно наказать Белку? Она совершила массу глупостей в своей жизни, она отвергла любовь замечательного стамбульского парня и многих других замечательных парней. И променяла жизнь с ними на смерть в недрах дома, так похожего на венерину мухоловку.

На непентес.

Смерть?

Возьми себя в руки, трусюндель! Тебе никто не угрожает, ни единой души вокруг. А все происходящее — просто шутка. И достаточно зажмуриться, как в детстве, чтобы выключить свет во всем мире. Или хотя бы в одном отдельно взятом доме. А потом широко распахнуть глаза — и — оп-ля! — вот они, разноцветные смешные колпачки, воздушные шары и свистки из бумаги. И самодельный плакат: «Ловко мы тебя разыграли, Белка?!»

Шило, Ростик, МашМиш, где же вы?..

Как бы то ни было, Белка не может позволить себе роскошь бегать по дому, кричать как оглашенная и пугаться собственного отражения в стеклянных поверхностях. Иначе завтра (завтра обязательно наступит, не может не наступить) она станет всеобщим посмешищем. Героиней семейных анекдотов, а это вовсе не входит в планы популярной и востребованной обществом журналистки Полины Кирсановой. Пусть им будет кто-нибудь другой. Но не она.

— Хотите поиграть со мной в прятки? — крикнула Белка. — Ну, ладно. Тогда я иду искать.

Оказавшись в гостиной, она с самым независимым видом подошла к окну. Отодвинуть широкую створку не составило труда, но за ней Белку ждало разочарование: железные жалюзи даже не думали поддаваться. А все попытки найти механизм их подъема оказались тщетными. Наверное, они опускаются со стороны улицы — не слишком умное решение, оно добавляет живущим здесь ненужные хлопоты. Промаявшись с окнами добрых пять минут, Белка вдруг вспомнила о плане дома. Кажется, там был второй выход на улицу, черный ход для садовников, чистильщиков бассейна и приходящей прислуги — кто-то же содержит этот дом в порядке?..

Чтобы добраться до второго выхода, нужно пройти по коридору, в который выходят несколько дверей. Комнаты за ними обозначены на плане как «кладовая № 1», «кладовая № 2», «гладильная», «прачечная» — самый настоящий технический этаж. Есть еще одно помещение, не помеченное никак, — лишь аккуратно заштрихованное.

Не там ли находится аппаратная?

Миновав обе кладовых и прачечную, Белка сделала остановку возле «заштрихованной» комнаты и даже взялась за ручку. Дверь с готовностью приоткрылась, но войти внутрь, в темноту, она так и не решилась.

Сначала — черный ход, а потом все остальное.

...У черного хода ее поджидало сразу две неожиданности — во-первых, обнаружились пропавшие вещи:

дождевик и ботинки. Дождевик висел на вешалке перед дверью, заметно выделяясь среди поношенных, без опознавательных знаков спецовок (чистильщики бассейна?), зеленого комбинезона (садовники?) и легких летних курток (приходящая прислуга?). Была и еще одна куртка, которую Белка тотчас узнала: видавшая виды одежка Шила, жучиные подкрылья. Как ни странно, эта дурацкая потертая куртка обрадовала Белку больше, чем собственные ботинки и дождевик. Загадка с исчезновением вещей разгадана: это Шило прихватил их из прихожей и перенес сюда, чем заставил ее понервничать. Все говорит в пользу не слишком умной *детской* шутки, которая чересчур затянулась. Пора, пора положить ей конец!

Белка (скорее машинально, чем преследуя какую-то цель) обшарила карманы куртки и... за порванной подкладкой обнаружила телефон! Тот самый, который так тщетно искал ее архангельский братец, — «Нокию» девятьсот лохматого года выпуска, с расколотым дисплеем и самой примитивной графикой. Подобные телефоны вышли из обращения несколько лет назад, а этот еще и с трещиной! Чтобы быть так привязанным к убогому аппарату, нужно иметь веские основания! На Белкин непросвещенный взгляд таких оснований не было. Ведь что обычно хранит любой человек? —

Фотографии и письма.

Ни одной фотографии не нашлось в телефоне, ни одной эсэмэс. В записной книжке — не больше сотни фамилий и прозвищ, иногда встречаются пояснительные комментарии, что-то вроде: *рыбалка, колеса, областное РОВД, катер, все по десять, стрелка в Пур-Наволок, гнездо мудозвонов, бухло (опт), летняя резина.* Имена в основном мужские, но попадаются и женские, весьма специфические: *Лена-пудель, Катя-сиськи,*

Лена-маленькая, Лена-мухомор, Юля-кимоно. Свиток этих прекрасных имен под уздцы приводит сразу к двум выводам:

1. Шило крышует один из подпольных архангельских борделей;

2. Самое популярное имя в Архангельске — Лена.

В ворохе чужих имен Белка обнаружила знакомые: Ростик, Маш, Тата, Миккель. При этом Маш шла с припиской «марамойка», Миккель — «пень с глазами», а Тата — «суши весла!». Последнее, видимо, никак не связано с *рыбалкой* или *катером*, это всего лишь эмоциональная реакция на красоту художницы. Или на ее характер. Белка сразу же вспомнила вчерашнюю пикировку Маш и Таты и последовавшие за этим обвинения в том, что Шило иронически относится к своим родственникам. Он не общался с ними много лет, тогда откуда возникли все эти телефоны?

Они обменялись телефонами еще до приезда Белки, а та просто опоздала к бесплатной раздаче персональных данных, другого объяснения нет.

Копаясь в телефоне старлея Геннадия Кирсанова, Белка не испытывала никаких угрызений совести: не она затеяла эту дурацкую игру. В прятки, в фальшивые убийства и бог знает во что еще. В этой игре — каждый за себя и действует по своему усмотрению. Но каким образом Шило не заметил телефона, который все это время был с ним?

Все дело в прохудившемся кармане. «Нокия» выскользнула из него и завалилась за подкладку; даже карман ему зашить недосуг, бедный-бедный Шило!

Злодей Шило!

Ему таки удалось напугать Белку, хотя и ненадолго. А за дурацкие шутки с венериной мухоловкой и ее хищными собратьями он заслуживает самой настоящей головомойки. И Белка обязательно устроит ее, когда доберется до смешных разноцветных колпачков.

Последний раз взглянув на дисплей телефона (сеть так и не появилась), Белка зашнуровала ботинки и подошла к двери, украшенной огромной щеколдой-задвижкой. На то, чтобы отодвинуть ее, и двух секунд не потребовалось, но дальше этой нехитрой манипуляции дело не пошло. Дверь и не думала поддаваться, как будто снаружи ее что-то подпирало.

Еще одна неожиданность, на этот раз — неприятная.

Прыгать на дверь и срывать ее с пудовых железных петель бессмысленно. Эта работа ей не по плечу, она не приблизит к решению вопроса; к черту бумажку с планом, да здравствует самодеятельность! Окна в гостиной отпадают, но есть другие окна, не такие неуступчивые. Они есть наверняка!

Белка прикрыла глаза и вызвала в памяти дневную прогулку по окрестностям. Кажется, все окна на первом этаже были закрыты жалюзи, оттого дом и выглядел безлюдным, брошенным. Слово, которое пришло тогда ей на ум, — «запустение». Но оно, это слово, никак не вяжется со внутренней обстановкой виллы, все здесь говорит о том, что за домом следят. И весьма тщательно.

К «дому-непентесу» можно смело прибавить еще одно определение: «дом-перевертыш». Обман, сплошной обман.

Как там говаривала маленькая Тата? *Она не то, чем кажется?* Это относилось к Парвати, но может относиться к чему угодно. Дом — не исключение.

Сережа — не исключение.

Почему она вдруг подумала о Сереже? Потому что она все время думает о Сереже, с того самого момента, как приехала сюда. Это были самые разные мысли — в основном восторженные, подернутые флером воспоминаний. Воспоминания — все равно что заштрихованная комната на плане, все равно что шахматная доска. Черные клетки — Лазарь и Аста. Исчезновение и смерть. Белые клетки — Повелитель кузнечиков, крошки-лемуры, крошки-колибри, струящийся плющ, струящийся водопад. Белые клетки отторгают черные, черные отторгают белые, соединить их не получается. Не получается собрать шахматную доску воедино. А если нет доски — то и фигуры ставить не на что.

Шахмат не существует.

И не только шахмат. Теперь впору думать, что не существует и Сережи. Иначе он бы давно появился и обнял бы своего Бельча. Где же ты, Сережа?..

Шахмат не существует, остались лишь развеселые бумажные колпачки.

Словно отвечая невеселым Белкиным мыслям, где-то наверху заиграла музыка. Не бравурная и не издевательская, а вполне уместная для этого респектабельного дома: «Cheek to cheek» в исполнении Луи Армстронга и Эллы Фитцджеральд. *Танцуя щека к щеке*, форменное издевательство! Бумажные колпачки так и не дождались появления Белки и решили сами напомнить о себе.

Ну хорошо же!

Белка в который уже раз взглянула на план. Лестница, ведущая от черного хода на верхние этажи, была изображена в виде штопора. В реальности она тоже оказалась винтовой и, если смотреть на нее снизу вверх, живо напоминала закрученный в спираль аммонит. Металлические пролеты, металлические ступени и лишь перила деревянные. Примерившись, Белка махом преодолела две первых ступени, а затем еще две. Ее шаги легким эхом отскочили от стен, но заглушить Армстронга и Фитцджеральд эху так и не удалось. Напротив, по мере того как Белка поднималась, музыка становилась все громче, *интересно, тут все глухие, что ли?*

Свет на втором этаже не зажегся с ее появлением, он уже горел, а это могло означать лишь одно: здесь находятся люди. Четверо, как минимум, помимо чернокожего джазового дуэта. И все они спрятались от Белки в гостиной «Роза ветров», именно оттуда доносятся звуки музыки. Подойдя к неплотно прикрытой двери, она осторожно заглянула в щель; позиция была не слишком выигрышной, обзор невелик, но и его вполне хватало, чтобы составить представление об обстановке гостиной. Сверкающий паркет, часть покрытого белой скатертью обеденного стола и стулья, его окружающие. Вернее, один стул, ближний к двери. На нем... сидит Аля! Спиной к двери, но одного взгляда на светлые волосы достаточно, чтобы понять — это она. Ведь Белка — шатенка, Маш — красится в медно-рыжий, а Тата — коротко стриженная брюнетка. Но Таты здесь не может быть по определению, она осталась в старом доме Парвати. Если бы сейчас она оказалась рядом, Белке было бы намного легче: лучшего начала для большой дружбы не придумаешь. А в ожидании этой большой дружбы ей придется действовать одной.

Привет, разноцветные колпачки!

На последних тактах «Cheek to cheek» Белка распахнула дверь и увидела всю сцену целиком. В потоках света, подобно кораблю, плыл стол, и к нему были пришвартованы лодочки-стулья. Некоторые из лодочек так и не дождались своих пассажиров, но ровно половина заполнена. МашМиш, Шило, Ростик, Аля, Гулька. И снова они расположились так же, как и день назад, как и двадцать лет назад. Шило и МашМиш с одной стороны. Гулька и Аля — напротив, Ростик — в торце. Рядом с киношниками (или псевдо киношниками) — два пустых стула. Один из них предназначен для Белки, другой для Таты. Еще один — для Лёки, которого нет. Еще один — для Сережи, которого нет. Еще два... Еще два — для Лазаря и Асты, которых нет, нет, нет! Но есть маленькие шахматы на маленькой доске — собранные все до единой. Есть газовый шарф, когда-то принадлежавший русалке-оборотню и продемонстрированный за ужином Маш. Поблекший от времени, он небрежно наброшен на спинку стула.

Никто не возмущается присутствию этих вещей, как было вчера. Никто не пикируется, не обвиняет друг друга в корыстолюбии, эгоизме, душевной глухоте и прочих неприятных качествах, так свойственных человеку.

Никто не приветствует Белку радостными возгласами, ироническими репликами, плакатом «Ловко мы тебя разыграли?!».

Никто не издает ни звука, потому что все, сидящие за столом, —

мертвы.

Осознание этого не сразу доходит до Белки, ведь и Шило, и Ростик, и МашМиш выглядят вполне естественно, их шеи не располосованы ножом, и следов удушения на них нет. Ее многочисленная новообретенная родня сидит, откинувшись на спинки стульев, и кажется, что они просто отдыхают. Внимательно вслушиваются в голос Билли Холлидей, пришедший на смену Армстронгу и Фитцджеральд, —

I Only Have Eyes for You.

«Я вижу только тебя» — вот как называется эта песенка. Белке никогда не нравилась Билли, пусть она заткнется!

Пусть, пусть, пусть!

Белка истошно кричит, стараясь заглушить Билли; она кричит так, что ее, должно быть, слышно в старом доме Парвати, и в маленькой бухте с расщелиной, и даже в Ялте, и даже в Турции, куда мальчик Шило так и не добрался на своем надувном матрасе. В Турции живет еще один мальчик — Эмин, сладкий, сахарный, сколько сейчас времени в Турции, в Стамбуле? Даже если разница составляет час или два (час? два? сейчас не вспомнить), время ужина еще не закончилось. И вполне вероятно, что Эмин сидит сейчас за столом, ужинает в баре поблизости от дома или в своем любимом рыбном ресторанчике на набережной Эминёню (дивное созвучие имен). Разница лишь в том, что Эмин может запросто позволить себе макрель и жареную ставридку, а ее кузены и кузины — мертвы.

Все шестеро.

Белка кричит и кричит, но никто, кроме Билли, не слышит ее. Хотя она тоже мертва, жив только ее голос, он льется откуда-то из невидимых Белке колонок. Но и мертвой, Билли есть чем себя занять: она поет. Остальные не знают, что делать, они еще не приноровились к смерти как следует и потому просто сидят, глядя друг на друга остекленевшими глазами. Маш смотрит на бывшего толстяка Гульку — она удивлена; Аля смотрит на Миша — она удивлена не меньше. Непонятно, куда смотрит Ростик, сидящий в торце стола. На своего братца Шило, на шахматы, на шарф?

Я вижу только тебя.

Кого сейчас видят эти шестеро мертвых людей? Белку, которая кричит и не может остановиться. Крик лезет изо рта, как тесто из квашни, затолкать его обратно не получается. Со стороны смерти это, наверное, выглядит смешно: орущая живая среди мертвецов, которая не в силах ни приблизиться к ним, ни прикоснуться.

У Гульки точно такой же след на шее, который был у Али, да и Алин никуда не делся. У всех остальных все в порядке с горлом, во всяком случае на первый взгляд. Но когда Белка касается рукой плеча Шила (того, кто был ей ближе всех; того, к кому она успела по-настоящему привязаться), старший лейтенант Геннадий Кирсанов всем телом заваливается на стол подобно гигантской кукле, подобно костяшке домино. Затылок у Шила разворочен, волосы покрыты липкой черной кровью.

Выходное отверстие пули.

Откуда Белка знает это? Ниоткуда. В этом «ниоткуда» до сих пор живет и здравствует ее недолгий ухажер со вгиковским дипломом. Когда-то он подавал большие надежды, а теперь нон-стопом строчит сценарии криминальных сериалов. Этот сценарист с видом первооткрывателя и поведал Белке о том, как ведет себя пуля: входное отверстие едва заметно, зато выходное сносит едва ли не полголовы. *Вход — копейка, а выход — сто рублей*, метафорически пошутил он тогда.

Белка все еще не может оправиться от охватившего ее ужаса, но ясность взгляда уже вернулась к ней, а вместе с ней стали проступать детали, ранее неочевидные. Лилово-фиолетовые полосы есть только на шее у Али и Гульки, у всех остальных — крошечные дырки во лбу, кожа вокруг них едва заметно опалена. Двое были задушены, четверо — убиты наповал, кто мог совершить такое? Сумасшедший? Или, напротив, хладнокровный и совершенно вменяемый убийца?

Он и сейчас здесь, возможно даже — в нескольких метрах от Белки, за шторой. За дверью, ведущей к бильярдной. За дверью, ведущей к винтовой лестнице. Он может возникнуть за ее спиной. И Белка и опомниться не успеет, как ее шею захлестнет удавка. Он может возникнуть прямо перед ней. И тогда она разделит участь Шила, Ростика и МашМиша. Займет свое место в лодочке, несущей ее прямиком к Кораблю-Спасителю; вход сюда стоил дешево, а выход...

Оставаться в этой комнате дальше — все равно что примкнуть к ужасающему, кровавому семейному ужину. Бежать — бессмысленно, обе двери заперты, почему медлит убийца, чего он ждет?

Когда закончит петь Билли Холлидей.

Белка снова кричит, на этот раз получается что-то совсем уж отчаянно-бессвязное:

— Где ты?! Выходи!!! Давай, откройся!

Ответа нет, не потому ли, что Билли никак не может кончиться?

Неизвестно, сколько времени есть в запасе у Белки, может быть — несколько минут, может быть — жалкие секунды, но не использовать их нельзя. Она мчится в сторону буфетной: совсем недавно Миш и Шило обнаружили там штопор, значит, где-то могут быть и ножи. Надежда на нож призрачна, даже если он найдется, но это хоть какая-то осмысленная цель. Истошно кричать и оставаться при этом в бездействии невыносимо.

...Она все ждала шагов за своей спиной — громких или, наоборот, легких, крадущихся. Но ее сопровождали лишь звуки музыки, какого-то умиротворяющего блюза. Ворвавшись в буфетную, Белка принялась с грохотом выдвигать все имеющиеся ящики и откидывать крышки: несколько дорогих сервизов, бокалы, супницы, чашки с блюдцами, кольца для салфеток, изящные фарфоровые статуэтки животных и людей, вилки, ложки...

Ножи оказались столовыми.

Чертова буфетная! Это — не кухня, в которой готовят еду, в комнате хранятся предметы сервировки, будь проклят этот дом!

На смену энтузиазму пришло глухое отчаяние, и Белка, забившись в угол, зарыдала. Единственное, что она может сделать сейчас, — не отводить взгляд от распахнутой двери. Если убийца придет сюда (а он обязательно придет), она сможет посмотреть ему в лицо.

Белка не знает, чьим будет это лицо. Хотя... нет. Знает. Лицо коллекционера незадачливых насекомых. Того, кого дурачок Лёка обозвал странным словом «зимм-мам». Что еще говорил Лёка? Что никому больше не понадобятся телефоны. Что когда придет *зимм-мам*, ей станет по-настоящему страшно. И что она сразу поймет: он пришел.

Он пришел.

Пришел, чтобы усадить за праздничный обеденный стол, где все замерли в ожидании завтрака. В ожидании лета. Того лета, в котором они снова станут детьми. И Маш, возможно, помирится с Астой. А Аста ответит Мишу слегка надменной взаимностью, флирт между двоюродными братьями и сестрами — обычное дело, когда еще влюбляться, как не в шестнадцать лет?.. А сама Белка... она будет по-прежнему скучать по Сереже. Она всегда скучает по Сереже, ей хочется крепко смежить веки и заснуть. Чтобы проснуться уже мертвой, в том самом мире, где дырки во лбу и фиолетовые полосы на шее проходят сами собой, заживают, как заживают царапины и густо смазанные зеленкой раны на коленках. И самое главное: она наконец-то увидит Корабль-Спаситель, огромный и величественный. Каюты в нем уже заняты теми, кого она так сильно любила, по крайней мере, одна из кают. Мама и папа ждут свою Белку, и она скоро, совсем скоро причалит к борту...

Кажется, Белка и впрямь заснула, а может, провалилась в забытье, из которого ее вывел странный звук — как будто две льдинки стукнулись друг о друга. Звук шел не извне, а откуда-то из недр ее сумки, которую все это время она таскала с собой. Неужели заработал телефон? Резким рывком Белка вытряхнула все содержимое сумки на пол: куда-то в сторону полетел дневник Инги, развалилась на части папка с ее фотографиями, а маленькое круглое зеркальце откатилось к буфету, произведя невероятный шум. Вот открытка с приглашением к путешествию, оказавшемуся путешествием в один конец, вот тушь для ресниц, которая ей больше не пригодится, вот идиотский вьетнамский бальзам «Звездочка»... Где же телефон?

У нее нет телефона. Но ледяное, быстро тающее сообщение все-таки пришло! Только теперь Белка вспомнила о «Нокии», которую бросила себе в сумку. С этим телефоном хлопот не оберешься, вечно он прячется от хозяев, заставляет их нервничать!

Телефон нашелся под папкой с фотографиями, он выпал из сумки первым, и уже потом Инга заслонила его своим смеющимся клубничным ртом. Подхватив «Нокию», Белка нажала на кнопку и впилась глазами в дисплей. Всего лишь одна палка, что означает неуверенный прием. Одна палка и один непринятый звонок: Тата — *суши весла!*

ЭТОТ АБОНЕНТ ЗВОНИЛ ВАМ 1 РАЗ

Слабо понимая, что делает, Белка нажала на кнопку вызова. Раздались длинные гудки, после чего в трубке послышался голос Таты — ровный и прохладный, как она сама.

— Шило? Куда вы все пропали?

— Это я, Белка, — срывающимся шепотом отозвалась Белка.

— Привет. Ты записалась в секретари к Шилу? А где он сам? Что, черт возьми, происходит? И почему ты говоришь шепотом?

— Никого нет.

— Что значит — никого нет?

— Никого нет. Больше. Я на соседней вилле. Той самой, с бассейном.

— Хмм... А что ты там делаешь? И как ты туда попала?

Кажется, Белка говорит совсем не то, что нужно, теряет драгоценное время.

— Неважно. Просто слушай и не перебивай меня.

— Хорошо.

— Здесь все. Почти все. Они... мертвые. И Шило мертв.

— Что за глупости?

— Всё так и есть. Я в беде. Кто-то убил Шило, МашМиша и Ростика. И Алю с Гулькой... Наверное, он еще здесь. Тот, кто убил. Я в беде! Звони в полицию, пусть приезжают. Пусть приедет хоть кто-нибудь!

— Успокойся. И уходи оттуда.

— Я.. не могу уйти. Дом заперт. Я в ловушке. Пожалуйста, сделай что-нибудь...

— Если это шутка — то совершенно идиотская.

— Нет! Умоляю тебя!

— Все, что ты сказала, — правда?

— О господи! — Белка с трудом сдерживала слезы. — В любой момент все может кончиться... Пожалуйста, пожалуйста...

— Я поняла, — только теперь в голосе Таты послышалось волнение и участие. — Если ты не можешь выбраться, запрись где-нибудь. Там можно запереться?

— Не знаю. Я не смогу, не смогу...

— Сможешь. Я буду через пять минут.

— Нет. Не смей! Не смей даже приближаться! Звони в полицию!

— Я что-нибудь придумаю. Обещаю...

Помехи, шорох и треск. Тата с ее «Я что-нибудь придумаю» истончается и исчезает, через мгновение в трубке воцаряется безнадежная немота. Белка с отчаянием смотрит на расколотый дисплей: связь снова потеряна, она может возобновиться в любую секунду, а может не возобновиться никогда. Во всяком случае — при Белкиной жизни, лучше не думать об этом. Лучше не думать о том, что выберет Тата — этот дом или дорогу к шоссе. Если она не до конца поверила Белке и решила, что лозунг «Вот ты и попалась!» предназначен для нее, — Тата появится здесь. Если же поверила... Обезлюдевший хутор «Роза ветров» отрезан от мира. Чтобы добраться до шоссе, нужно потратить не меньше получаса — и то если перейти на бег. Станет ли Тата бежать — по пересеченной местности, в темноте, под проливным дождем? Но даже если дождь кончился, и не пойдет больше никогда, и на всем побережье вдруг наступит полярный день, — станет ли Тата бежать? И почему только Лёка не обзавелся никаким транспортным средством?..

Лёка.

Нужно было сказать художнице, чтобы она разыскала добродушного дурачка, наверняка он где-то у себя в мастерской. Возможно, ей удалось бы выудить из аборигена больше, чем удалось Белке. Тата — умная и решительная, и в то же время в ней есть что-то, что позволяет говорить на одном языке с такими людьми, как Лёка. Это не заискиванье, не сюсюканье, не сползание в третье лицо единственного числа, когда говоришь о себе. Тата может настроиться на Лёкину волну, Белка почти уверена в этом. А вдвоем они смогут помочь Белке быстрее.

Если еще есть шанс помочь.

Но и она не должна тупо сидеть здесь и ждать неизвестно чего. А... что она должна сделать? Тата посоветовала ей запереться в каком-нибудь укромном уголке и уже там дожидаться помощи. На двери буфетной нет даже декоративной щеколды, холл и гостиная «Роза ветров» представляют собой анфиладу, остаются обе лестницы и кинозал. И еще два этажа. Первый — закупорен со всех сторон, а третий... Вручить свою судьбу Богу и отправиться в домашнюю часовню? До часовни можно и не дойти, а ее судьба — здесь и сейчас — меньше всего зависит от Бога. Скорее — от дьявола.

От убийцы.

Пока Белка предавалась бесплодным и горестным размышлениям, ее глаза скользили по фотографиям, вывалившимся из папки. Клубничная Инга — этот снимок она уже видела. А вот другой, почти такой же, но сделан он на общем плане. Инга сидит, прислонившись спиной к другой спине: какого-то паренька, такого же темноволосого, как и она. Он намного выше и мощнее — следовательно, старше. Это и не паренек даже — молодой мужчина. А вот и его профиль! Очень удачная фотография — Инга и мужчина смотрят в разные стороны, оба профиля взяты на контражуре и чем-то неуловимо похожи друг на друга и чем-то знакомы самой Белке. Но фотография и впрямь чудесная, хоть сейчас на выставку. Пожалуй, мужчина со снимка — ровесник нынешней Белки, кто он? Не чужой Инге человек — ведь снимков не меньше десятка, и со всех льется абсолютное счастье, абсолютное взаимопонимание, абсолютный покой. Примерно такими же были отношения между Белкой и ее отцом.

Подписей на снимках нет — на всех, кроме одного, где Инга сидит на коленях у мужчины и улыбается, быть может, чуть грустнее, чем обычно. Но это «чуть» совершенно несущественно. Существенно — лицо мужчины, которое Белка видит впервые, ничем не заслоненное — ни солнцем, ни тьмой, ни цветом граната, ни виноградными листьями.

Она уже видела это лицо.

Вчера в альбоме, который передала ей Тата. Это лицо французского актера... как же его звали? Бернар Алан. «Для Барбары. По-дружески. Бернар Алан». Сходство почти абсолютное, разве что у лучшего друга Инги Кирсановой покруче подбородок.

А еще... Внезапное озарение снисходит на Белку — Лучший Друг похож на Сережу! Не так явно, как на Бернара Алана, но все же...

ИНГА И ИЛЬЯ. АВГУСТ. 1969.

Илья! Илюша. Наверное, это и есть Самый старший. Тот, о ком никогда не упоминала Парвати. Тот, о ком даже во сне не проговаривался Белкин отец. Тот, чье имя было стерто на зарубке в старом доме. Но Илья упрямый, он не захотел мириться с беспамятством Большой Семьи: сбежал с Корабля-Спасителя, прихватив шлюпку и посадив туда Ингу. Запаса воды и сухарей хватит ненадолго, но и сам побег предполагает возвращение: Инга и Илья — временные гости здесь, каюта на Корабле-Спасителе закреплена за ними навечно. Все, что им нужно, — снова напомнить о себе, *оставить зарубку*. Ведь Илья не просто старший брат клубничной Инги, он еще и отец Сережи! Странно, что Белка никогда не думала об этом. Или старалась не думать? Или ее сердце слишком маленькое, чтобы вместить в себе еще кого-то, кроме Повелителя кузнечиков? Если оно и выросло за эти годы, то лишь незначительно, на несколько сантиметров, и их недостаточно, чтобы там свободно расположился Илья со своей шлюпкой...

Это — не фотографии.

Вернее, не совсем фотографии. Фотокопии документов. Они тоже лежали в папке, но Белка была так сосредоточена на снимках Инги и Ильи, что поначалу не придала им значения. Качество печати не очень хорошее, явно просматриваются лишь какие-то фамилии, они набраны курсивом. Белке знакома только одна — КИРСАНОВ.

Илья Кирсанов. И.А. Кирсанов.

Протоколы судебных заседаний по делу И.А. Кирсанова — вот что это такое.

Страшная правда настигает Белку в тот момент, когда пазлы старой семейной тайны собираются воедино. Но картина, едва сложившись, рассыпается на тысячи осколков, и каждый из них кромсает сердце на мелкие кусочки. Ничего, ничего не остается в груди — только кусок бесформенного мяса. И сама Белка — кусок такого же мяса, племянница серийного убийцы, пожизненно привязанная канатами к сыну серийного убийцы.

Подробности деяний И.А. Кирсанова, расстрелянного в 1981 году, невыносимы, но Белка и не в состоянии читать эти плохо сфотографированные подробности. Количество жертв — одиннадцать, все — несовершеннолетние девушки 15–17 лет. Одиннадцать — ровно столько внуков было у Парвати, ровно столько детей каждое утро собиралось за столом. Ах да... Белка, как всегда, не учла Лазаря. Незаметного паучка-кругопряда, шахматного рыцаря, мальчика *не-пришей-кобыле-хвост*. Такого же трогательного, как крошки-лемуры, как крошки-колибри. Главная удача Лазаря состоит в том, что у него другая кровь. Иная. Не отравленная сатанинским безумием. Даже теперь, по прошествии двадцати двух лет со дня гибели, Лазарь выглядит победителем, почти счастливчиком. Потому что не имеет никакого отношения к проклятой Большой Семье, извергнувшей из своей утробы маньяка. Лазарю лучше всех на Корабле-Спасителе, его без вопросов пропускают в радиорубку и на капитанский мостик и даже дают подержаться за штурвал. На полпути к мостику он встречает Белкиных родителей, и родителей Таты, и отца Ростика и Шила. И отдает им честь двумя пальцами, поднесенными к голове. Это не выглядит смешно, скорее — умиляет. И взрослые улыбаются, они всегда улыбаются, потому что на Корабле-Спасителе все счастливы. Те одиннадцать девушек — тоже там и тоже счастливы. После всего ужаса и кошмара, что им пришлось перенести, они заслуживают счастья.

И лишь Кирсанов И.А. не заслуживает ничего. Только ада.

И последние несколько часов она носила этот ад в своей сумке. И Шило... Кажется, Шило говорил о том, что ему удалось кое-что «нарыть». Что, если это касалось истории серийного убийцы? Белка не сможет взять отсюда ни одной фотографии, хотя клубничная

Инга ни в чем не виновата. И папа ни в чем не виноват, и Парвати, и никто из ее детей. Но теперь во всяком случае понятен их залитый свинцом и заштопанный суровыми нитками заговор молчания вокруг Самого старшего. Белка не осуждает их, она бесконечно их жалеет. И совершенно не знает, что теперь делать с Сережей, если она когда-нибудь встретится с ним. Его лицо будет напоминать ей лицо Самого старшего — серийного убийцы. Тем более теперь, когда Повелителю кузнечиков не семнадцать, а ближе к сорока. А если похоже не только лицо?

Случайно возникшая мысль больше не кажется Белке случайной, она все расставляет на свои места. Повелитель кузнечиков чертовски умен и всегда был умен, он провел юность в окружении справочников и книг, полных уравнений и формул. Были еще самоучители по самым разным языкам, но математические формулы — самое главное. Сережа — прирожденный математик, а только математик мог так все рассчитать. Только математик, обладающий мощным интеллектом, мог продумать такую схему, чтобы все оказались в одно время в одном месте, даже не подозревая, что явились на заклание. Только математик, обладающий безупречным чувством времени, мог развести людей в этом огромном доме, чтобы справиться с каждым поодиночке и за считаные минуты. Только математик, обладающий феноменальной памятью, мог вспомнить все подробности их детского существования и напомнить об этом другим. Только математик, обладающий невероятным хладнокровием, мог рассчитать траекторию движения каждого и свести эти траектории воедино — за обеденным столом «Розы ветров».

Не все лодочки заполнены, Белкина — пустует.

Пустует лодочка Асты, но это и понятно, Повелитель кузнечиков убил русалку-оборотня больше двадцати лет назад, так что тело ее не сохранилось. Остались лишь немые свидетели этого преступления — шарф и свитер. Тот самый, который Белка нашла когда-то на сеновале, пахнущий землей и сыростью. Быть может, именно этот свитер сейчас на ней, ведь она даже не удосужилась снять его — ни в зимнем саду, ни после. В зимнем саду он показался ей совершенно стерильным, но теперь запах земли и сырости проступает все явственнее.

Земля и сырость — плата за входной билет на лодочку, которая доставит ее к Кораблю-Спасителю. Теперь, когда ее мир разрушен, когда от крошек-лемуров и крошек-колибри остались лишь клочки шерсти и кучка перьев, когда плющ съежился, а водопад иссяк... Теперь единственное желание Белки — поскорее занять место за обеденным столом, присоединиться к восьмилетнему Шилу, и шестилетнему Ростику, и толстяку Гульке, и маленькой Але. И к подбитому истребителю МашМиш.

Только Тата запаздывает.

И больше всего на свете Белке хочется, чтобы она опоздала. Хотя бы она. Пусть Тата отправится к шоссе и больше не возвращается, позволит Сереже усадить маленького Бельча за большой стол. Потому что когда Сережа проделает это с Белкой, он отправится за Татой. Похоже, ее траектория — самая затейливая.

Пусть Тата уйдет и больше не вернется.

И Белке пора.

Вы поедете на бал?

...Белка поднялась и, покачиваясь, как сомнамбула, вышла из буфетной.

— Сережа! —

крикнула она что есть мочи, но ответом ей была тишина. Даже Билли Холлидей закончила свое выступление и, раскланявшись, ушла со сцены. Вернулась на Корабль-Спаситель, чтобы петь там в диксиленде. Все в конечном итоге возвращаются на Корабль-Спаситель, теперь пришел и Белкин черед.

— Сережа!.. Я здесь!

Ничего, ничего не изменилось в гостиной «Роза ветров» с тех пор, как Белка покинула ее. Гулька и Аля — Белке кажется, что фиолетовые полосы на шее малышей стали еще темнее. Шило — упавшая костяшка домино — лежит простреленной головой на столе. Так, как Белка оставила его. Это то, что она увидела краем глаза.

Но глаза ее устремлены вперед — туда, где стоит старая ширма Парвати. Ширма исчезла из зимнего сада, чтобы появиться здесь. Но красных сандалий под ней нет.

За ширмой стоит человек. Мужчина. Видны лишь его ноги, обутые в кеды. Кажется, точно такие же кеды были на Сереже, когда Белка впервые увидела его. Или Сережа был в кроссовках? Белкиной памяти больше нельзя доверять, она крошится, как известняк в старом доме Парвати. Медленно, очень медленно, Белка подходит к ширме и прижимается лбом к дереву.

— Привет, Сережа, — говорит она.

— Привет, Белка, — голос у Сережи глухой, ровный и какой-то пустой внутри.

— Зачем?

Сережа понимает Белку с полуслова:

— Так надо. Так говорит *зимм-мам*.

Зимм-мам. Тот, о ком упоминал Лёка, и который в результате оказался Сережей. Или той черной силой, которая сжирает Сережу изнутри. И которая сжирала его отца. Голова Белки — кладезь ненужных знаний, целая библиотека ненужных знаний, все в ней разложено по полочками, каталогизировано. То, что может ей пригодиться, всегда находится под рукой. За остальным нужно тянуться, подставлять деревянную библиотечную стремянку, перетаскивать ее с места на место, карабкаться вверх. Или приседать, почти ложиться на пол. Тогда и стремянка не нужна, но все равно — одно сплошное неудобство. Папки с материалами о серийных убийцах покоятся в самом дальнем, пыльном углу. Чтобы добраться до них, необходимо усилие. А пока, навскидку, Белка может вспомнить, что серийные убийцы подсознательно стремятся быть пойманными. Они не могут противостоять злу, живущему в них, как бы ни старались. Наверное, есть и другие характеристики, и их перечень изложен в мудрых толстых книгах, которые так любил читать Сережа, но у Белки нет сил тянуть чертову стремянку к полке с ними.

— Я взяла твой свитер. Это ничего?

— Ничего.

— Я скучала по тебе.

— Я тоже скучал по тебе.

— Я все знаю, Сережа. Я прочла. О твоем отце. Бедные мы все.

— Бедные, — соглашается Сережа.

Белка все еще не видит его. Повелитель кузнечиков где-то там, за минаретами, за жуками-древоточцами, которые прогрызли ходы не только в дереве, — они добрались и до самого Сережи, источили его душу, источили голос — оттого он такой глухой и бесплотный. Пустой, как желоб, идущий от заброшенной бойни. Желоб полон мертвых насекомых, мертвых листьев, мертвых цветов — они выкрашены в одинаковый бурый цвет. И несут в себе воспоминания о такой же мертвой крови, которая совсем недавно лилась здесь потоком. Скоро и Белка рухнет в этот желоб — маленькой, никому не нужной стрекозой.

Красоткой-девушкой.

— Ты помнишь, как звал меня?

— Белка, — после небольшой паузы говорит Сережа.

— А еще?

Он всё забыл, всё! Забыл даже о Бельче, который еще меньше, чем Белка, еще пушистее. Что уж говорить о таком незначительном существе, как стрекоза?

— Ты звал меня красоткой-девушкой.

— Красоткой-девушкой, да, — эхом откликается Сережа.

Еще совсем недавно Белка страстно мечтала увидеть его. Заглянуть в глаза. Но теперь она постарается избежать встречи с его глазами, с его лицом. Потому что это лицо убийцы, а Белка вовсе не жаждет, чтобы последнее, что она увидит в жизни, было лицо убийцы. Конечно, она могла бы еще немножко поговорить с Сережей вот так, через ширму, немного похожую на глухую заднюю стенку в исповедальне. Но исповедоваться Белке не в чем.

А Сережа вряд ли захочет.

Чего хочет сама Белка? Чтобы все побыстрее закончилось.

Чтобы исчезла тошнота, подступившая к горлу, когда она впервые увидела мертвых детей, собравшихся здесь. Приступ тошноты Белка испытала и в буфетной, сидя на полу и разглядывая фотокопии судебных заседаний. Но теперь все прошло. Кажется. Наверное, она могла бы еще поговорить с Сережей, *заговорить его.* Они беседовали бы полчаса, час, ночь, вспоминая тот август. Возможно даже, она наконец дотянулась бы до полки, где стоят фундаментальные труды о психологии серийных убийц и постаралась бы дезориентировать его. Вытащить настоящего Повелителя кузнечиков, спеленатого в коконе зимм-мама.

И тем самым спастись.

Или дождаться помощи, которую приведет Тата, — и тем самым спастись. Но все дело в том, что Белка больше не хочет спасаться. Спастись означало бы жить дальше. Каждую секунду вспоминая фиолетовые рубцы и костяшку домино. Памяти о Лазаре в заросшем водорослями гроте хватило, чтобы отравить двадцать лет, но это была лишь одна человеческая жертва. А здесь — целых шесть. И еще одна — Сережа. Тот самый добрый и светлый Повелитель кузнечиков, который был уничтожен и стерт чернотой зимм-мама. Тот самый, к которому она была так привязана.

Пусть все закончится.

Пусть.

— Ты можешь делать то, что задумал.

— Да.

Белка с трудом отлепляется от минаретов и жуков-древоточцев и поворачивается к столу. Теперь она видит его целиком. И свой пустой стул-лодочку.

И — Тату.

Тата сидит на своем месте, откинувшись на спинку так же, как все остальные. Она недвижима, а ее широко раскрытые глаза смотрят прямо перед собой. Выходит, она не поверила Белке и пришла сюда, подписав себе тем самым смертный приговор! Вот только как она попала внутрь?.. Неважно, это уже неважно, и не стоило Белке сидеть в буфетной так долго, — быть может, тогда жизнь Таты была бы спасена! Вдвоем они могли бы справиться с убийцей. Но жалеть о несовершенном поздно. Белка опоздала везде, и лишь стул-лодочка терпеливо ждет ее.

Ноги у Белки подкашиваются, она падает на пол и закрывает глаза. И почти тотчас же ее горло сдавливает петля. Уже не понять, что это — теннисная туфля Маш или ремень с автомобилем-jazz, и кто она сама — девочка, женщина тридцати трех лет или стрекоза «красотка-девушка». Белке не хватает воздуха, в самый последний момент она начинает вырываться, но петля неумолима. Как сквозь пелену, она слышит два легких хлопка, а потом — еще один. И удавка ослабевает, а на Белку валится тяжелое тело, полностью накрывая ее собой.

* * *

— Жива?..

Этот голос взрезает ледяную толщу темноты. Он знаком Белке. Еще недавно он истончался, почти исчезал, но теперь звучит в полную силу. С трудом открыв глаза и потирая рукой саднящую шею, она высвобождается из-под груза обмякшего тела Повелителя кузнечиков. Изумление ее так велико, что Белка не может вымолвить ни слова.

Тата, все так же сидящая за столом, смотрит на нее и улыбается. Прямо перед ней, на скатерти, лежит пистолет с глушителем.

— Извини, что не вмешалась раньше. Но очень хотелось досмотреть сцену до конца.

— Ты... Значит, он не убил тебя?

— Как видишь.

— Но почему?

— А ты бы хотела, чтобы он меня убил?

— Нет... Конечно же, нет. Как ты могла подумать?

— Учитывая историю нашей семейки, подумать можно все, что угодно.

Чудом избежав смерти, Белка счастлива, абсолютно счастлива. Если можно говорить о счастье среди мертвых тел.

— Мне очень хотелось дружить с тобой, Белка, — Тата по-прежнему улыбается, но в голосе ее звучит ностальгическая грусть. — Тогда, в августе.

— Все впереди. И... это будет больше чем дружба. Мы ведь семья, родные люди... Ты спасла меня. Я... Я не знаю, что сказать.

— Ничего не говори. Просто послушай.

— Да, да. Конечно. Я слушаю.

— Мне очень хотелось дружить с тобой. Именно с тобой.

— Почему?

— Я уже пыталась объяснить тебе. Старшие были недосягаемы. Это все равно что хотеть дружить с солнцем. Или луной.

— А я?

— Ты тоже была недосягаема. Чуть ближе, чем луна, но сколько ни подпрыгивай, до нее все равно не дотянешься. И ты была занята своим Сережей. Слишком занята.

Белка вздрагивает от одного имени Сережи. Ей хочется, чтобы его не произносили никогда. Стерли из всех свидетельств о рождении, из всех паспортов. Невозможность этого не отменяет жгучего желания. О чем говорит ей Тата?

— Ты даже не замечала меня.

— Все не так. Я всегда знала, что ты умница. Смышленая не по годам.

— Знаешь, что самое удивительное?

— Что?

— Это так и есть.

— Ты не такая, как все. Я говорила об этом Шилу и Маш...

— Я знаю.

— Мы остались одни и теперь должны держаться друг друга. И позаботиться о Лёке.

— Я уже позаботилась о нем.

— Что ты хочешь сказать?

— Ровно то, что сказала, — Тата улыбается еще шире.

И это обнадеживающая улыбка. Из тех улыбок, что всегда приманивают к себе крошек-лемуров и крошек-колибри. Если сейчас в темных глазах Таты зацветет плющ и забьет из скалы водопад, Белка нисколько не удивится.

— Наверное, сейчас не время об этом говорить, но... Ты должна будешь переехать ко мне в Питер. Глупо жить в каком-то Новгороде, если у твоей сестры есть шикарная квартира в Питере, в центре.

— Как часто?

— Не поняла тебя...

— Как часто ты вспоминала о том, что у тебя есть сестра?

— Но... Мы не общались, да. Прости. Теперь у нас будет масса времени...

— Не так много, как ты думаешь. Но время еще есть.

— Когда этот кошмар закончится...

— Ты полагаешь, он закончится?

— Надеюсь. Ведь самое страшное уже позади. И мы живы... Нам нужно о многом поговорить. Это очень тяжелый разговор, но говорить нужно. О том, что случилось в нашей семье когда-то.

— Я знаю, что случилось когда-то в нашей гребаной семье.

— Знаешь? — Белка потрясена.

— И уже давно.

— Но... Я узнала об этом только сегодня.

— Могла бы узнать раньше, если бы захотела. Но ты ведь не хотела. Никто из вас не хотел, кроме разве что полицейской ищейки.

— Это не так, Тата.

— Это так.

До сих пор улыбка маленькой художницы была сочувственной и ободряющей, — когда она успела трансформироваться в саркастическую гримасу?

— Не хочешь взглянуть на своего лучшего друга?

О ком говорит Тата?

О том, кто лежит за Белкиной спиной. О Повелителе кузнечиков, от которого осталась одна оболочка, туго набитая мечтами красотки-девушки. Белка ни за что не обернется, ни за что!

— Не хочу.

— Неужели неинтересно увидеть, как он изменился за столько лет?

— Нет.

— Взгляни. Могу поспорить, ты удивишься.

— Нет.

— Взгляни.

Тата больше не просит, она приказывает. Этой новой, жесткой Тате невозможно сопротивляться, и Белка послушно оборачивается. Увиденное потрясает ее не меньше, чем воскрешение Таты из мертвых. Да нет же, больше, много больше! Ведь на полу в луже крови, раскинув руки, лежит...

Лёка!

Добродушный деревенский дурачок, *даунито*, безотказный смешной Лёка! Ни разу не ответивший на прямые оскорбления Маш, терпеливо сносящий подколки всех остальных. И пальцы у него совсем не толстые, просто — крупные.

— Вы ведь знакомы? — насмешливо произносит Тата.

— Лёка...

— Может, имеет смысл познакомиться еще раз? Поближе?

— Лёка... Лёка... Лёка... — повторяет Белка как заведенная.

— Угу. Знаешь, кто он?

— Лёка.

— Сын самого старшего брата и самой младшей сестры. Гнилой плод инцеста сумасшедшей и серийного убийцы. Старухе надо было бы удавить его в колыбели, но она оказалась слишком сентиментальна. Ты помнишь старуху?

То, что испытывает Белка, с трудом поддается описанию. Ужас, отвращение и еще... облегчение и стыд. Как она могла заподозрить Повелителя кузнечиков в страшных преступлениях? Сережа ни в чем не виноват, и он должен приехать сегодня, сейчас!

— А где Сережа?

— Ты помнишь старуху? — Тата не дает Белке сбиться с пути, который известен только ей. Гонит и гонит утлое тельце красотки-девушки по желобу с высохшей кровью.

— Да. Я помню старуху.

— Она была суровой. Не разменивалась на такую мелочь, как любовь.

— Она любила Сережу.

— Ну да, ну да.

— Где Сережа?

— Ты ждала столько лет. Подожди еще немного.

— Это ведь его дом?

— Это его дом. А старухе не позавидуешь, правда? Произвести на свет серийного убийцу и знать об этом. Произвести на свет девочку, которая свихнется и умрет в психбольнице, не дожив до двадцати... Это испытание, нет?

— Я ничего не знала.

— Не хотела знать, — снова холодно поправляет Тата.

— Отец никогда не рассказывал мне...

— Конечно. Мои родители тоже ничего мне не рассказывали. Такова была воля старухи, и никто так и не осмелился ее нарушить. А старуха была самый настоящий кремень, не то что... — Тата осекается.

И громко хохочет, запрокинув голову. Хохочет, сидя среди мертвых тел. В этом есть что-то неправильное, ненормальное.

— А знаешь, что самое удивительное? Все подчинились старухе. И всю жизнь подчинялись, заперли в себе страшную правду и целую жизнь прожили с ней. Думаю, смерть была для большинства из них облегчением.

— Смерть не может быть облегчением.

— Неужели? Разве не о смерти ты думала, когда стояла возле дурацкой ширмы? Наверное, самая младшая, Инга... тоже думала о смерти. Когда связалась со своим старшим братом. Знаешь, как она звала его?

Лу.

«Лу думает, что это хорошо», *«Лу сказал, что я красивая»*. Инга никогда не забывает нарисовать рядом с Лу маленькое сердечко. Лу — первая любовь Инги, мальчик-ровесник, так думала Белка, читая дневник. Но это не мальчик — это ее старший брат.

К горлу снова подступает тошнота, мертвые тела кузенов и кузин кружатся перед Белкой в каком-то дьявольском танце, и лишь маленькая художница сидит неподвижно.

— Знаешь, как она звала его? — снова повторяет Тата.

— Лу.

— Ты сообразительная. Немного похожа на меня. Немного похожа на Ингу. Она тоже была умненькая девочка. И очень чувствительная. Наверное, она бы переросла свою любовь и удержалась у края пропасти. Если бы Лу не сделал с ней то, что сделал, когда ей исполнилось пятнадцать.

— Откуда ты знаешь?

— Я читала ее дневники. Все дневники. А не только один, как ты. Она вела их до самой смерти. И теперь они все у меня.

— Почему... они оказались у тебя?

— Потому что я хотела узнать тайну. В отличие от всех вас. Она осталась в живых только потому, что была его сестрой. И он любил ее. Остальным, которые не сестры... повезло меньше.

— Значит, теперь ты знаешь тайну.

— Все тайны. Все.

— И знаешь, кто убил Асту?

— Да. Ты же сообразительная. Сама можешь догадаться.

— Лёка? — Белка прикрывает глаза.

— В точку, — хохочет Тата.

Почему Белка до сих пор не замечала, какой у нее неприятный, металлический смех? Потому что Тата никогда не смеялась при ней. Не было повода. И они слишком коротко виделись, чтобы Белка могла изучить все эмоциональные проявления художницы. Она совсем не знает Тату, совсем.

— И как он это сделал?

— Очень буднично, поверь. Он ведь только тем и занимался, что плодил собственные сущности. То, что психиатры называют диссоциативным расстройством.

— Шизофрения?

— Стандартная ошибка полуобразованных людей, — голос Таты звучит покровительственно. — Такого рода расстройства никак не связаны с шизофренией. В голове у человека живет сразу несколько личностей, и переход от одной к другой совершенно произволен.

— И... кто жил в Лёке?

— Как минимум, его отец. Возможно, Сережа, к которому он был привязан. Ну и сам дурачок, конечно, доброе, безответное и бессмысленное существо.

— А рассказал тебе об этом его отец? Сережа? Или он сам?

— Сын своей матери, я думаю. Раскаявшийся сын.

— Той самой матери, которая умерла в психушке?

— Тебе нужны подробности?

— Нет.

— Изволь. Я расскажу тебе.

— Мне не нужны подробности.

Кажется, Тата не слышит Белку.

— Он настиг Асту здесь. Не в этом доме, этого дома еще не было. Был пустырь с халупой, а ее владелец отлучился по какой-то надобности в город. Наверное, решение, принятое Лёкой, было спонтанным. Даже скорее всего. Просто увидел девушку, которая возвращалась после свидания, глубокой ночью. Он очень сильный, Лёка. Ты ведь знаешь.

— Да.

— Все дурачки отличаются недюжинной силой, так что справиться с хрупкой Астой не составило особого труда. Потом, после всего, он задушил ее.

— Ремнем?

— Может быть. А может, и нет.

Халупа. Помнится, Шило тоже назвал домишко, что прежде стоял здесь, «халупой». Удивительное единство характеристик, хотя можно было выбрать какое-нибудь другое слово: хибара, времянка, развалюха... Да мало ли что! Так кто кому рассказал о халупе? Шило Тате или наоборот? И когда они успели поделиться друг с другом сведениями о прежнем облике участка? У обоих Белкиных родственников было слишком мало времени. То есть его было достаточно, чтобы познакомиться. Но чтобы довериться... Тут нужна совсем другая мотивация.

И расчет.

Белка чувствует, что и в ее собственной голове происходит нечто экстраординарное. Там тоже *кто-то поселился*. Кто-то, бесстрастно взирающий на ситуацию. Его совершенно не пугают мертвые тела, а благодарность маленькой художнице не в силах заслонить внезапно возникшее недоверие к ней. Уже в том, что она успела рассказать Белке, есть нестыковки, шероховатости. Нужно на время оставить в покое *того, кто поселился*, пусть он разбирается с нестыковками. А Белка просто будет слушать Тату — это все, что в силах сделать человек, только что спасенный от неминуемой гибели.

— Там, в зимнем саду, я нашла ремень. Он валялся на дорожке. А еще — шахматы.

— Хочешь поговорить о моем брате? О Лазаре?

То, о чем приходится постоянно напоминать себе: Лазарь был Татиным братом, хотя отцы у них разные. Тем летом Белка почти не видела их вместе. Не то что МашМиш — попугаи-неразлучники. Не то что Шило и Ростик: рядом с первым с высокой долей вероятности всегда можно обнаружить второго. Воспоминаний о Гульке с Алей почти не сохранилось.

— Лазарь был очень хорошим, — неуверенным голосом говорит Белка.

— Только этого никто не замечал.

— Это не так.

— Это так.

Спорить с Татой бесполезно, ведь она знает все тайны.

— То, что произошло с ним, — несчастный случай?

— Может быть. А может, и нет.

— Только не говори, что это Лёка убил его. Утопил как случайного свидетеля.

То, что столько лет мучило Белку, вовсе не представляет никакой проблемы для Таты. Как будто речь идет не о ее брате, а о ком-то постороннем. По большому счету, он и был посторонним. Единственным, в чьих жилах не текла кровь Большой Семьи.

— Он мог стать случайным свидетелем произошедшего с Астой, — продолжает настаивать на своем Белка.

Воспоминания о Лазаре давно не приносят острой боли — просто иногда саднят, как саднит на погоду давний перелом. Лазарь был незаметен, он умел возникать ниоткуда и снова исчезать, растворяться в воздухе. Но в самый последний раз ему не повезло. Он не успел исчезнуть вовремя и поплатился за это.

— Не думаю. Ты хорошо помнишь то лето?

— К сожалению. А ты?

— Мне было пять. Не слишком надежный возраст.

— Не слишком надежный?

— В суде мои показания никто не принял бы в расчет.

— А тебе было бы что рассказать?

— Нет. Рассказать — нет. Интерпретировать воспоминания — возможно.

Тот, кто поселился в Белкиной голове, наконец обнаружил одно сомнительное обстоятельство. Все это время оно лежало на поверхности, а именно то, что лежит на поверхности, замечаешь в последнюю очередь. Когда Белка разразилась проникновенной речью о Тате, о том, какая она смышленая, какая умница, и упомянула о Шиле и Маш... Тата сказала: «Я знаю». Но знать об этом невозможно, если не присутствовать при разговоре. Разговор произошел в бильярдной, а вовсе не в старом доме Парвати, где в это время находилась Тата. Следовательно, она не могла слышать его. Тогда откуда взялось «Я знаю»?

— Я бы хотела уйти отсюда, — Белка зябко поводит плечами.

— Антураж не слишком веселый, согласна.

— Давай уйдем.

— Оставим их здесь? — Тата обводит глазами мертвецов.

— Нужно вызвать полицию...

— Само собой. Мы обязательно это сделаем.

— Разговаривать можно и в другом месте.

— Это — самое подходящее, поверь.

— Может быть, появилась телефонная связь?

— Может быть. А может, и нет.

Тот, кто поселился в Белкиной голове, любит торчать на работе допоздна. Его кофе остывает прежде, чем он решит выпить его; в карманах валяются обсыпанные табаком галеты и слипшаяся карамель. Он не слишком следит за собой, напрочь лишен чувства юмора, и он — интроверт. Друзей у него отродясь не бывало, зато начальство ценит его за безотказность и внезапные озарения. Отсутствие телефона очень беспокоило Шило — почему? Ведь чтобы приехать сюда, он наверняка взял отпуск за свой счет — следовательно, мог отдохнуть от работы. И почему связь возникла ровно на минуту, а потом пропала вновь? И как Тата попала сюда? — ведь обе двери были закрыты. И откуда у нее пистолет? Можно предположить, что пистолет принадлежал старшему лейтенанту Кирсанову, он — полицейский, следовательно, имеет право на ношение оружия. Но старший лейтенант живет в Архангельске и вряд ли взял бы пистолет с собой — перед отпуском оружие принято сдавать. Есть и еще одна неприятная деталь — глушитель. В комплекте с обычным табельным оружием он не идет. *Тому, кто поселился* в Белкиной голове, все это очень не нравится.

— Как ты попала сюда, Тата?

— Как и ты. Через дверь.

— Дверь была закрыта. Обе двери были заперты.

— У меня есть ключи.

— Ключи? — Белка потрясена. — Откуда у тебя ключи?

— Вилла принадлежит Сереже, я говорила тебе. Он купил этот участок. Хотел, чтобы старуха переехала сюда. Выстроил дом.

— Но Парвати не переехала.

— Ты тоже звала ее Парвати.

— Сережа. Это Сережа придумал имя.

— Да, я знаю. Мы говорили об этом.

— Говорили? —

теперь к изумлению примешивается ревность. Нечто похожее Белка уже испытывала — в те моменты, когда Сережа играл в шахматы с Лазарем. И это — детская ревность, а вовсе не ревность взрослой женщины, на которую у Полины Кирсановой нет никаких прав.

— Кажется, я упоминала, что занимаюсь дизайном. Сережа пригласил меня оформить дом. Пару лет назад. Думаю, это не было связано с моими выдающимися способностями. Он просто дал подзаработать бедной родственнице. Все мы — бедные родственники.

Бедные. Бедные Шило и Ростик, МашМиш, Аля и Гулька. Бедные мертвые дети окружают Белку. Полина Кирсанова давно бы тронулась умом, а одиннадцатилетняя Белка слегла бы с приступом нервной горячки, и лишь стрекозе «красотке-девушке» все равно.

И *тому, кто поселился* в Белкиной голове. Он грызет обсыпанные табаком галеты и запивает их холодным кофе, и думает, думает.

— О чем еще вы говорили?

— О тебе. Все эти годы он присматривал за тобой.

— Мы не виделись двадцать лет. Может быть, он объяснил тебе — почему?

— Может быть.

Белка ждет уже привычного Татиного рефрена — «А может, и нет», но вместо этого Тата говорит совсем другое:

— Он испытывал к тебе нежность. Простое человеческое чувство, ведь так?

— Да.

— Но только не тогда, когда речь идет о нашей гребаной семье. Начнешь копать глубже, обязательно наткнешься на какую-нибудь полуразложившуюся пакость.

— Пакость?

— Фигурально выражаясь. Он присматривал за тобой. И за всеми остальными тоже. А уж за собой — в первую очередь. Когда имеешь в анамнезе такого папашу, от себя можно ожидать чего угодно.

— При чем здесь папаша?

— Ты не поняла? Ты же сообразительная девочка, Белка! Ну!

Белка устала. Да и шея дает знать о себе: все попытки сглотнуть слюну приносят боль. Поднять глаза невозможно: если поднимешь — обязательно упрешься взглядом в мертвого. Но весь ужас заключается в том, что она больше не знает, как давно они умерли — ее двоюродные братья и сестры. И были ли живы вообще когда-нибудь. И жива ли она сама. Если жива — как долго продлится этот кошмарный сон? Наверное, нужно усилием воли стряхнуть его с себя и проснуться в своей квартире на Каменноостровском. Или в любой из гостиниц испанской Коста-Бравы, или в финском городишке Иматра, куда она иногда ездит на выходные, чтобы просто побыть в лесной тишине. Или в старом доме Парвати — все, что угодно, любое место подойдет. Лишь бы не здесь, не здесь.

— Я устала. Не мучай меня, Тата. Пусть быстрее приедет полиция...

— Она приедет. Нужно только немного подождать.

— Значит, ты вызвала ее?

Тот, кто поселился в Белкиной голове, подает ей какие-то знаки и даже что-то говорит. Но что именно — расслышать невозможно.

— Ты не ответила на мой вопрос, Белка.

— Не мучай меня.

— Они были братьями, Сережа и дурачок, не способный ни на что, кроме убийства.

— Я знаю. Все мы здесь братья и сестры...

— Двоюродные. Ты не слушаешь меня. Не слышишь. Они были сводными братьями, и отец у них был один. После того, что случилось с Ингой... Ее Лу уехал на другой конец страны, во Владивосток. И там скоропостижно женился. Словно в отместку, нашел себе какую-то бабу и женился. Как будто это могло защитить человека от зверя внутри него самого. Ни женитьба его не защитила, ни рождение сына. Зверь победил, и он стал убивать. А потом случилось то, что случилось. Финал тебе известен.

Наверное, Белка должна как-то отреагировать на эту новость о Сереже и его отце. Но у нее не осталось сил. В комнате для допросов, где она сидит, — спартанская обстановка. Привинченный к полу стул, привинченный стол, на столе — пепельница с непотушенной сигаретой.

И телефон.

Телефон звонит не умолкая: поняв, что визуальный контакт делу не поможет, *тот, кто поселился* в Белкиной голове, пытается сообщить ей нечто важное, только-только пришедшее ему в голову. Но взять трубку не получается: Белкины руки привинчены — не хуже стула, не хуже стола.

— Думаю, старуха подозревала обоих своих старших внуков. Только не знала точно кто. Лёку еще можно было пережить, но Сережу... Она любила его, тут ты права.

— Его нельзя не любить.

— Ты прекрасно это демонстрировала тем летом. Почему ты до сих пор не вышла замуж, Белка?

— Не нашлось пока... подходящего человека.

— Такого, как Сережа?

Сухой, изнемогающий от жажды желоб вот-вот наполнится кровью. Дурной черной кровью.

— Таким, как Сережа, может быть только один человек. Сам Сережа! — лязгающий Татин смех угнетает Белку. — Но ты ведь никогда не задумывалась о связи с ним...

— Не говори глупостей.

— Вообще-то, в нашей гребаной семейке любят поразмышлять. Размышляла старуха — кто из двоих виновен. Но так и не пришла ни к каким выводам.

— Откуда ты знаешь?

— Если бы было не так... Посуди сама. Она бы давно сплавила даунито в психушку, вслед за матерью. Но он по-прежнему живет здесь. Жил, — поправилась Тата.

— Все подозревали Маш...

— Ты тоже приложила к этому руку.

— Я... Мне было одиннадцать. И я ни в чем не солгала Парвати, когда рассказала о том разговоре.

— Одиннадцать лет — никакое не оправдание.

— Я не оправдываюсь.

— Больно думать, что тот, кого ты любишь, — преступник, не так ли? Гораздо легче спихнуть все на нелюбимого. Даже если знаешь, что он ни в чем не виноват.

— Так это Парвати написала то письмо?

— Может быть. Может, ей хотелось, чтобы ее дети снова стали общаться друг с другом. Пусть и повод не слишком радостен. Жестокость иногда подталкивает к откровениям. Но к Маш Парвати не была жестока. Скорее — милосердна.

— Ты называешь это милосердием?

— Конечно. Ей хватило ума по-быстрому выставить двойняшек вон, отправить на историческую родину. От греха подальше. Если исчезла одна девушка, то запросто могла исчезнуть и вторая.

Тот, кто поселился в Белкиной голове, снова находит нестыковки. Откуда Тата знает о письме? Маш впервые рассказала о нем в бильярдной, и Таты там не было. Тата была заперта в комнате, приходила в себя после нападения. Выходит, Шило успел отпереть дверь, прежде чем отправиться следом за Белкой? В этой истории слишком много дверей — всегда распахнутых для Таты и наглухо закрытых для всех остальных.

— Как твоя голова, Тата?

— Она на месте. И ясна как никогда.

— Как твой затылок? Я это хотела спросить. Рана больше не беспокоит?

— Как видишь, нет.

...А было ли нападение вообще?

— Откуда ты знаешь о письме?

— А ты?

— Маш сама рассказала о нем.

— А мне рассказал Сережа. Такое может быть?

— Да.

— В любом случае, теперь она реабилитирована.

Когда это Тата успела соскользнуть со своего стула? Но она уже на противоположной стороне, рядом с Маш. Облокачивается на спинку стула и едва ли не прижимает губы к уху Маш, занавешенному рыжими волосами. Волосы успели потускнеть.

— Ты реабилитирована, эй! — Татой неожиданно овладевает истерическое веселье. — Но остальные грешки тебе вряд ли простятся.

О каких еще грешках бормочет Тата?

— Пара сомнительных сделок, после чего не слишком дееспособные продавцы недвижимости отправляются на кладбище, — это ведь уголовно наказуемо, не так ли? Маш черный риелтор, прошу любить и жаловать.

Белка не может отвести взгляда от маленькой художницы. От ее бледного лица. Такого бледного, что разница между живой и мертвыми становится призрачной.

— А это Миккель. Полное ничтожество. Вечные проблемы с женщинами, вечные проблемы с деньгами. Паразит, сидящий на шее собственной сестры. К тому же запойный игрок... А это еще одно никчемное существо, Ростик. Однажды погорел на контрабанде наркотиков и, если бы не его брат при погонах, до сих пор мотал бы срок.

Распяленные в улыбке губы Таты напоминают Белке края листа растения-хищника. Венериной мухоловки. Готовые вот-вот захлопнуться и поглотить несчастных насекомых. Клопа-солдатика, обоих богомолов, одну бабочку-огневку, стрекозу «синее коромысло»...

— А это Аля. Начинающая актриса. Ангел и шлюха по совместительству. Вот кто готов был греть постель любому уроду-продюсеру ради говенного эпизода в говенном сериале. Бывший толстяк тоже вечно сидел без денег и тоже готов был спать с кем угодно, лишь бы не считать копейки до зарплаты. Когда я говорю: «с кем угодно», это и означает — с кем угодно. Вне зависимости от пола и возраста. И наконец, Шило. Старший лейтенант, который едва не вылетел из ментовки за превышение пределов необходимой самообороны. Я уже молчу о мутной истории с Таиландом. Та девушка, с которой он уехал отдыхать, так и не нашлась.

Венерина мухоловка всплывает то возле одного мертвеца, то возле другого. Плавники кита по имени Моби Дик весело посверкивают в океане человеческих пороков и гнусностей.

— Хочешь сказать, что Шило — убийца?

— Номер три, номер три, — нараспев произносит Тата. — А первых двух ты уже знаешь.

Илья и Лёка. Лёка и Илья.

— Почему я должна верить тебе?

— Ты можешь не верить мне. Но Сереже бы поверила? Когда я говорю: «он присматривал за всеми», это и означает — присматривал за всеми. У него на каждого было собрано досье. С его деньгами это было несложно. Больше всего он боялся, что повторит судьбу отца. Или кто-нибудь из нас повторит. Не буквально. В каких-нибудь мерзких мелочах. Дурная кровь остается дурной, даже если слегка разжижена. А отголоски грома пугают еще сильнее, чем гром.

— И он выбрал тебя, чтобы все рассказать? Почему — тебя?

— Потому что я — белая и пушистая, — лязгает челюстями венерина мухоловка. — Хочешь взглянуть на досье?

— Хочу взглянуть на Сережу.

Тот, кто поселился в Белкиной голове, наконец-то связал концы с концами. Дождь на улице не прекращался ни на секунду, но на Татиной одежде нет ни капли. Даже если бы она пришла сюда в резиновых сапогах и дождевике, несколько капель обязательно попало бы на одежду, на джинсы. Несколько комьев грязи уж обязательно. Ничего похожего нет и в помине. И волосы у Таты сухие. Не мокрые, не слегка влажные — сухие. И пистолет этот не мог принадлежать Шилу, он всего лишь мент, а не наемный убийца, история с глушителем не из этой оперы. Здесь наверняка есть масса камер, которые Белка не успела заметить. А Тата прекрасно знает об их существовании, потому что занималась отделкой дома. И она знает, где аппаратная. Возможно, она была там и слышала их разговор в бильярдной — о письме. И пистолет.

Пистолет с глушителем не дает Белке покоя.

И еще телефонная связь, которая появилась ровно на один звонок, а потом исчезла. И еще плавники кита по имени Моби Дик. И венерина мухоловка.

Белка совсем не знает Тату. Совсем.

— Это ведь ты... Ты их убила.

— Не всех. Но большинство. Они были негодяями. Ничтожными, жалкими людишками. Порочными по своей сути. Мир станет только чище, поверь. А уговорить их было нетрудно. Всего-то и надо было, что посулить чуть больше денег, чем им положено. Исходя из завещания. Ты ведь помнишь основное условие. Наследство получают те, кто останется. Значит, нужно убрать кое-кого, чтобы его доля досталась остальным.

— Убрать?

— Попросить... с вещами на выход.

Белкин взгляд скользит по мертвым кузенам и кузинам: там, куда они сейчас направляются, вещи не нужны.

— И кого же ты... уговорила?

— Кого хотела.

Тата может говорить все, что угодно, она может даже признаться в том, что любой из мертвецов, сидящих за столом, был задействован на каком-то из этапов ее дьявольского плана. Вот только никто уже не сможет подтвердить этого, никто не сможет опровергнуть.

Короткий смешок неожиданно разрезает тишину гостиной. Белка в упор смотрит на Тату: губы художницы плотно сжаты, так что изнеженное жеманное *хи-хи-хи* ни за что бы сквозь них не прорвалось. Смешок явно женский, уж не сама ли Белка сошла с ума — и теперь хихикает и никак не может остановиться?

Истерическое веселье только началось: *хи-хи-хи* дробится, подпрыгивает, отскакивает от стен и возвращается многократно усиленным. Еще секунда, и источник смеха определится. А когда он определяется, Белке и впрямь кажется, что она свихнулась.

Аля.

Самая первая из жертв, во всяком случае — первая из увиденных Белкой. Она и не думала умирать, просто подыграла всем остальным — действительно мертвым. Или — не мертвым? Или все они живы, все до единого? — и развороченным затылком Шила можно пренебречь, объявить рану несуществующей.

Аля раскачивается на стуле и смеется, смеется, смеется. Она слишком долго сидела неподвижно и теперь пытается наверстать упущенное: вертит головой, щелкает костяшками пальцев, вытягивает шею.

— Ты проиграла! — раздается еще один голос. На этот раз мужской.

Никита.

Белка слишком вымотана всеми предшествующими событиями, чтобы бурно реагировать на воскрешение из мертвых. Она лишь переводит взгляд с бывшего толстяка Гульки на Алю и обратно, пытаясь сообразить, о чем они говорят.

— Ты проиграла! Раскололась! Ты плохая актриса!

«Плохая актриса» звучит примерно так же, как «плохая девочка». *Ты плохая девочка, не буду с тобой играть.*

Аля силится что-то произнести, но вместо этого изо рта сыплется лишь смех. О чем-то похожем Белке рассказывал когда-то ее сценарный воздыхатель: иногда актеры «колются» в самое неподходящем месте, в момент съемки, на театральных подмостках. Обыграть ситуацию или достойно выйти из нее удается не каждому. Впрочем, Аля нисколько не озабочена достойным выходом.

— Кажется, мы спорили на бутылку хорошего вина, — не отстает от сестры Никита. — С тебя бутылка.

— Можешь взять ее в погребе, — Аля выказывает недюжинную осведомленность относительно начинки дома. — Любую. Какую захочешь.

— Так нечестно.

— Почему?

— Это — не *твое вино*. И прекрати ржать!

Неизвестно, что именно раздражает Никиту: сам смех или обстоятельства, которые вызвали его к жизни. Ни один нормальный человек не согласился бы занять место в мертвой массовке будучи живым. Ни один нормальный, но к Але это не относится. И к Гульке не относится тоже, ни к кому из их проклятой семьи. Белка пытается представить, как изначально выглядело пари. *Как долго ты продержишься среди мертвецов, ничем не выдав себя? Сумеешь ли не потерять самообладание в тот момент, когда на твоих глазах будут убивать кого-то другого?*

Гулька не вправе требовать с Али чертово вино, если вопросы были сформулированы именно так. Потому что «ангел и шлюха по совместительству» выдержала испытание и сыграла свою роль блестяще. Она всего лишь рассмеялась, потому что это смешно: быть приглашенным на ужин самой смертью. Дико смешно, гомерически.

— Ну у тебя и видок! — говорит Никита сестре.

— Краше в гроб кладут?

— Именно!

— Ты выглядишь не лучше.

— Еще бы... Если учесть, что меня придушили.

Никита машинально прикасается к полосе на шее и трет ее рукой. Глядя на брата, то же самое делает Аля, и, когда они — почти синхронно — отнимают руки, становится заметно, что полосы потеряли строгость очертаний. Даже буква «А» на Алиной шее смазалась, стерлась наполовину. Окончательно соскальзывать в безумие не хочется, и Белка принимается думать о составе, которым Але и Гульке пришлось покрыть шеи, чтобы полосы на них выглядели правдоподобно. Расплавленный воск? Силикон? Бесцветный клей? Все эти ухищрения доморощенных гримеров — пустяки по сравнению с той ролью, которую сыграла Аля. Не здесь, в гостиной (здесь ей достался лишь эпизод), а внизу, в маленькой комнате с большим сундуком. У Белки и сомнения не возникло, что она мертва.

Аля — великая актриса.

Все дети — отличные актеры, если режиссерская задача поставлена верно.

— Видел бы меня эта сволочь Эльджон, — щебечет Аля. — Он утвердил бы меня без проб. Я ведь хорошая актриса?

Кажется, этот вопрос адресован Белке, но она не в состоянии выдавить из себя ни слова.

— Ты ведь поверила, скажи?

— Не приставай к ней, — Никита испытующе смотрит на Белку. — Разве не видишь, столичная штучка шокирована. Дай ей время прийти в себя.

— Сколько? Сколько ей нужно времени?

— Я не знаю. Но какое-то время нужно.

Время здесь ни при чем. Время не коснулось этих двоих, они так и остались маленькими детьми. Совсем маленькими, с крепкими ногами — ими легко отталкиваться от земли, перескакивать через тонкую линию, что отделяет жизнь от смерти. Р-раз — и ты на одной стороне, р-раз — и уже на другой. А еще можно замереть прямо на линии и держать равновесие, зажмурившись и раскинув руки крестом. Ничего страшного не произойдет. В наспех придуманной игре вообще нет ничего страшного, как нет ничего страшного в других, уже надоевших играх — «классиках», резинке или «вы поедете на бал?». Это единственное объяснение коллизии, которая разворачивается сейчас на глазах у Белки.

— А остальные? — слова даются ей с трудом.

Остальные — это МашМиш и два брата из Архангельска. Впрочем, еще не задав вопрос, Белка уже знает ответ.

— Разве ты не слышала про остальных? — Аля поджимает губы. — Они были негодяями. Ничтожными, жалкими людишками.

Это не что иное, как прямая цитата из Татиной обличительной речи, произнесенной за несколько минут до воскрешения самых младших членов их семьи.

— Неважно. Пусть они тоже откроют глаза. Дадут знать, что живы.

Теперь и Белка ведет себя как маленькая, требует невозможного.

— Боюсь, ничего не получится, — подает голос до сих пор молчавшая Тата. — Все остальные — мертвы.

— Мертвы, — послушно повторяет Гулька.

— Они были плохими, вот и умерли, — хихикает Аля. — По-моему, это справедливо.

Заговор младших детей против старших.

Никому и в голову бы не пришло считаться с ними — ни двадцать лет назад, ни сейчас. В этом была главная ошибка надменных старших, твердо уверовавших, что за *бэнг-бэнг-бэнг* им никогда не воздастся. Жестокость младших потрясает не больше, чем полное отсутствие раскаяния, как видится все происшедшее Але?

Еще одним съемочным днем, забавным, хотя и несколько утомительным.

В этом съемочном дне звукооператор Никита освобожден от своих прямых обязанностей, зато он дебютировал в маленькой роли убийцы. Или соучастника убийства, это еще придется уточнить при черновом монтаже. И Белка отлично знает, кого увидит в монтажной, — не таинственного Эльджона (то ли режиссера, то ли продюсера, не слишком высоко ценящего актерские способности Али). И даже не Повелителя кузнечиков. Куда бы она ни пошла, какую бы дверь этой дьявольской киностудии ни распахнула – за каждой ее будет ждать Тата.

Тата — вот единственный ее собеседник, на остальных можно не обращать внимания, пусть стоят, зажмурившись, на тонкой линии, что отделяет смерть от жизни. Впрочем...

— Если уж мы заговорили о справедливости, — медленно произносит Белка. — Тата сказала, что ты шлюха. Готовая отдаться любому за роль в сериале. Эпизодическую, даже не главную. Разве это справедливо по отношению к тебе?

Аля выглядит обескураженной:

— Она так сказала?

— Да.

— Она так сказала? — на этот раз вопрос адресован Гульке.

Гулька пожимает плечами.

— И для твоего братца ни одного доброго слова не нашлось. Вы просто невнимательно слушали. Были заняты только тем, чтобы не расколоться. Профессиональным подходом это не назовешь.

— Неправда! — вспыхивает Аля. — Я профессиональный человек. И Гулька... Его очень ценят.

— Может, и ценят. Вопрос — за что?

— Не слушайте ее, — голос Таты совершенно спокоен и даже безмятежен. — Ничего подобного я не говорила. А если и сказала, то это всего лишь...

— ...Импровизация, — подхватывает Аля. — Так требует рисунок роли, да?

— Именно.

— У тебя был прекрасный монолог, Таточка! И такой длинный, такой забавный! У меня мурашки шли по коже, прямо фильм ужасов какой-то! Правда, Никита?

— Точно. Я сам офигел.

— Особенно в том месте, где речь шла про маньяка. Готовая сцена для кино, даже редактировать не надо. Ты могла бы быть актрисой, Татусик.

— Одной актрисы в семье достаточно.

— И все-таки я не понял... История про маньяка — правда или нет? Если...

— Теперь это не важно, — Тата обрывает Гульку на полуслове. — И хорошо, что мы разобрались. И между нами нет никаких противоречий. Я права?

Пистолет в руках художницы (о котором все благополучно позабыли) на какое-то мгновение становится центром мизансцены: актриса-неудачница и бывший толстяк смотрят на него не отрываясь.

— Я права? — снова повторяет Тата.

— Абсолютно.

— Абсолютно, — вторит сестре Гулька. — Никаких противоречий. Никаких.

— А здорово я разыграла припадок?

— На пять с плюсом, — улыбается Тата.

— Я тоже не подкачал. Хотя бегать под дождем и искать того, кто не пропадал, было неприятно. Мокро. И холодно. Главное теперь — не простудиться.

Детский ум не слишком крепок, он напрочь отторгает реальность: ничем другим не объяснить Гулькины стенания о возможной простуде в комнате, набитой трупами.

— Можете пойти приготовить чай. Где кухня, вы знаете, — в устах Таты это звучит не как предложение, а как приказ.

— Я бы выпил чего-нибудь покрепче, — Гулька задумчиво пощипывает бороду.

— Ради бога. Но напиваться я тебе не советую.

— Да, конечно.

Младшие дети готовы покинуть гостиную. Ждать помощи от них не приходится, они — соучастники преступления, то хорошее, что было в них (да и было ли?), давно утоплено в *дурной крови*. Так почему Белке не хочется, чтобы они уходили?

— Ты здорово разыграла припадок! — кричит она в спину Але. — Я даже подумала, что он был настоящим, ты просто увидела что-то... Что-то такое, из раннего детства. Что необходимо забыть. Забыть — единственный способ выжить и сохранить себя.

Ухватившись за локоть брата, Аля поворачивается и несколько секунд пристально смотрит Белке в глаза.

— Не понимаю, о чем ты?

— О том, что ты могла быть свидетельницей какого-то страшного случая. Тогда, в детстве, — презрительно улыбается Тата.

Она ни в грош не ставит самых младших, неужели Аля и Гулька этого не замечают?

— И?

— И сейчас что-то напомнило тебе о нем. Вот и случился обморок.

— Смешно, — Аля и не думает смеяться. Она переводит взгляд с Белки на Тату. — Ты для этого все сочинила? Чтобы задавака из журнала подумала именно так?

— Тебе нужно побольше читать, малыш. И смотреть хорошие фильмы.

— Хорошие фильмы — вовсе не про такие глупости. Хорошие фильмы потому и называются хорошими, что кончаются хорошо. У нас ведь тоже все хорошо закончится?

— Уже закончилось.

— А... — Никита тычет пальцем в Белку. — Что будет с ней?

— Вы хотели приготовить чай.

— Да, конечно.

— Вот и отправляйтесь.

Они снова остаются одни.

— Клинические идиоты, не правда ли? — говорит Тата.

— Как же ты решила довериться им?

— Клинические идиоты — не единственная их характеристика.

— Есть еще?

— Есть. Полезные идиоты. Идиоты-неудачники, жаждущие разбогатеть любой ценой. Этого достаточно?

— Не знаю...

— Идиоты, которым незнакомо чувство сострадания. Никого другого и не могла произвести на свет наша порочная семейка.

— Дурная кровь, — медленно произносит Белка. — Дурная кровь.

— Дурная кровь течет в жилах у всех нас. Только группы разные.

— Что будет со мной?

— Ты же слышала. Все закончится хорошо.

Ничего хорошего ее не ждет — это точно. Они могли бы проговорить с Татой всю ночь о самых разных вещах: об идиотах, клинических и полезных; о хороших фильмах и фильмах, которые просто хорошо заканчиваются; они могли бы проговорить все то время, что стынет чай, — но рано или поздно разговор закончится, и...

Что будет с ней?

— Выходит, Аля была здесь?

— Точно. Между старым домом Парвати и виллой прорыт туннель, так когда-то решил Сережа. По туннелю можно пройти пешком, это займет не больше пяти минут. А можно проехать на электрокаре, тогда и в полминуты уложишься. Если бы ты... Если бы все вы хоть раз навестили старуху... Возможно, вы бы знали о туннеле. Может быть. А может, и нет. Он начинается в подвале, а заканчивается... Отгадай, где он заканчивается?

Тот, кто поселился в Белкиной голове и так долго не давал знать о себе, теперь вытягивает губы в трубочку, проталкивая сквозь них подсказку.

— В той комнате. В зимнем саду.

— Ты сообразительная. Немного похожа на меня. А книжный шкаф — это вход. Дверь можно повернуть на сто восемьдесят градусов.

Так вот почему «Анжелику» сменила «Занимательная физика»!

— Откуда в шкафу столько «Анжелик»? Это... это...

— Попахивает сумасшествием, да?

— Или хорошо продуманной провокацией.

— Вряд ли. Книги собирал дурачок. Много лет. Вряд ли он раскрыл хотя бы одну из них. Но такая приверженность «Анжелике»... Асте, которую он выкинул из глупой головы... Она достойна уважения, не так ли? Мне оставалось только расставить их, потому что порядок — прежде всего. Убийцы должны убивать, а книги — стоять на полках.

— А малыши? Что должны были делать малыши? Ты ведь не рискнула сообщить им, кем на самом деле является Лёка.

— Есть вещи, о которых клиническим идиотам лучше не знать, иначе у них может случиться разрыв шаблона. Пусть думают, что все сказанное мной...

— Импровизация. Прекрасный монолог. Сцена, достойная хорошего фильма.

— Не очень хорошего. Ведь хорошие фильмы и заканчиваются хорошо.

— Ты обещала хороший конец, разве нет?

— Да.

Тата произносит «да» едва ли не с нежностью, но участь Белки это никак не проясняет: обещание было дано не ей, а клиническим идиотам. Примкнуть к ним не получится.

Дурное предзнаменование, печальный финал, который вот-вот наступит.

— Так что должна была делать Аля?

— То, что в результате и сделала. Испугала тебя. Деморализовала. Заставила впасть в отчаяние. Поверить, что ты находишься в дурном повторяющемся сне. Кошмаре. Тебе ведь снились кошмары после того лета?

Белка молчит. Но Тате не нужен ответ. Она все знает и так, иначе план ее не был бы столь безупречен.

— Аля справилась с ролью прекрасно, не так ли?

— Почему нужно было испугать именно меня?

— Не только тебя. Но тебя — в первую очередь.

Бесстрастный голос Таты парализует Белку. И даже когда художница (дизайнер, убийца) снова оказывается рядом с ней и осторожно касается губами мочки ее уха, Белка продолжает сидеть неподвижно. Татино дыхание обжигает:

— Потому что ты — мой любимый трофей. Мой главный приз. Остальным нужно было просто оказаться в одно время в одном месте. Впервые за двадцать лет. За двадцать два года, если быть совсем точным.

— Мы уже собрались. Там, в старом доме.

— В старом доме — не развернешься.

— А не проще было бы уложить всех там, а не тащить сюда?

— Нет-нет-нет, —

Тата обхватывает ее голову руками.

«НЕ ТРОНЬ МЕНЯ!» — хочет выкрикнуть Белка, но из горла вырывается лишь короткий всхлип. Ее оставили все, вот и *тот, кто поселился* в Белкиной голове, снова молчит.

— Нет-нет-нет! Игра должна быть сыграна чисто. Теперь Шило. И он был не прочь разбогатеть. И потому согласился на инсценировку с нападением. По идее, нападение должно было насторожить тебя. Запутать. Напомнить о прошлом, если ты вдруг забыла.

— Я никогда не забывала о прошлом. Никогда.

Пальцы Таты шарят в Белкиных волосах: целый десяток слегка дрожащих от возбуждения насекомых.

— Значит, в план было посвящено трое?

— Не совсем так. Два и один. Шило ничего не знал об актрисульке с толстяком. А они не знали о нем. Не должны были знать. Так что не выдавай меня, пожалуйста.

«Не выдавай меня» звучит как издевательство: вряд ли Белка увидится с *клиническими идиотами* еще раз. Но об этом лучше не думать.

— А мелкие гнусности под подушкой? Дохлая стрекоза, часы, платок?..

— Это было мило, согласись. Мы не должны забывать о детстве. Вот и пришлось выудить кое-какой реквизит для полноты картины. Выбор был случаен, но кое-что угодило точно в цель.

— Нет-нет..

Нельзя верить Тате, она ни за что не допустила бы случайности. И у нее отменная память — это такая же ее особенность, как особенность Лёки — убивать, а особенность Али и Гульки — быть клиническими идиотами.

— Не совсем случаен, ты права. Не случаен ровно настолько, чтобы озадачить и сбить с толку. Та-да-да-дам!

Рой насекомых разом взлетает с Белкиной головы, на ходу трансформируясь в кита по имени Моби Дик, в венерину мухоловку. Секунда — и Тата оказывается рядом с телом убийцы номер два. Ставит ногу на голову Лёке.

— Я думала, что не справлюсь с ним, Белка. Потому что никто не мог с ним справиться. Никто не в состоянии держать под контролем личности этого существа. Тем более что они не высовываются из своих нор годами, десятилетиями.

— Надеюсь, он никого больше не убил...

— Может быть. А может быть, и нет. Во всяком случае, никаких резонансных дел в округе больше не случалось. Иначе об этом обязательно узнал бы Сережа. И узнала бы я.

— Вы так близки? — Белка едва шевелит губами.

— Мы друзья. Конечно, мне бы хотелось занять твое место. Но ты застряла в норе его сердца слишком глубоко. Не выкурить. Увы. А ведь у меня не было от него тайн. Почти не было, кроме одной. Я не сказала ему, что... нашла Асту.

Аста.

Мучительная загадка русалки-оборотня вот-вот будет разгадана, но Белка не чувствует никакого воодушевления. Аста — лишь фрагмент полотна в духе Иеронимуса Босха, что-то вроде «Страшного суда» или «Сада земных наслаждений». Фрагмент может ужасать, и зачаровывать, и казаться единственным в своем роде и абсолютно законченным полотном. Но стоит отойти от него на несколько шагов, на два десятка лет, — и картина предстанет целиком. И сразу же выяснится, что в фрагменте нет ничего выдающегося, он не хуже и не лучше других.

Не хуже и не лучше. Ровно такой. Жертвы и их мучители уравнялись, и Лёку жаль не меньше, чем загубленную им Асту, да и ко всем остальным — живым, мертвым, безнадежно запутавшимся — Белка испытывает сострадание. Даже к Тате.

— ...Вернее, то, что осталось от Асты. Кости. Их обнаружили двое рабочих, которые строили туннель между домами. Договориться, чтобы они держали рот на замке, не составило труда.

— Заплатила им за молчание?

— Да. Намного меньше, чем это молчание стоило на самом деле. Они были приезжими, от местных я бы не отделалась так легко.

— И ты сразу поняла... что это Аста?

— Кое-какие детали. Истлевшее платье. Босоножки сохранились лучше. Масса ремешков, высокие каблуки. Ты должна помнить их. Ты помнишь?

— Нет.

Из всех обитателей дождливого августа Белка явственно помнит лишь Сережу.

— Дурачок помог мне перезахоронить останки. Воскресить Асту в его памяти не удалось, но зато удалось воскресить мать, которую он никогда не видел. Не помнил. Так же, как и ты не помнишь босоножки. Но он очень хотел вспомнить. Он хотел этого всегда. Оттого и придумал бред с часами. Чтобы время пошло вспять. И она ожила бы. И пришла к нему.

Тот, кто поселился в Белкиной голове, снова здесь! Какое облегчение! Он не ушел домой, в свою утлую квартирку, где из мебели только диван и продавленное кресло. Да еще старый корабельный фонарь и пыльная коллекция насекомых, висящая над диваном. Может быть, это чей-то подарок. А может, и нет. Нет. Это точно не подарок. Это вещдок, который фигурировал в одном нашумевшем преступлении. Резонансном деле. *Тот, кто поселился* в Белкиной голове, приложил немало усилий, чтобы преступление было раскрыто. *Тот, кто поселился* в Белкиной голове, — неплохой аналитик. И внезапные озарения посещают его чаще, чем всех остальных аналитиков. И оперов со стажем. И даже начальника отдела.

— Время, идущее вспять, — совсем не бред, Тата.

— Тебе хотелось бы что-то изменить в прошлом?

— Может быть.

— А может, и нет? — непонятно, то ли маленькая художница подмигивает ей, то ли по-особенному морщится.

— Просто хочу, чтобы они снова стали детьми, — Белкин взгляд рассеянно скользит по лодочкам с мертвецами.

— Мертвые дети не слишком отличаются от мертвых взрослых.

— Хочу, чтобы они стали живыми детьми.

— Нет. Живые — это вовсе не то, что мне нужно. Пусть все остается так, как есть. Не хочешь услышать историю, как мне удалось выкурить из норы раскаявшегося сына?

Тот, кто поселился в Белкиной голове, быстро-быстро кивает головой: соглашайся!

— И как?

— Я стала его матерью. Не настоящей, понятно. Всего-то и понадобилось, что покорпеть над дневниками. Написать новые, не слишком отличные от старых. По количеству картинок. Но с другим содержанием. Я ведь хорошая художница.

— Иллюстратор детских книг. Я помню. Да.

— Идея принадлежала Сереже. Даже не идея... Тень идеи, намек на нее. А я всего лишь углубила ее. Довела до совершенства. До логического конца. Сереже было важно узнать, что произошло двадцать лет назад. Но он вряд ли справился бы без меня. Мне удалось.

— И что же было в тех дневниках? Которые ты подделала?

— Ничего особенного. Рисунки. Просьбы. Приветы издалека. Обещание вернуться. Ведь зимм-мам всегда возвращается.

— Значит, это...

— Это я. Инга — зимняя, Инга — мама. Зимм-мам.

Белке становится холодно. Зимм-мам и впрямь возвращается. Зима.

— Жаль, Сережа не увидел нашего триумфа.

— Почему?

— Он уехал. В очередной раз. Он редко появлялся. Да и я провела здесь не так уж много времени. Но его хватило, чтобы выманить из норы не серийного убийцу, а раскаявшегося сына.

— А если бы оказалось наоборот? Ты рисковала.

— Мне нравится, когда адреналин зашкаливает. Ровно так, как сейчас. Как было час назад. Когда я ухлопала всех поодиночке, в разных комнатах, в разных частях дома.

— А... младшие?

— Нет-нет, доверить клиническим идиотам самую важную часть плана я не могла. Они всего лишь отвлекали внимание. Усыпляли бдительность, заговаривали...

— Заговаривали до смерти, — эхом откликается Белка.

— А ты в это время бродила внизу и ничего-ничего не подозревала. И те, кого пришлось убить, ничего не подозревали. Даже Шило не сообразил, что происходит. А он был умным парнем.

— Да. Он был не дурак. А если бы я поднялась?

— Ты не поднялась. Ты сделала ровно то, что и должна была сделать. И все время делала. Ты купилась на открытку. И купилась на шахматы. И на иероглифы на бамбуке.

Тот, кто поселился в Белкиной голове, страшно хочет знать, что эти иероглифы означают.

— Откуда ты узнала... про открытку, про шахматы?

— Когда мне было пять, я очень хотела дружить с тобой. А хотеть дружить означает пристально вглядываться, только и всего. Вот я и вглядывалась. Подмечала всякие мелочи, связанные с девочкой по имени Белка, в то время как она была увлечена своим Сережей. Потом желание дружить прошло, но память осталась. Эти мелочи — часть памяти, их не вытравишь.

— Не вытравишь, — соглашается Белка. — Сколько бы ни старался.

— Да.

— Да.

— Да.

— Да.

Обе они начинают смеяться. Белке по-прежнему не нравится Татин смех, но остановиться она не в силах.

— Самое время сыграть в нашу любимую игру, ты не находишь? — смеется Тата.

— Вы поедете на бал? — заливается Белка.

— Да! Ведь да?

— Нет.

— Почему?

— Потому что я проиграю.

— Ты уже проиграла. Так что ничего страшного.

Смех прекращается так же внезапно, как и начался.

— Ты проиграла, — Тата дергает себя за мочку уха.

Наверное, это привычка — дергать себя за ухо. Такая же глупая, как и привычка наматывать волосы на палец.

— Ты проиграла. Как и все они. Как дура Маш, которую легко было подцепить на крючок, посулив хорошие комиссионные от продажи...

— Ты это все придумала.

— Электронное письмо, звонок с левого номера. Парочка идиотов, готовых подтвердить все, что угодно, за небольшие деньги... Это все не важно, Белка.

— Что же тогда важно?

— Сережа. Ведь он для тебя важен. Нет?

Сережа все время выпадает из схемы. Не вписывается ни в одну из комбинаций. *Тому, кто поселился* в Белкиной голове, это не нравится.

— Где он?

— Не хочешь услышать историю до конца? О дневнике, в котором было написано: если ты поможешь мне, *зимм-мам* обязательно вернется.

— Ты... все это сделала ради куска земли и развалюхи на ней? Не слишком уж дорого она стоит...

— Нет-нет-нет! — Кит по имени Моби Дик радостно лупит мощным хвостом по волнам. — Ради этой развалюхи... Хотя мне больше нравится слово «халупа»... Я бы даже мараться не стала, поверь. Речь идет совсем о другом наследстве. Совсем о другом.

— О другом?

— О больших деньгах. Очень больших. Я даже представить себе не могу такое количество нулей.

— Странно...

— Странно — что?

— Что ты обратилась за помощью к дурачку... Ч-черт... К опасному сумасшедшему. Что ты обратилась за помощью к идиотам и полицейскому. Странно, что ты не обратилась ко мне.

— И ты бы согласилась?

— Может быть...

— А может, и нет, — голос Таты исполнен тоски — настоящей, неподдельной.

— Я кажусь тебе слишком правильной? Я совсем не то, что все остальные?

— Совсем, совсем не то. Мне жаль. Мы могли бы стать друзьями. Близкими, ведь мы же сестры. И, наверное, я бы переехала к тебе в Питер, потому что долбаный нищий Новгород остобрыд мне хуже горькой редьки. Все бы так и было. Если бы не количество нулей... Оно огромно, поверь. И до этого момента половина из этих нулей принадлежала тебе. А вторая — дурачку. Я видела завещание Сережи. Он составил его заранее. Он очень заботливый человек.

— Какое завещание? При чем здесь Сережа?

— При деньгах. Множество нулей — это и есть Сережины деньги. Он погиб десять дней назад. Вертолет, на котором он летел, разбился. Мне бы хотелось быть последней, кто сообщит тебе об этом. Но сообщать больше некому.

Белка словно проваливается в бездну, в воронку, в полынью. А вместе с ней в пропасть летят и крошки-лемуры, и крошки-колибри, и сухие плети плюща. И все кузнечики мира готовы исчезнуть, совершить массовое самоубийство, потому что их Повелителя больше нет.

— Ты врешь. Вчера вечером он звонил Лёке.

— Тот же трюк, что и с клиентами этой идиотки Маш. Звонила я.

— Ты врешь. Если бы он погиб, я узнала бы об этом. Все бы узнали. Такую информацию не скроешь.

— Ее и не скрывали. Информация появилась в нескольких крупных газетах Гонконга и Сингапура, в последнее время он жил в Сингапуре. Но вы не знали об этом, потому что не читаете ни по-английски, ни по-китайски. Жалкие неудачники.

— Ты читаешь по-китайски?

— Нет. Только по-английски. К тому же у меня есть телефоны. Его и его личного секретаря.

А Белка никогда не была счастливой обладательницей ни одного Сережиного телефона. И это чертовски несправедливо...

Или — справедливо?

Сережа всегда был нежен с ней. Сережа, всю жизнь сражавшийся с призрачным зверем внутри, любил ее. Какой бы ни была его любовь — то, что они ни разу не встретились, и есть высшее ее доказательство.

Белка должна быть счастлива. Должна быть счастлива. Да.

— И как же ты собираешься получить эти деньги?

— Как единственная близкая его родственница, оставшаяся в живых. Которая ни в чем не виновата. Она не виновата, что двое свихнувшихся членов ее семьи перебили ни в чем не повинных людей. А ей удалось уцелеть только чудом, в неравной борьбе. Ей и еще двоим.

— Свихнувшихся? Хочешь объявить меня сумасшедшей?

— Ты и есть сумасшедшая. Устроила здесь бойню, чуть не убила меня... Я найду, что сказать, и предоставлю все необходимые доказательства. А клинические идиоты подтвердят все, до последнего слова. Ради денег они пойдут на что угодно. Впрочем, ты и так это знаешь.

— Тебе не вывернуться, Тата. Все усилия напрасны.

— Уж если я сумела за неделю придумать этот план, то справлюсь и с остальным. Ты мне веришь?

— Да.

— «Да» и «нет» не говорить, черное и белое не носить! — Татин смех впивается Белке в уши, откусывая кожу — кусок за куском. — Ты проиграла, проиграла!

— Да.

Кит по имени Моби Дик кружит вокруг маленького фрегатика «Не тронь меня!», и круги с каждой секундой сжимаются.

— Что, совсем не будешь сопротивляться? Даже для проформы? Не поборешься за жизнь?

— Отпусти меня.

— Хочешь уйти?

— Хочу не быть, — Белка опустошена, ей снова хочется умереть. Или уснуть. Но умереть выглядит предпочтительнее.

— Знаешь, что я сделаю, когда убью тебя? Заберу все кассеты из комнаты секьюрити и буду просматривать их долгими зимними вечерами. Особенно нашу с тобой последнюю беседу, она меня вдохновила.

В горле у Таты что-то булькает: это дурная кровь подступает к трахее и вот-вот выплеснется наружу. Белке все равно, чем будет заниматься Тата долгими зимними вечерами. Она хочет уйти побыстрее, сесть наконец в свою лодочку и отправиться к Кораблю-Спасителю. Который намного устойчивее, чем фрегат «Не тронь меня!».

И лишь *тот, кто поселился* в Белкиной голове, не согласен. Он аккуратно, чтобы не увидела Тата, куда-то показывает. Куда?

— Ты сумасшедшая, — Белка все еще не понимает, о чем хочет сказать ей доходяга-аналитик, и потому тянет время.

— Нет-нет-нет. В нашей гребаной семейке были экземпляры и пострашнее. Серийные убийцы, к примеру...

— Ты и есть серийный убийца.

— Может быть. А может, и нет. Мне просто нужны деньги. А сумасшедшему деньги не нужны. По-моему, существенная разница?

Кажется, Белка поняла, о чем семафорил ей *тот, кто поселился* в Белкиной голове.

Секатор.

Шило поднял его в зимнем саду и сунул за ремень. Возможно, секатор и сейчас там. Может быть. А может, и нет. Пятьдесят на пятьдесят. Но попробовать стоит, ведь *тому, кто поселился* в Белкиной голове, очень не хочется, чтобы она умерла. Внезапно возникшая симпатия — обоюдная и тем более странная, если учесть, что она даже не видела его лица.

А Тата, прикрыв глаза, все еще рассуждает о деньгах. О больших деньгах. Она кажется расслабленной, но эта расслабленность обманчива, ведь пистолет в ее руках внимательно наблюдает, как Белка пятится назад, обходя стол. Движения ее порывисты и хаотичны, как у человека, находящегося за чертой отчаяния.

Вот и Шило. Костяшка домино, упавшая на стол. У Белки ровно две секунды, чтобы покачнуться, навалиться на тело старшего лейтенанта и нашарить секатор. Если она не уложится в это время, не отыграет ужас и обреченность... Или инструмента там не окажется...

Все кончено. Все.

...Есть!

Обтянутые пластмассой ручки перекочевывают в Белкину ладонь в тот самый момент, когда Тата подходит к ней близко-близко, на расстояние пистолетного ствола. А потом еще ближе. Теперь, соприкоснувшись с Белкой всем телом и обняв ее одной рукой за шею, художница на секунду замирает. И лишь ее пистолет судорожно ищет точку опоры, он все еще не знает, на чем остановиться: висок, лоб, подбородок, горло?..

— Последний раз. Сыграем в последний раз. Хорошо?

— Хорошо.

— Как ты думаешь, умирать страшно?

— Может быть. А может, и нет.

— Ты все равно проиграла! — дурная кровь в горле у Таты продолжает клокотать.

— Нет.

Белка вонзает секатор в живот художницы с такой силой, что тот не встречает почти никакого сопротивления плоти. Предсмертный крик Таты страшен, от него лопаются перепонки, но Белка не ослабляет хватку. Она раз за разом прокручивает инструмент в ране, пока Тата не обмякает и не повисает безвольно у нее на руке.

Пистолет со стуком валится на пол, а следом за ним падает убийца номер четыре и номер пять.

Тата мертва.

Пятилетняя девочка, которая так хотела дружить с ней. Наверное, ее нужно отправить ко всем остальным детям, усевшимся за стол. И самой занять место между пустыми стульями малышей.

Ненадолго, хотя бы на пять минут.

Тот, кто поселился в Белкиной голове, приветливо машет из своего закутка в аналитическом отделе. Лица его по-прежнему не видно, зато хорошо видна рука с татуировкой, торчащей из-под закатанного рукава:

午後の曳航

Когда они познакомятся поближе, Белка обязательно спросит, что означают эти иероглифы.

А *тот, кто поселился* в Белкиной голове, станет ли расспрашивать о произошедшем здесь, в этом доме? Наверное, ведь он не отличается деликатностью. Он напрочь лишен свойств, необходимых для того, чтобы поддерживать контакты с внешним миром на должном уровне. Для того, чтобы встреча с ним не вызывала досады, насмешки или просто неприятных воспоминаний. Впрочем, не Белке судить *того*, *кто поселился* в ее голове. Она и сама избавилась от нескольких важных свойств, и все это произошло за последние полчаса. Ничем другим не объяснить ту холодность и отстраненность, с которыми она обшаривает карманы мертвой Таты (ключ, похожий на тот, которым она отпирала входную дверь «Mariposa», нашелся!), подбирает пистолет, выпавший из рук художницы.

Для чего ей нужен этот чертов пистолет?

Чтобы склонить на свою сторону малышей.

Белка находит их на первом этаже в обществе бутылки с виски «White Horse» и двух чашек. Использованные чайные пакетики валяются на столике, где прежде стояли шахматы: выглядит это не очень аппетитно, *неопрятно*, но чего еще ожидать от младших детей?

— Бэнг-бэнг-бэнг! — громко произносит Белка, стоя на середине лестницы и направив пистолет на Алю с Гулькой.

Клинические идиоты, окопавшиеся в креслах, вздрагивают и синхронно поворачивают головы. Гулька часто-часто моргает, его лицо вытягивается, он силится что-то сказать, но не может произнести ни слова. Аля, напротив, обезоруживающе улыбается.

— А где Татусик? — невинным голосом спрашивает она.

— Там же, где и все остальные.

— В гостиной? — до Али все еще не доходит смысл сказанного Белкой. — Она спустится к нам?

— Может быть. А может быть, и нет.

Никита (он явно умнее, чем его глупышка сестра) несколько секунд раздумывает: имеет ли смысл расспрашивать Белку дальше или лучше остановиться на уже полученных сведениях.

— Вы о чем-то договорились? — наконец произносит он. — Если договорились — я не против. И Алька тоже. Правда, детка?

— Нуу... Я не знаю...

— Мы не против. Не против.

— Хорошо. Пусть будет так. Хотя ты и пришла на все готовое, Белка... Но пусть будет так. Когда мы получим свои деньги?

Проклятье! Белка не может стрелять в детей, пусть и порочных, для которых границы между жизнью и смертью, добром и злом не существует, Она не может стрелять в детей!

Проклятье!

Пистолет выскальзывает из Белкиных пальцев и с грохотом катится вниз по ступеням. Если бы сейчас прозвучал выстрел и пуля, срикошетив, уткнулась бы в ее сердце, Белка посчитала бы это лучшим исходом. Божьим даром.

Избавлением от мира, в котором больше нет Повелителя кузнечиков.

Но ничего подобного не происходит. Скатившись вниз по ступеням, кусок смертоносного металла замирает, одинаково недостижимый ни для Белки, ни для малышей. Впрочем, они вовсе не торопятся броситься к нему. Они даже не изменили поз и теперь как зачарованные наблюдают за Белкой.

Уже возле самой двери ее настигает запоздалый детский вопрос Никиты:

— Эй! Скажи, что нам теперь делать? Эй!..

* * *

...Дождь, который лил всю ночь, и весь предыдущий день, и все двадцать два года — с того самого августа, ознаменованного одной смертью и одним исчезновением, — кончился. А Белка даже не заметила этого. Как не заметила крупных звезд, усеявших небо. Если завтра взойдет солнце — она тоже этого не заметит, Белка знает это точно. Отныне таких вещей, как солнце, море, запах айвы, запах птичьих перьев, больше не существует. А есть только мертвые дельфины и мертвые дети. Белка проявила малодушие, ей хватило сил лишь на то, чтобы послоняться по пристани, но в приготовленную для нее лодочку она так и не села.

Непростительная ошибка. Непростительная.

Она не села в лодку, а значит, встреча с Сережей откладывается на неопределенное время. Но и это неважно, она привыкла ждать, подождет еще немного. «Что нам теперь делать?» — спросил у Белки Никита.

А что делать ей?

Собрать вещи и вернуться в Питер. А до этого вызвать, наконец, полицию. Перспектива длительных допросов не пугает Белку, все то время, что будут идти эти чертовы допросы, она проведет не в одиночестве. Одиночество наступит потом, такое глухое и безнадежное, что единственный способ спастись от него — снова оказаться на пристани, в ожидании Корабля-Спасителя.

Белка так погружена в мысли о нем, что не слышит лязга открываемой калитки. Она приходит в себя лишь тогда, когда видит темную фигуру в проеме. Разглядеть ее в подробностях невозможно, но, кажется, это мужчина.

— Белка?

Голос кажется ей знакомым. Самым знакомым на свете.

— Я... не понимаю... кто вы?

— Давай знакомиться. Я — Сережа.

Ослепительный свет пронзает ее, ослепительная боль. Прежде чем потерять сознание и рухнуть на землю, она успевает подумать о Гульке, который намного умнее своей глупышки сестры. Гулька — вот кто принес ей избавление: он нашел в себе силы поднять пистолет, прокрасться на улицу и выстрелить Белке в спину. И она умерла, и сразу же встрети=лась с Сережей, потому что уже не могла терпеть, слишком долгой была жизнь без него.

Странно только, что пейзаж не изменился, он все тот же: глухие металлические ворота, распахнутая калитка, мрачная громада виллы за спиной, усеянная мелким щебнем дорожка. Камешки ощутимо покалывают Белкины колени.

— Не хотел напугать тебя, прости.

Сережа пытается поднять Белку, крепко держит ее за руки, заглядывает в глаза. Света слишком мало, чтобы понять, насколько сильно изменился он за последние двадцать лет, но крошки-лемуры нисколько не постарели, и крошки-колибри не постарели, и по-прежнему зеленеет плющ, и водопад с веселым грохотом струится по скале — омывая Белку, возвращая ее к жизни.

— Сережа...

— Белка!

— Но ты ведь умер, Сережа. Разбился на вертолете. В Сингапуре или Гонконге...

— Вот черт. Откуда ты узнала об этом?

— Тата. Тата сказала мне. Твой друг. Близкий друг.

— И она не должна была узнать. Мне нужно было всего лишь исчезнуть на какое-то время. Ставки в бизнесе иногда бывают такими высокими, что проще объявить себя несуществующим. Но теперь все в порядке. Все утряслось, слышишь? Мне нужно многое рассказать тебе. Мы не виделись целую жизнь, и мне нужно многое рассказать тебе. Прости меня.

— За целую жизнь?

— И за нее тоже. У нас впереди будет много времени, чтобы все рассказать друг другу. Если ты, конечно, захочешь.

— Да.

— Наконец-то вы все собрались здесь.

— Да.

— В доме, который я для вас построил. Для нас.

— Да.

— И как тебе твои родственники?

— Мне тоже нужно... многое рассказать тебе.

— У нас будет много времени. Очень много.

Повелитель кузнечиков так крепко обнимает ее, что Белка слышит хруст собственных костей — таких же мягких и податливых, как кости крошек-лемуров и крошек-колибри. Таких же хрупких, как кости Асты, похороненные где-то здесь, совсем рядом. Но Сережа сможет защитить ее — и от костей, и от воспоминаний. От прошлого и от настоящего.

Почему бы не поверить в это?..

Содержание

Литературно-художественное издание

16+

Платова Виктория Евгеньевна

ОНА УЖЕ МЕРТВА

Роман

Издано в авторской редакции

Редакционно-издательская группа «Жанры»

Зав. группой *М.С. Сергеева*
Руководитель направления *Л.А. Захарова*
Технический редактор *М.Н. Курочкина*
Отв. корректор *И.Н. Мокина*
Компьютерная верстка *Ю.Б. Анищенко*

Подписано в печать 15.07.2014.
Формат 84x108/32. Усл. печ. л. 26,88
Тираж 7 000 экз. Заказ № 5247.

ООО «Издательство АСТ»
129085, г. Москва,
Звездный бульвар, д. 21, строение 3, комната 5

Отпечатано с готовых файлов заказчика
в ОАО «Первая Образцовая типография»,
филиал «УЛЬЯНОВСКИЙ ДОМ ПЕЧАТИ»
432980, г. Ульяновск, ул. Гончарова, 14